# Sadlier We∙Believe

# Creemos ™

# Somos el pueblo de Dios

## We are God's People

### Sexto curso

### Grade Six

**Sadlier**

Una división de William H. Sadlier, Inc.

*Nihil Obstat*
✠ Reverendísimo Robert C. Morlino

*Imprimatur*
✠ Reverendísimo Robert C. Morlino
Obispo de Madison
12 de mayo del 2004

The *Nihil Obstat* and *Imprimatur* are official declarations that a book or pamphlet is free of doctrinal or moral error. No implication is contained therein that those who have granted the *Nihil Obstat* and *Imprimatur* agree with the contents, opinions, or statements expressed.

## Acknowledgments

Scripture excerpts are taken from the *New American Bible with Revised New Testament and Psalms* Copyright ©1991, 1986, 1970, Confraternity of Christian Doctrine, Inc., Washington, D.C. Used with permission. All rights reserved. No part of the *New American Bible* may be reproduced by any means without permission in writing from the copyright owner.

Excerpts from *La Biblia con Deuterocanónicos*, versión popular, copyright ©1966, 1970, 1979, 1983, William H. Sadlier, Inc. Distribuido con permiso de la Sociedad Bíblica Americana. Reservados todos los derechos.

Excerpts from the English translation of *Lectionary for Mass* ©1969, 1981, International Committee on English in the Liturgy, Inc. (ICEL); excerpts from the English translation of *The Roman Missal* ©1973, ICEL; excerpts from the English translation of *Rite of Penance* ©1974, ICEL; excerpts from the English translation of *The Liturgy of the Hours* ©1974, ICEL; excerpts from the English translation of *A Book of Prayers* ©1982, ICEL; excerpts from the English translation of the *Book of Blessings* ©1988, ICEL. All rights reserved.

Excerpts from the *Misal Romano* ©1993, Conferencia Episcopal Mexicana, Obra Nacional de la Buena Prensa, A.C., Apartado M-2181, 06000 México, D.F. All rights reserved.

Excerpts from *Catholic Household Blessings and Prayers* ©1988, United States Catholic Conference, Inc., Washington, D.C. Used with permission. All rights reserved.

Excerpts from *Illustrated Prayers, Blessings, and Hymns* ©1954, KTAV Publishing House, Hoboken, N.J. Used with permission. All rights reserved.

The English translations of the *Gloria Patri*, the *Gloria in excelsis*, the Lord's Prayer, the Apostles' Creed, and the Nicene Creed by the International Consultation on English Texts (ICET).

"God, Creator, God Most High" ©1998, Janet Vogt. Published by OCP Publications, 5536 NE Hassalo, Portland, OR 97213. All rights reserved. Used with permission. "Nueva creación" ©1979, Cesáreo Gabaráin. Obra publicada por OCP Publications, 5536 NE Hassalo, Portland, OR 97213. Derechos reservados. Usada con permiso. "Cántico del Exodo" Respuesta II ©1982, SOBICAIN. Derechos reservados. Con las debidas licencias. Respuesta I y estrofas, ©1994, Eleazar Cortés. Obra publicada por OCP Publications. Derechos reservados. Música: ©1994, 2000, Eleazar Cortés. Obra publicada por OCP Publications. Derechos reservados. Usada con permiso. "En ti confío" ©1997, Eleazar Cortés. Obra publicada por OCP Publications. Derechos reservados. Usada con permiso. "Be Not Afraid" ©1975, 1978, Robert J. Dufford, S.J., and New Dawn Music. Published by OCP Publications. All rights reserved. Used with permission. "Un pueblo que camina" ©1973, Emilio Vicente Matéu y Ediciones Musical PAX–PPC. Derechos reservados. Administradora exclusiva en EE.UU.: OCP Publications. Usada con permiso. "City of God" ©1981, 1992, Daniel L. Schutte and New Dawn Music. Published by OCP Publications. All rights reserved. Used with permission. "El Señor es mi pastor" Letra: ©1982, SOBICAIN. Derechos reservados. Con las debidas licencias.

Música: ©1972, Manuel de Terry y Ediciones PAX–PPC. Derechos reservados. Administradora exclusiva en EE > UU.y Canada: OCP Publications. Usada con permiso. "Salmo 121: Qué alegría" Letra: 1982, SOBICAIN. Derechos reservados. Con las debidas licencias. Música: ©1992, Armida Grajeda. Obra publicada por OCP Publications. Derechos reservados. Usada con permiso. English refrain text from *Lectionary for Mass* ©1969, 1981, 1997, International Committee on English in the Liturgy, Inc. All rights reserved. Used with permission. English verses text ©Jaime Cortez. Published by OCP Publications. All rights reserved. Used with permission. "Prepare the Way" ©1997, Paul Inwood. Published by OCP Publications. All rights reserved. Used with permission. "Salmo 97: Los confines de la tierra" Letra: ©1982, SOBICAIN. Derechos reservados. Con las debidas licencias. Música: Manuel F. García, ©1984, OCP Publications. Derechos reservados. Usada con permiso. "Psalm 98: All the Ends of the Earth" Refrain text from *Lectionary for Mass* ©1969, 1981, 1997, International Committee on English in the Liturgy (ICEL). All rights reserved. Used with permission. Verse text ©1970, 1997, 1998, CCD. All rights reserved. Used with permission. Music: ©1999, 2000, Barbara Bridge. Published by OCP Publications. All rights reserved. Used with permission. "Profetiza" Rosa Martha Zárate Macías, ©1992, G.I.A. Publications, Inc. Derechos reservados. Usada con permiso. "Though the Mountains May Fall" ©1975, Daniel L. Schutte and New Dawn Music. Published by OCP Publications. All rights reserved. Used with permission. "Salmo 26: El Señor es mi luz" Letra: ©1982, SOBICAIN. Derechos reservados. Con las debidas licencias. Música: ©Alberto Taulé. Obra publicada por OCP Publiations. Derechos reservados. Usada con permiso. "Christ, Be Our Light" ©1993, Bernadette Farrell. Published by OCP Publications. All rights reserved. Used with permission. "Misericordia, Señor" ©1982, Joaquín Madurga y San Pablo Comunicación, SSP. Derechos reservados. Administradora exclusiva en EE.UU.: OCP Publications. Usada con permiso. "My God, My God" ©1988, Christopher Walker. Published by OCP Publications. All rights reserved. Used with permission. "Resucitó/He Is Risen" ©1972, 1988, Francisco (Kiko) Gómez Argüello y Ediciones Musical PAX–PPC. Derechos reservados. Administradora exclusiva en EE.UU.: OCP Publications. Usada con permiso. "Pescador de hombres/Lord, You Have Come" ©1979, 1987, Cesáreo Gabaráin. English translation by Robert C. Trupia. Obra publicada por OCP Publications. Derechos reservados. Usada con permiso. "Jesus Is Risen" Refrain and music ©1992, Barbara Bridge. Verse 3 ©1992, Owen Alstott. Published by OCP Publications. All rights reserved. Used with permission. "La buena nueva" Letra y música: Gloria Aguilar, ©1989, OCP Publications. Derechos reservados. Usada con permiso. "God Has Chosen Me" ©1990, Bernadette Farrell. Published by OCP Publications. All rights reserved. Used with permission. "Quién dicen que soy yo" Letra y música ©1992, Jaime Cortez. Obra publicada por OCP Publications. Derechos reservados. Usada con permiso. "Who Am I?" ©1999, 2000, Paule Freeburg, D.C. and Christopher Walker. Published by OCP Publications. All rights reserved. Used with permission. "Envía tu Espíritu" ©1988, Bob Hurd. Published by OCP Publications. All rights reserved. Used with permission.

William H. Sadlier, Inc.
9 Pine Street
New York, NY 10005-1002

ISBN: 0-8215-5206-6
56789/10 09 08 07

El Ad Hoc Committee to Oversee the Use of the Catechism,
de la United States Conference of Catholic Bishops,
consideró que esta serie catequética, copyright 2005,
está en conformidad con el *Catecismo de la Iglesia Católica.*

The Ad Hoc Committee to Oversee the Use of the Catechism,
United States Conference of Catholic Bishops,
has found this catechetical series, copyright 2005,
to be in conformity with the *Catechism of the Catholic Church.*

**Photo Credits**
Children's Uniforms: Courtesy of Greene Uniform Co.

Cover Photography: Corbis: *scroll*; Ken Karp: *children*; PhotoDisc: *spiral galaxy*. Academic Computer Center Cyfronet of Stanislaw Staszic University of Mining and Metallurgy in Cracow, Ancient Art & Architecture Collection Ltd. The Art Archive/Dagli Orti: 73; Museo Storico Aloisiano/Dagli Orti: 151 inset; Musèe du Louvre, Paris/Dagli Orti: 154; Museo di Castelvecchio/Dagli Orti: 223 *inset*; Bibliothëque Mazarine, Paris/Dagli Orti: 342. Art Resource, NY/Reunion des Musèes Nationaux/Louvre, Paris: 23 *inset*; Scala/Museum of the Old Jewish Cemetery, Prague: 126–127 *ram's ḥorns*; 140, 151; Erich Lessing: 226–227; Giraudon: 242–243. Jane Bernard: 90, 94. Anthony Boccaccio: 266. Kunsthistorisches Museum, Vienna, Austria: 60 *top*; New York Historical Society, NY: 109 *inset*; Christie's Images: 146–147; Hermitage, St. Petersburg, Russia: 229; Laura James: 288, Bruce Coleman, Inc.: 13 *center*. Karen Callaway: 81, 86 *top*, 190, 219, 315, 340. The Campaign for Human Development: 239 *inset*. Catholic Relief Services: 195 *inset*. Christie's Images/Herbert Gustave Schmalz: 246–247. Corbis/Tom Stewart: 12 *center*; ChromoSohm, Inc./Joseph Sohm: 43 *center*; Photowood, Inc.: 42 *center*; Darrell Gulin: 46–47; Reuters NewMedia, Inc.: 65 *inset*; Steve Terrill: 80; W. Cody: 81; Jonathan Blair: 96–97 background; Dale O'Dell: 102–103; Mug Shots: 110–111; Danilo Calilung & Scott Speake: 124–125 *background*; Penny Tweedie: 128; 154–155; Robert Landau: 165 *inset*; Bettmann Archive: 209 *inset*, 286–287; Danny Lehman: 251 *inset*; 276–277; Ted Spiegel: 327. Crosiers/Gene Plaisted, OSC: 14, 137 *inset*, 237 *inset*. Octavio Duran, OFM: 330. Everett Collection: 246–247, 251 top. Neal Farris: 23, 37, 38–39, 51, 65, 79, 109, 123, 137, 138–139, 151, 152–153, 165, 183, 179, 195, 196–197, 209, 210, 223, 224 *top right & bottom*, 237, 251, 274–275, 281, 283, 295, 296–297, 309, 310–311, 323, 324–325, 328, 298, 331, 337. Getty Images: 42 *center right*, 44, 61, 112–113, 122, 126, 132–133, 174, 181, 224, 231, 238–239 *background*, 252, 258 *top & bottom*, 268–269 *background*, 330 *bottom*, 341, 345 *top*. Beryl Goldberg: 123 *inset*. Grant Heilman Photography/Larry Lefever: 51 *inset*. The Image Works/Jim West: 42 *top right*; John Berry: 287 *top*. Index Stock Imagery/Don Grail: 15; Myrleen Cate: 79 *inset*; Michael Howell. Ken Karp: 10, 13 *center left*, 24–25, 32–33, 36, 40 *center*, 52 *bottom*, 56–57, 67, 96–97 *bottom*, 124–125 *bottom*, 141, 182, 180 *bottom*, 180, 216–217, 238, 268–269, 272–273, 332 *center right*, 338–339. Masterfile/Nora Good: 12 *planets & starburst*; J. David Andrews: 52–53 *background*: Roy Ooms: 87 *bottom*. PhotoEdit, Inc./Spencer Grant: 255. PictureQuest/Nik Wheeler/Black Star Publishing: 214–215; SuperStock: 330. Sisters of the Good Shepherd: 281 *inset*. Courtesy, The Vatican Observatory: 37 *inset*. W. P. Wittman Ltd.: 40–41, 191, 262, 295 *inset*, 314, 327, 333 *bottom left*.

**Illustrator Credits**
Cover Design: Kevin Ghiglione. Series Patterned Background Design: Evan Polenghi. Gerald Bustamante: 216–217. Lynne Cannoy: 100–101. Sue Climpson: 302–303. Stephanie Dalton Cowan: 140–141, 151 *top*. Dennis Doheny: 126–127. Ryan Etter: 10. Luigi Galante: 202–203, 209 top, 218–219, 222 *top*. Kevin Ghiglione: 132–133. Nick Harris: 70, 71, 198–199, 304–305. Darren Hopes: 118–119. D. B. Johnson: 290–291. W. B. Johnston: 60–61, 156–157 *border*. Michael Kilfoy: 56–57. Dave Lafleur: 58–59, 142–143. Ray Lago: 130–131, 137 *top*, 144–145, 217 *center*. Bill Latta: 12–13, 98–99, 116–117, 184–185, 186–187, 270–271, 272–273. Polly M. Law: 204–205, 226–227, 288–289. Lori Lohstoeter: 30–31. Rafael Lopez: 44–45. Jim Madsen: 54–55, 65 top, 74–75, 79 *top*, 91, 276–277, 280 *top*. John F. Martin: 212–213. John Mattos: 188–189, 194–195 *top*, 232–233, 237 *top*. Francisco Ordaz: 104–105, 114–115, 156–157 *bottom*, 165 *top*, 244–245. Larry Paulsen: *background illustration for Repaso/Review, Respondemos y compartimos la fe/We Respond and Share the Faith pages*. Donna Perrone: 18–19, 24–25. Charlene Potts: 214–215. Rodica Prato: 154–155, 312–313. Jesse Reisch: 28–29. Maria Rendon: 80–81, 166–181, 252–267, 316–317, 338–345. Roy Scott: 332–333 *collage*. Peter Siu: 329. Neil Slave: 200–201, 298–299, 308 *top*. Steve Stankiewicz: 158–159. Susan Tolonen: 22 *center*, 36 *center*, 50 *center*, 64 *center*, 78 *center*. Elisabeth Trostli: 16–17, 108–109 *center*, 122–123 *center*, 136–137 *center*. 150–151 *center*, 160–161, 164–165 *center*, 194–195 *center*, 208–209 *center*, 222–223 *center*, 236–237 *center*, 250–251 *center*, 280–281 *center*, 294–295 *center*, 308–309 *center*, 321–322 *center*, 336–337 *center*. Sally Jo Vitsky: 314–315. Tracy Walker: 68–69.

El programa *Creemos/We Believe* de Sadlier fue desarrollado por un reconocido equipo de expertos en catequesis, desarrollo del niño y currículo a nivel nacional. Estos maestros y practicantes de la fe nos ayudaron a conformar cada lección a la edad de los niños. Además, un equipo de respetados liturgistas, catequistas, teólogos y ministros pastorales compartieron sus ideas e inspiraron el desarrollo del programa.

El programa está basado en la sabiduría de la comunidad e incluye personalidades tales como:

Gerard F. Baumbach, Ed.D.
Director, Centro de Iniciativas Catequéticas
Profesor de teología
University of Notre Dame

## Consultores en liturgia y catequesis

Reverendo Monseñor John F. Barry
Párroco, Parroquia American Martyrs
Manhattan Beach, CA

Hermana Linda Gaupin, CDP, Ph.D.
Directora de Educación Religiosa
Diócesis de Orlando

Mary Jo Tully
Canciller, Arquidiócesis de Portland

Reverendo Monseñor John M. Unger
Superintendente Asociado
de Educación Religiosa
Arquidiócesis de San Luis

## Consultores en currículo y desarrollo del niño

Hermano Robert R. Bimonte, FSC
Ex Superintendente de Educación Católica
Diócesis de Buffalo

Gini Shimabukuro, Ed.D.
Profesora Asociada
Institute for Catholic Educational Leadership
Escuela de Educación
Universidad de San Francisco

## Consultores en la Escritura

Reverendo Donald Senior, CP, Ph.D., S.T.D.
Miembro, Comisión Bíblica Pontificia
Presidente, Catholic Theological Union
Chicago, IL

Carole M. Eipers, D.Min.
Directora Ejecutiva de Catequesis
William H. Sadlier, Inc.

## Consultores en multicultura

Reverendo Allan Figueroa Deck, SJ, Ph.D.
Director Ejecutivo
Loyola Institute for Spirituality
Orange, CA

Kirk Gaddy
Director, St. Katharine School
Baltimore, MD

Reverendo Nguyễn Việt Hưng
Comité Catequético Vietnamita

## Doctrina social de la Iglesia

John Carr
Secretario, Departamento de Desarrollo
Social y Paz Mundial, USCCB

Joan Rosenhauer
Coordinadora, Proyectos Especiales
Departamento de Desarrollo Social
y Paz Mundial, USCCB

## Consultores en medios y tecnología

Hermana Caroline Cerveny, SSJ, D.Min.
Directora Asociada, Tecnología Académica
St. Leo University, Florida

Hermana Judith Dieterle, SSL
Ex Presidenta, Asociación Nacional de
Profesionales en Catequesis y Medios

Hermana Jane Keegan, RDC
Editora del Internet
William H. Sadlier, Inc.

# Índice

# Contents

# UNIT 3

## Redefining the Covenant People

# UNIT 4

## The Covenant Fulfilled in Jesus

# La revelación de Dios

## NOS CONGREGAMOS

**Líder:** Dios vivo, nuestro peregrinaje de fe nos dirige a ti. Tus grandes obras son palabras de fortaleza y esperanza para nosotros. Abre nuestros corazones para que escuchemos tu palabra viva.

**Lector:** "Tú fuiste quien formó todo mi cuerpo; tú me formaste en el vientre de mi madre. Te alabo porque estoy maravillado, porque es maravilloso lo que has hecho". (Salmo 139:13–14)

**Todos:** Tu palabra es luz para mi camino, Señor.

🎵 **Esta es la raza**

Del Señor es la tierra
y cuanto la llena:
él la fundó sobre los mares,
sobre los ríos.

¿Cuáles son algunas formas en que descubres nuevas ideas y obtienes nueva información?

## CREEMOS

**Podemos conocer a Dios por medio de su creación.**

Cuando pensamos usamos nuestra habilidad natural de razonar y tomar conclusiones. La habilidad de razonar es un don que tiene todo humano. Por medio de la razón los humanos han llegado a muchas conclusiones acerca de Dios. Desde hace siglos, grandes pensadores han desarrollado teorías sobre la existencia de Dios. La más simple de estas teorías está basada en la idea de que una máquina, como un computador, no se crea a sí misma. Tiene que ser creada. La conclusión es que el universo debió haber sido creado. Creemos que el hacedor, o creador, del universo es Dios.

# God's Revelation

## WE GATHER

✝ **Leader:** O living God,
Our journey of faith leads us on
the path to you.
Your magnificent deeds are
words of strength and hope for us.
Open our hearts to listen to your
living word.

**Reader:** "You formed my inmost being;
you knit me in my
mother's womb.
I praise you, so wonderfully
you made me;
wonderful are your works!"
(Psalm 139:13–14)

**All:** Your word is a light to my path, O Lord.

☀ What are some of the ways that you
discover new ideas or gain new
information?

🎵 **God, Creator, God Most High**

God, Creator, God Most High,
be our ever present light.
Be among us, here before us, God
within us.

## WE BELIEVE

### We can know God through his creation.

When we think, we are using our natural
ability to reason and to come to sound
conclusions. The ability to reason is a gift that
all human beings have. And through reason
humans have drawn many conclusions about
God. For centuries, great thinkers have
developed reasonable theories for God's
existence. The simplest of these theories is
based on the idea that a machine, such as a
watch or a computer, does not make itself. It
has a maker. The reasonable conclusion is that
the universe has a maker. We believe that the
maker, or creator, of the universe is God.

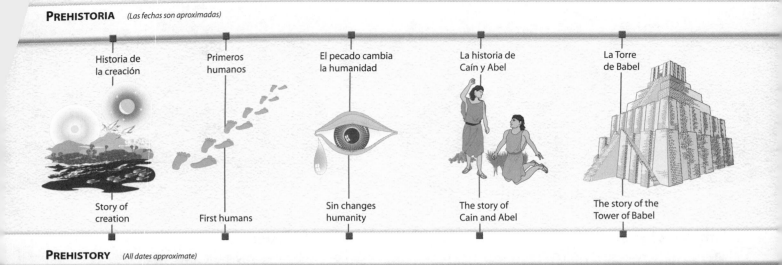

Historia de la creación — Story of creation

Primeros humanos — First humans

El pecado cambia la humanidad — Sin changes humanity

La historia de Caín y Abel — The story of Cain and Abel

La Torre de Babel — The story of the Tower of Babel

En sus escritos, San Pablo nos recuerda que la mente humana puede encontrar a Dios "Si se reflexiona en lo que él ha hecho" (Romanos 1:20). Al mirar el vasto espacio con un telescopio conocemos algo del poder de Dios. Al descubrir más sobre el universo conocemos más sobre el conocimiento y sabiduría de Dios.

Vemos la gran variedad de plantas y animales en el mundo. Observamos la vida humana y las grandes creaciones en el universo. Aprendemos quienes somos, como pensamos y nos comportamos, y lo que esperamos nos ayude a pensar en como es Dios.

Al usar todos nuestros dones naturales y los de los demás, llegamos a conocer nuestro mundo, a nosotros mismos y sobre Dios.

Los modos naturales de aprender sobre Dios son limitados. Necesitamos a Dios mismo para que nos diga quién y como es él.

¿Cuáles fotos en estas páginas te ayudan a conocer a Dios? ¿Por qué?

## Dios se dio a conocer por medio de su divina revelación.

Dios nos ama tanto que nos habla de sí mismo. El se revela a nosotros. *Revelación* quiere decir "darse a conocer". **Revelación divina** es Dios darse a conocer a nosotros. Dios se da a conocer por medio de sus grandes obras y sus acciones con el pueblo a través de los tiempos.

Aun cuando Dios habló individualmente a las personas sobre sí mismo y su plan para con su pueblo, su mensaje fue para toda la comunidad. Dios fue claro en que él quería tener una relación de amor con todos los pueblos. Dios hizo posible que los humanos lo conocieran y le respondieran en una forma adecuada.

Yet, natural means of learning about God are all limited. We need God himself to tell us who he is and what he is like.

Which pictures on these pages help you to know what God is like? Why?

## God makes himself known through Divine Revelation.

God loves us so much that he told us about himself. He revealed himself to us. *Reveal* means "to make known." **Divine Revelation** is God's making himself known to us. God has made himself known to us through his mighty deeds and by his interactions with his people throughout time.

Although God spoke to individual men and women about himself and his plan for his people, his message was for the whole community. God made it clear that he wanted to have a loving relationship with all people. God made it possible for humans to know him more deeply and to respond to him in a way that was otherwise not possible.

In his writings Saint Paul reminds us that the human mind can find God "in what he has made" (Romans 1:20). By looking at the vast expanses of space through a telescope we get to know something of God's power. By discovering more about the universe we get to know about God's knowledge and wisdom. We notice the great variety of plant and animal life in the world. We observe human life, the greatest and most astounding creation in the universe. Learning about who we are, how we think and behave, and what we hope for helps us to think about what God must be like.

So by making use of all of our natural gifts, and those of other people, we get to know about our world, about ourselves, and about God.

Dios se hizo conocer gradualmente. La revelación de Dios empezó con la creación de los primeros humanos y sus descendientes. Esta continuó durante la historia de Israel y el pueblo judío.

La revelación de Dios es total y completa en su Hijo, Jesucristo. Al enviar a su Hijo, Dios nos dice que necesitamos conocerlo. En el Evangelio de Juan leemos: "Nadie ha visto jamás a Dios; el Hijo único, que es Dios y que vive en íntima comunión con el Padre, es quien nos lo ha dado a conocer" (Juan 1:18).

Jesucristo es el único Hijo de Dios quien se hizo hombre. Jesús nos muestra a Dios el Padre. Junto con el Padre, Jesús envía a Dios el Espíritu Santo, quien nos ayuda a responder al gran amor de Dios por nosotros. Dios, el Padre, Dios el Hijo y Dios el Espíritu Santo son la Santísima Trinidad. **Santísima Trinidad** es tres Personas en un solo Dios.

Como Iglesia, los bautizados en Jesucristo y que lo siguen somos guiados por el Espíritu Santo para entender la revelación de Dios y aplicarla en nuestras vidas. También esperamos el entendimiento claro del amoroso plan de Dios que llega a los que están con el Padre por siempre en la vida eterna. Es sólo en la vida eterna que conoceremos a Dios totalmente.

Lee de nuevo las páginas 12 y 14. Subraya las formas en que Dios se ha revelado.

## La revelación de Dios es transmitida por medio de la Biblia y la Tradición.

La **Biblia**, también llamada *Sagrada Escritura* o simplemente *Escritura*, es el récord escrito de la revelación de Dios y su relación con su pueblo. Los eventos y los recuerdos que el pueblo tuvo de Dios fueron pasados de generación a generación. Las experiencias vivas del pueblo ayudaron a preparar la forma y el contenido del récord escrito.

La Biblia tiene un autor divino, Dios, y muchos autores humanos, o escritores bíblicos. Estos autores usaron sus propias palabras y expresiones. Mientras escribían, los autores humanos eran guiados por Dios el Espíritu Santo. Esta guía especial que el Espíritu Santo dio a los autores humanos de la Biblia es llamada **inspiración divina**. Esta garantiza que los autores humanos escribieron sin error la verdad salvadora de Dios. Por esa razón el verdadero autor de toda la Biblia es Dios. Entonces, la Biblia es la *Palabra de Dios*.

**Tradición** es la revelación de la buena nueva de Jesucristo como la vivió la Iglesia, en el pasado y la vive en el presente. La Tradición incluye las enseñanzas y prácticas pasadas oralmente desde los tiempos de Jesús y sus apóstoles. Incluye los credos, o afirmaciones de la fe cristiana. También incluye las enseñanzas y documentos de la Iglesia, el culto de la Iglesia y otras prácticas.

## Como católicos...

La Iglesia tiene la tarea de interpretar y enseñar la Escritura. Los obispos comparten esta responsabilidad de enseñar con los sacerdotes y los laicos. Muchas personas ayudan a los obispos a interpretar el significado de la Escritura. Algunas de esas personas son estudiosos de la Biblia que traducen y estudian los rollos antiguos. Otras son arqueólogos. Su trabajo nos ayuda a entender como vivía el pueblo en los tiempos bíblicos.

¿Quiénes son algunas personas que nos enseñan sobre la Biblia?

God made himself known gradually over time. God's Revelation began with the creation of the first human beings and their descendants. It continued through the ancient Israelites and the Jewish people.

God's Revelation is full and complete in his only Son, Jesus Christ. By sending his Son, God tells us what we need to know about himself. In the Gospel of John we read, "No one has ever seen God. The only Son, God, who is at the Father's side, has revealed him" (John 1:18).

Jesus Christ is the only Son of God who became man. Jesus shows us God his Father. Together with the Father, Jesus sends God the Holy Spirit who helps us respond to God's great love for us. God the Father, God the Son, and God the Holy Spirit are the Blessed Trinity. The **Blessed Trinity** is the three Persons in one God.

As the Church—those who are baptized in Jesus Christ and follow him—we are guided by the Holy Spirit to understand God's Revelation and to apply it in our lives. We also hope for the clearer understanding of God's loving plan that comes to those who are with God forever in eternal life. It is only in eternal life that we will completely know God.

Read pages 13 and 15. Highlight or underline ways God revealed himself.

## God's Revelation is handed down through the Bible and Tradition.

The **Bible**, also called *Sacred Scripture* or simply *Scripture*, is the written record of God's Revelation and his relationship with his people. The events and the recollections that people had of God were passed on from generation to generation. People's living experience of God helped to shape the form and content of the written record.

The Bible has a divine author, God, and many human authors, or biblical writers. These writers used their own words and expressions. As the human authors wrote, they were guided by God the Holy Spirit. The special guidance that the Holy Spirit gave to the human authors of the Bible is called **divine inspiration**. It guaranteed that the human authors wrote without any error God's saving truth. For that reason God is the true author of the whole Bible. Thus, the Bible is the *word of God*.

**Tradition** is the Revelation of the good news of Jesus Christ as lived out in the Church, past and present. Tradition includes teachings and practices handed on orally from the time of Jesus and his apostles. It includes the creeds, or statements, of Christian beliefs. It also includes the teachings and documents of the Church, the Church's worship, and other practices.

## As Catholics...

The Church has the task of interpreting and teaching Scripture. The bishops share this teaching responsibility with priests and lay people. Many people help the bishops to interpret the meaning of Scripture. Some of these people are biblical scholars who translate and study ancient scrolls. Others are archaeologists. Their work helps us to understand how people lived in biblical times.

Who are some people who teach you about the Bible?

En la Tradición la Iglesia encuentra la fuente del entendimiento continuo del significado de la Revelación y las formas de aplicarlas en nuestras vidas.

El mensaje escrito de la Escritura y el mensaje hablado de la Tradición han sido legado por los apóstoles a toda la Iglesia. Los obispos son los sucesores de los apóstoles. Con el papa como cabeza, ellos forman el *Magisterio,* la enseñanza viva del oficio de la Iglesia. En nombre de Jesús y con la ayuda del Espíritu Santo el Magisterio interpreta la Escritura y la Tradición. Por siglos la Iglesia ha compartido y construido la fe de los apóstoles. La comunidad de la Iglesia en todas las generaciones cree y vive esta fe y la pasa a futuras generaciones.

 En grupos hablen de las similitudes y diferencias entre la Biblia y la Tradición.

## La Biblia es una colección de libros.

Los escritores bíblicos usaron formas literarias únicas para ayudarnos a aprender sobre Dios. Una *forma literaria* es un tipo de escrito usado para llevar un mensaje.

En la Biblia encontramos todo tipo de formas literarias: folclor, historias, novelas, historias cortas, consejos, leyes, cartas, profecías, visiones, poesía, himnos y muchas otras.

La palabra *biblia* significa "libros". La Biblia no es un solo libro sino una pequeña biblioteca de libros sagrados y santos. En la Biblia hay setenta y tres libros. Está dividida en dos partes. El *Antiguo Testamento* que tiene cuarenta y seis libros y el *Nuevo Testamento* que tiene veinte y siete.

En el Antiguo Testamento aprendemos sobre la relación entre Dios y el pueblo de Israel. En el Nuevo Testamento encontramos la historia de Jesús, su misión, sus primeros seguidores y el inicio de la Iglesia.

Cuando nos referimos a una lectura de la Biblia nos referimos al libro, al capítulo del libro y al versículo del capítulo. La cita, Génesis 1:1–2 se refiere al Libro de Génesis, capítulo 1, versículos 1 y 2.

### RESPONDEMOS

¿Cuáles son algunas formas por las que has llegado a conocer a Dios? ¿Cómo puedes compartir lo que sabes sobre Dios y los demás?

### Vocabulario

**revelación divina** (pp 350)

**Santísima Trinidad** (pp 350)

**Biblia** (pp 349)

**inspiración divina** (pp 349)

**Tradición** (pp 350)

Tradition is the source of the Church's ongoing understanding of the meaning of Revelation and the ways to apply it to our lives.

The written message of Scripture and the spoken message of Tradition have been handed on by the apostles to the whole Church. The bishops are the successors of the apostles. With the pope as their head, they form the *Magisterium*, the living, teaching office of the Church. In Jesus' name and with the help of the Holy Spirit, the Magisterium interprets both Scripture and Tradition. Through the centuries the Church has continued to share and build on the faith of the apostles. The Church community in every generation believes and lives this faith and passes it on to future generations.

 In groups discuss the ways the Bible and Tradition are the same or different.

## The Bible is a collection of books.

The biblical writer used literary forms to help us to learn about God in a unique way. A *literary form* is a type of writing used to get a message across.

The Bible contains all kind of literary forms: ancient folktales, histories, novels, short stories, advice on living, codes of law, letters, prophecy, visions, poetry, hymns, and many other types of writing.

The word *bible* means "books." The Bible is not just one book but a small library of sacred, or holy, books. The Bible has seventy-three separate books. It is divided into two parts. The *Old Testament* contains forty-six books and the *New Testament*, contains twenty-seven books.

In the Old Testament we learn about God's relationship with the people of Israel. The New Testament contains the story of Jesus, his mission, his first followers, and the beginning of the Church.

When we refer to a reading from the Bible we refer to the book, the chapter of the book, and verse of the chapter. The citation Genesis 1:1–2 refers to the Book of Genesis, chapter 1, verses 1 and 2.

## WE RESPOND

What are some ways that you have come to know God? How can you share what you know about God with others?

Key Words

Divine Revelation (p. 351)

Blessed Trinity (p. 351)

Bible (p. 351)

divine inspiration (p. 351)

Tradition (p. 352)

# Libros de la Biblia

## Antiguo Testamento
### Pentateuco (cinco rollos)

Estos libros tratan de la formación de la alianza y describen las leyes y creencias básicas de los israelitas.

| | | | | |
|---|---|---|---|---|
| Génesis | Exodo | Levítico | Números | Deuteronomio |

### Libros históricos

Estos libros son sobre la historia de Israel.

| | | | | |
|---|---|---|---|---|
| Josué | 1 Samuel | 1 Crónicas | Nehemías | Ester |
| Jueces | 2 Samuel | 2 Crónicas | Tobit | 1 Macabeos |
| Rut | 1 Reyes | Esdras | Judit | 2 Macabeos |
| | 2 Reyes | | | |

### Libros de sabiduría

Estos libros explican La presencia de Dios en la vida diaria.

| | | | | |
|---|---|---|---|---|
| Job | Proverbios | Cantares | Sabiduría | Sirácides |
| Salmos | Esclesiastés | | | |

### Libros proféticos

Estos libros contienen escritos de grandes profetas quienes hablaron la palabra de Dios al pueblo de Israel.

| | | | | |
|---|---|---|---|---|
| Isaías | Ezequiel | Amós | Nahúm | Hageo |
| Jeremías | Daniel | Abdias | Habacuc | Zacarías |
| Lamentaciones | Oseas | Jonás | Sofonías | Malaquías |
| Baruc | Joel | Miqueas | | |

## Nuevo Testamento
### Evangelios

Estos libros contienen el mensaje y los eventos importantes de la vida de Jesucristo. Por eso los evangelios tienen un lugar importante en el Nuevo Testamento.

| | | | |
|---|---|---|---|
| Mateo | Marcos | Lucas | Juan |

### Cartas

Estos libros contienen cartas escritas por San Pablo y otros líderes de las primeras comunidades cristianas.

| | | | |
|---|---|---|---|
| Romanos | Colosenses | Tito | 2 Pedro |
| 1 Corintios | 1 Tesalonicenses | Filemón | 1 Juan |
| 2 Corintios | 2 Tesalonicenses | Hebreos | 2 Juan |
| Gálatas | 1 Timoteo | Santiago | 3 Juan |
| Efesios | 2 Timoteo | 1 Pedro | Judas |
| Filipenses | | | |

### Otros escritos

| | |
|---|---|
| Hechos de los apóstoles | Apocalipsis |

# Books of the Bible

## The Old Testament

### Pentateuch ("Five Scrolls")

| These books tell about the formation of the covenant and describe basic laws and beliefs of the Israelites. | Genesis | Exodus | Leviticus | Numbers | Deuteronomy |
|---|---|---|---|---|---|

### Historical Books

| These books deal with the history of Israel. | Joshua | 1 Samuel | 1 Chronicles | Nehemiah | Esther |
|---|---|---|---|---|---|
| | Judges | 2 Samuel | 2 Chronicles | Tobit | 1 Maccabees |
| | Ruth | 1 Kings | Ezra | Judith | 2 Maccabees |
| | | 2 Kings | | | |

### Wisdom Books

| These books explain God's role in everyday life. | Job | Proverbs | Song of Songs | Wisdom | Sirach |
|---|---|---|---|---|---|
| | Psalms | Ecclesiastes | | | |

### Prophetic Books

| These books contain writings of the great prophets who spoke God's word to the people of Israel. | Isaiah | Ezekiel | Amos | Nahum | Haggai |
|---|---|---|---|---|---|
| | Jeremiah | Daniel | Obadiah | Habakkuk | Zechariah |
| | Lamentations | Hosea | Jonah | Zephaniah | Malachi |
| | Baruch | Joel | Micah | | |

## The New Testament

### Gospels

| These books contain the message and key events in the life of Jesus Christ. Because of this, the gospels hold a central place in the New Testament. | Matthew | Mark | Luke | John |
|---|---|---|---|---|

### Letters

| These books contain letters written by Saint Paul and other leaders to individual Christians or to early Christian communities. | Romans | Colossians | Titus | 2 Peter |
|---|---|---|---|---|
| | 1 Corinthians | 1 Thessalonians | Philemon | 1 John |
| | 2 Corinthians | 2 Thessalonians | Hebrews | 2 John |
| | Galatians | 1 Timothy | James | 3 John |
| | Ephesians | 2 Timothy | 1 Peter | Jude |
| | Philippians | | | |

### Other Writings

| Acts of the Apostles | Revelation |
|---|---|

## Capítulo 1

**Escribe en la raya la letra que mejor define el término.**

1. _____ revelación divina

    **a.** récord escrito de la revelación de Dios y su relación con su pueblo

2. _____ Biblia

    **b.** tipo de escritura usada para llevar un mensaje

    **c.** guía especial que el Espíritu Santo dio a los autores humanos de la Biblia

3. _____ Tradición

    **d.** Dios dándose a conocer a nosotros

    **e.** Revelación de la buena nueva de Jesucristo como es vivida por la Iglesia en el pasado y en el presente

4. _____ inspiración divina

**Escribe V si es verdadero y F si es falso. Cambia lo falso en verdadero.**

5. _____ El Magisterio es la enseñanza viva del oficio de la Iglesia.

_____

6. _____ La Biblia es la palabra de Dios.

_____

7. _____ Aprendemos sobre la relación de Dios con el pueblo de Israel en el Nuevo Testamento.

_____

8. _____ La Tradición es el récord escrito de la revelación de Dios y la relación con su pueblo.

_____

**Contesta.**

**9–10.** ¿Cómo Dios se revela a sí mismo?

## Reflexiona y ora

Cuando leo la Biblia _____.

Dios, gracias por revelarte a mí por medio de _____

_____.

## Chapter 1

**Write the letter that best defines each term. There is an extra answer.**

1. _d_ Divine Revelation

2. _a_ Bible

3. _e_ Tradition

4. _c_ divine inspiration

a. written record of God's Revelation and his relationship with his people

b. a type of writing used to get a message across

c. the special guidance that the Holy Spirit gave to the human authors of the Bible

d. God's making himself known to us

e. the Revelation of the good news of Jesus Christ as lived out in the Church, past and present

**Write True or False next to the following sentences.**
**Then change the false sentences to make them true.**

5. _T_ The Magisterium is the living, teaching office of the Church.

_____

6. _T_ The Bible is the word of God.

_____

7. _f_ We learn about God's relationship with the people of Israel in the New Testament.

old

_____

8. _F_ Tradition is the written record of God's Revelation and his relationship with his people.

_____

**Write a paragraph to answer this question.**

**9–10.** How has God revealed himself to us?

## Reflect & Pray

When I read the Bible I _____.

God, thank you for revealing yourself to me through _____

_____.

# Respondemos y compartimos la fe

## Compartiendo lo aprendido

Habla con tu familia sobre lo siguiente:

- revelación divina
- Tradición y Escritura
- inspiración divina
- los libros de la Biblia.

## Recuerda

- Podemos conocer a Dios por medio de su creación.
- Dios se dio a conocer por medio de su divina revelación.
- La revelación de Dios es transmitida por medio de la Biblia y la Tradición.
- La Biblia es una colección de libros.

### "Descubriendo a Dios"

San Pablo nos habla sobre donde podemos encontrar a Dios "en lo que él ha hecho" (Romanos 1:20). Esta semana, anima a tu familia a encontrar a Dios en tu casa, la escuela, el trabajo y la comunidad. Haz un plan de acción para que la familia viva lo que has descubierto.

## NUESTRA VIDA CATOLICA

### San Jerónimo

San Jerónimo nació en el siglo cuarto. Estudió en Roma y aprendió griego y latín. Se hizo monje, pero le preocupaba que su estilo de vida y su amor por los escritos no cristianos le alejaran del amor de Dios. Después de varios años se fue a vivir en el desierto a ayunar, rezar y pensar en Dios. Estudió el Antiguo Testamento y la lengua hebrea. Su habilidad con el hebreo y el griego le permitieron traducir la Biblia al latín. Debido a su traducción mucha gente pudo leer y estudiar la Biblia. En sus últimos años, Jerónimo vivió en Belén donde estudió la Biblia, rezó y escribió cartas y libros sobre la Biblia. Su fiesta se celebra el 30 de septiembre.

Visita Sadlier en

www.CREEMOSweb.com

**Conexión con el Catecismo**
Para referencia vea los párrafos 32, 38, 81 y 120.

# We Respond and Share the Faith

## Sharing What I Learned

Discuss the following with your family:

- Divine Revelation
- Scripture and Tradition
- divine inspiration
- the books of the Bible.

## Remember

- We can know God through his creation.
- God makes himself known through Divine Revelation.
- God's Revelation is handed down through the Bible and Tradition.
- The Bible is a collection of books.

### "Finding God"

Saint Paul tells us that we can find God "in what he has made" (Romans 1:20).

This week, encourage your family to "find God" in your home, school or work, and community. Make a family plan of action to live out what you have found.

## OUR CATHOLIC LIFE

### Saint Jerome

Saint Jerome was born during the fourth century. He studied in Rome and learned Greek and Latin. He became a monk, but he worried that his love for the lifestyle and writings of non-Christians would take away from his love for God. After several years he went to live in the desert to fast, pray, and focus on God. He studied the writings of the Old Testament and the Hebrew language. With his skill in Hebrew and Greek, Jerome later translated the Bible into Latin. Because of his translation of the Bible, many people were able to read and study Scripture. In his later years Jerome lived in Bethlehem where he studied the Bible, prayed, and wrote letters and books about the Bible. We celebrate his feast day on September 30.

 **Connect to the Catechism**
For adult background and reflection, see paragraphs 32, 38, 81, and 120.

Visit Sadlier's
**www.CREEMOSweb.com**

# La creación

## NOS CONGREGAMOS

✝ **Líder:** Dios de la creación, nos has dado regalos maravillosos. Te alabamos y te damos gracias por toda tu creación.

**Lector:** "Todo lo bueno y perfecto que se nos da, viene de arriba, de Dios, que creó los astros del cielo". (Santiago 1:17)

**Líder:** Demos gracias por el don de la vida.

**Todos:** Te alabamos, Señor.

☀ Describe tus primeros recuerdos de algo que tu familia te ha contado sobre tu infancia.

## CREEMOS

### El libro del Génesis es sobre los orígenes.

La historia de Dios y su pueblo contada en la Biblia cubre un período de aproximadamente dos mil años. Cada parte, o período de esta historia conecta de un manera especial con la **alianza**, acuerdo entre Dios y su pueblo. Cada período en esta historia contiene eventos claves relacionados con la alianza. Estos eventos son descritos en varios libros de la Biblia.

*Génesis* quiere decir inicio. El **libro del Génesis** es el primer libro de la Biblia y es acerca del inicio. En los primeros once capítulos leemos sobre la prehistoria, los eventos desde la creación hasta Abraham. Esos capítulos contienen historias que describen el inicio de la relación de Dios con la humanidad. Esas historias son muy antiguas y no son necesariamente sobre hechos reales. Las historias contienen vivas descripciones e imaginación, los detalles se repiten y tienen

una simple trama con pocos protagonistas. Era muy fácil para que la gente pudiera entender el significado de las historias, recordarlas y pasarlas a los demás.

# Creation

## WE GATHER

✝ **Leader:** O God of creation,
You have given us wonderful gifts!
We praise and thank you for all that you
have created.

**Reader:** "All good giving and every perfect gift
is from above, coming down from the Father
of lights." (James 1:17)

**Leader:** We thank you for our gift of life.

**All:** We praise you, God.

 Describe your
earliest memories
or something
your family has
told you about
your early life.

## WE BELIEVE
### The Book of Genesis is about beginnings.

The history of God and his people which is recorded in the Bible covers over two thousand years. Each part, or period, of this story connects in a special way with the **covenant**, an agreement between God and his people. And each period in this history contains key events that are related to the covenant relationship. These events are described in the various books of the Bible.

*Genesis* means beginning. The **Book of Genesis** is the first book in the Bible, and it is about beginnings. In the first eleven chapters of Genesis, we read about prehistory, the events from creation to the time of Abraham. These chapters contain stories that describe the beginning of God's relationship with humanity. These stories are very old and are not necessarily about factual events. The stories contain vivid descriptions and imagery, repeat details often, and have simple plots with few characters. Thus, it was easy for people to understand the meaning of the stories, remember them, and pass them on down through the ages.

Los escritores de la Biblia usaron símbolos para contar la historia real y al mismo tiempo dar un significado profundo a la historia. Los símbolos usados en las historias bíblicas expresan ideas y creencias sobre Dios y sus acciones a través de la historia.

 ¿Cuáles son algunas historias que encontramos en los primeros once capítulos del génesis? Escribe una.

_____

_____

_____

_____

_____

_____

_____

### Dios creó el universo.

El libro del Génesis contiene dos historias de la creación muy simbólicas. En la primera, Génesis 1:1; 2:4, el autor nos cuenta en forma simple, pero en lenguaje poético, que Dios libremente creó el universo en seis días. Un *día* en esta historia no quiere decir veinticuatro horas. De hecho, día no representa ningún período de tiempo definido. Los eruditos piensan que el escritor mostró a Dios creando el universo en seis días porque era el tiempo semanal normal de trabajo de los israelitas en los tiempos en que se escribió la historia.

En esta historia de la creación Dios habla y todo es creado: la luz, el sol, la luna, las estrellas, el cielo, el agua, la tierra, el mar, las plantas, los peces, los animales y los humanos. Por la palabra de Dios el universo se crea. Y en cada etapa Dios ve que lo que ha creado es bueno. Entonces el séptimo día Dios descansa, igual que los israelitas descansaban después del trabajo semanal.

La intención de la historia de la creación no es científica. No es exactamente un recuento del trabajo de Dios en un tiempo determinado. Es la historia que revela al pueblo de Dios la verdad sobre la creación: que todo lo que existe es creado por Dios y que todo lo creado por Dios es bueno y depende de él.

 Después que leas la historia de la creación, presenta los eventos en forma dramática. Escribe tu plan aquí.

The biblical writer used symbols to tell a realistic story and at the same time to give the deeper meaning of the story. The symbols used in the stories of the Bible express ideas and beliefs about God and his actions throughout history.

 What are some of the stories found in the first eleven chapters of Genesis? Choose one of them. Write about it here.

_____

_____

_____

_____

_____

_____

_____

## God created the universe.

The Book of Genesis contains two very symbolic stories of creation. In the first, Genesis 1:1—2:4, the biblical writer tells us in simple but poetic language that God freely created the universe over a six-day period. A *day* in this story does not mean twenty-four hours. In fact, day does not represent any definite period of time. Scholars think the biblical writer showed God creating the universe in six days because that was the normal workweek of the Israelites who lived at the time the story was written.

In this creation story God spoke and everything was created: light, sun, moon, stars, sky, water, earth, sea, fish, plants, animals, and humans. By God's word the universe came into being. And at each stage God saw that what he created was good. Then on the seventh day God rested, just as the Israelites rested after their long workweek.

This creation story is not meant to be a scientific study of creation. It is not an exact recording of God's work within a certain time frame. Instead, it is the story that revealed to God's people the truths about creation: everything in existence is created by God, and everything that God created is good and depends on him.

 After you read the story of creation portray the events in a dramatic representation. Write the plan for your presentation here.

# Primera historia de la creación

"En el comienzo de todo, Dios creó el cielo y la tierra. La tierra no tenía entonces ninguna forma; todo era un mar profundo cubierto de oscuridad, y el espíritu de Dios se movía sobre el agua".

(Genesis 1:1–2)

 Genesis 1:1–31; 2:1–4

## Primer día

"Entonces Dios dijo: "¡Qué haya luz!" Y hubo luz". (Génesis 1:3)

## Segundo día

"Después Dios dijo: "Que haya una bóveda que separe las aguas, para que estas queden separadas". Y así fue". (Génesis 1:6)

## Tercer día

"Entonces Dios dijo: "Que el agua que está debajo del cielo se junte en un solo lugar, para que aparezca lo seco".. . . Al ver Dios que todo estaba bien dijo: "Que produzca la tierra toda clase de plantas: hierbas que den semilla y árboles que den fruto". (Génesis 1:9–11)

## Cuarto día

"Entonces Dios dijo: "Que haya luces en la bóveda celeste . . . .Dios hizo las dos luces: la grande para alumbrar de día y la pequeña para alumbrar de noche. También hizo las estrellas". (Génesis 1:14:16)

## Quinto día

Luego Dios dijo: "Que produzca el agua toda clase de animales, y que haya también aves que vuelen sobre la tierra". (Génesis 1:20)

## Sexto día

"Entonces Dios dijo: "Que produzca la tierra toda clase de animales; domésticos y salvajes",. . . . Entonces dijo: "Ahora hagamos al hombre. Se parecerá a nosotros,. . . hombre y mujer los creó, y les dio su bendición:

"Tengan muchos, muchos hijos; llenen el mundo y gobiérnenlo; dominen a los peces y a las aves, y a todos los animales que se arrastran. . .Y Dios vio que todo lo que había hecho estaba muy bien". (Génesis 1:24, 26, 27, 28, 31)

## Séptimo día

"El cielo y la tierra, y todo lo que hay en ellos, quedaron terminados. El séptimo día terminó Dios los que había hecho, y descansó. Entonces bendijo el séptimo día y lo declaró día sagrado, porque en ese día descansó de todo su trabajo de creación. Esta es la historia de la creación del cielo y de la tierra". (Génesis 2:1–4)

# First Story of Creation

"In the beginning when God created the heavens and the earth, the earth was a formless wasteland, and darkness covered the abyss, while a mighty wind swept over the waters."

(Genesis 1:1–2)

📖 Genesis 1:1–31; 2:1–4

## Day 1

"God said, 'Let there be light,' and there was light." (Genesis 1:3)

## Day 2

"God said, 'Let there be a dome in the middle of the waters, to separate one body of water from the other.' And so it happened." (Genesis 1:6)

## Day 3

"God said, 'Let the water under the sky be gathered into a single basin, so that the dry land may appear. . . .' Then God said, 'Let the earth bring forth vegetation: every kind of plant that bears seed and every kind of fruit tree on earth that bears fruit with its seed in it.'" (Genesis 1:9, 11)

## Day 4

"God said: 'Let there be lights in the dome of the sky' . . . God made the two great lights, the greater one to govern the day, and the lesser one to govern the night; and he made the stars. . . ." (Genesis 1:14, 16)

## Day 5

"God said, 'Let the water teem with an abundance of living creatures, and on the earth let birds fly beneath the dome of the sky.'" (Genesis 1:20)

## Day 6

"God said, 'Let the earth bring forth all kinds of living creatures: cattle, creeping things, and wild animals of all kinds'. . . Then God said: 'Let us make man in our image, after our likeness.' . . . Male and female he created them.

God blessed them, saying: 'Be fertile and multiply; fill the earth and subdue it. Have dominion over the fish of the sea, the birds of the air, and all the living things that move on the earth.' . . . God looked at everything he had made, and he found it very good." (Genesis 1:24, 26, 27, 28, 31)

## Day 7

"Thus the heavens and the earth and all their array were completed. Since on the seventh day God was finished with the work he had been doing, he rested on the seventh day from all the work he had undertaken. So God blessed the seventh day and made it holy, because on it he rested from all the work he had done in creation.

Such is the story of the heavens and the earth at their creation." (Genesis 2:1–4)

## Dios es la fuente de toda vida.

La primera historia de la Creación en Génesis 1:1; 2:4 no sólo nos habla de la creación sino también de Dios. Para empezar, nos muestra que Dios es único y verdadero Dios. No hay otro Dios. Este entendimiento de Dios es muy diferente al que tenían otros pueblos, que creían que había muchos dioses y pensaban que los objetos eran dioses. Ellos adoraban el sol y la luna, el tiempo e ideas tales como la justicia y la suerte.

La primera historia de la creación también pone en claro que el Dios que adoramos es un Dios personal, no un objeto o una idea. Dios es un ser vivo y es la fuente de toda vida. De hecho, Dios es el ser supremo que crea toda vida y mantiene todo lo que existe.

La primera historia de la creación nos ayuda a ver algunos de los atributos, o características, de Dios.

- Dios es eterno. Quiere decir que Dios siempre ha existido y siempre existirá. Dios no cambia ni tiene edad. Cambio y edad son partes de la creación, y Dios no es parte de la creación.

La idea de Dios de los israelitas era muy diferente a la de los otros pueblos. Ellos adoraban falsos dioses que creían eran parte de la creación, creían que esos dioses nacieron de alguna forma fantástica y que podían morir.

- Dios es todo poderoso. Esto quiere decir que Dios puede hacerlo todo. Dios es perfecto.

- Esta es otra diferencia entre Dios y los falsos dioses en que creía la gente. Esos falsos dioses cometían errores, algunas veces caían y eran culpados de cosas malas.

- Dios lo sabe todo. Quiere decir que Dios conoce todo, el presente, el pasado y el futuro. Esto no detiene a la gente de escoger y actuar libremente.

Contrario a los israelitas, otros pueblos creían en falsos dioses que no sabían nada, no podían hacerlo todo y con frecuencia trataban de evitar que el pueblo tomara sus propias decisiones.

- Dios es omnipresente. Esto quiere decir que Dios está en todas partes todo el tiempo.

De nuevo los falsos dioses de otros pueblos no tenían esta cualidad. Ellos no podían estar presentes en todas partes todo el tiempo. Ellos con frecuencia eran representados viajando de un lugar a otro como los demás humanos.

Palabras e ideas sólo explican algo de Dios. En esta vida no podemos conocer completamente a Dios. Es por eso que Dios siempre será un misterio para nosotros.

¿Cuáles de los atributos de Dios describe mejor tu propia experiencia de Dios? ¿Por qué?

## Como católicos...

Creemos que la vida es un don de Dios y que toda vida humana es sagrada, santa. Todos, sin importar su edad, raza, sexo, nacionalidad, habilidades físicas o mentales, tienen el derecho a la vida y el derecho a ser tratados con respeto. Somos llamados a valorar y proteger nuestras vidas y las de los demás.

Porque la vida es sagrada, cuidamos de las necesidades de los otros y trabajamos para crear leyes que protejan la vida de todos en el mundo, especialmente los necesitados.

¿Cómo puedes animar a otros a valorar el don de la vida humana?

## God is the source of all life.

The first story of creation in Genesis 1:1—2:4 not only tells us about creation, it also tells us about God. To begin with, it shows us that God is the one, true God. There is no other God. This understanding of God is very different from the one held by other ancient peoples. They believed that there were many gods and even thought of objects as gods. They often worshiped the sun or moon, the weather, or ideas like fate or justice.

The first creation story also makes it clear that the God we worship is a personal God, not an object or an idea. God is a living being, and is the source of all life. In fact, God is the supreme being who creates all life and keeps it in existence.

The first story of creation also helps us to know some of God's attributes, or characteristics.

- God is eternal. This means that God always was and always will be. God is changeless and timeless. Change and time are part of creation, and God is *not* part of creation.

The Israelites' view of God was very different from the one held by other ancient peoples.

They worshiped false gods that they thought were a part of creation. They believed these gods were born, usually in some fantastic way, and could die.

- God is all-powerful. This means that God can do anything. God is perfect.

Here again God differs from the false gods that people believed in. These false gods made mistakes and sometimes failed and were often pictured as guilty of terrible evils.

- God is all-knowing. This means that God knows everything—past, present, and future. Yet God's knowledge never keeps people from choosing and acting freely.

Unlike the Israelites, other people believed in false gods that did not know everything, could not do everything, and often tried to keep the people from making their own decisions.

- God is ever-present. This means that God is everywhere at all times.

Again the false gods that other people believed in did not have this quality. They could not be present everywhere and always. They were often described as traveling from place to place, just like human beings.

Words and ideas only explain so much about God. In this life we will never have full and complete knowledge of God. That is why God will remain a mystery to us.

Which of these attributes best describe your own experience of God. Why?

## Los humanos son creados a imagen y semejanza de Dios.

En la historia de la creación vemos una gran diferencia en la creación de los humanos.

"Dios creó al hombre, lo creó parecido a Dios mismo; hombre y mujer los creó" (Génesis 1:27)

El escritor nos dice que sólo los humanos son creados a imagen y semejanza de Dios. Somos creados a semejanza de Dios porque como humanos, cada uno de nosotros, es una creación única, somos alguien, no algo.

Cada uno de nosotros es una persona única que posee dignidad humana. **Dignidad humana** es el valor que viene de ser creado a imagen y semejanza de Dios. Hombres y mujeres son creados a imagen y semejanza de Dios. Dios creó a los humanos diferentes, pero iguales, todos compartimos la dignidad humana. Y Dios vio que era bueno.

### Vocabulario

**alianza** (pp 349)

**libro del Génesis** (pp 349)

**dignidad humana** (pp 349)

**libre albedrío** (pp 349)

**conciencia** (pp 349)

Cada uno de nosotros es creado para ser como Dios y compartir su amistad. De todas las criaturas sólo los humanos tienen **libre albedrío**, la libertad y habilidad de escoger; y **conciencia**, la habilidad de diferenciar entre el bien y el mal, lo malo y lo bueno. Sólo nosotros podemos pensar, amar y tener amigos. Solo nosotros podemos conocer y amar a nuestro creador.

Ser creado a imagen y semejanza de Dios conlleva serias responsabilidades. Somos llamados a respetar y cuidar de todo lo que Dios nos ha dado. Como nuestro libre albedrío nos responsabiliza de nuestros pensamientos y acciones, debemos tomar nuestras decisiones muy cuidadosamente. Somos llamados a escoger lo que es bueno y correcto y a actuar a imagen y semejanza de nuestro creador.

### RESPONDEMOS

Dios, trataré de vivir más a tu imagen.

_____

_____

_____

_____

_____

_____

## Human beings are created in God's image and likeness.

In the story of creation we see something strikingly different in the creation of humans.

> "God created man in his image;
> in the divine image he created him;
> male and female he created them."
>
> (Genesis 1:27)

The biblical writer is telling us that only human beings are made in the image and likeness of God. We are like God because as human beings each of us has been created as someone, not something.

Each one of us is a unique person who possesses a human dignity. **Human dignity** is the value and worth that comes from being made in God's image and likeness. Both males and females are created in God's image and likeness. God created humans different but equal, all sharing the same human dignity. And God found that good.

Each one of us is created to be like God and to share in his friendship. Of all the creatures we alone are created by God with **free will**—the freedom and ability to choose—and with **conscience**—the ability to know the difference between good and evil, right and wrong. We alone are able to think and love and form relationships. We alone can know and love our creator.

Being made in the image and likeness of God carries with it serious responsibilities. We are called to respect and care for all that God has given us. And since our free will makes us responsible for our own thoughts and actions, we must make our choices carefully. We are called to choose what is good and right and to act in the image and likeness of our creator.

## WE RESPOND

 God, I will try to live more in your image by

_____

_____

_____

_____

_____

_____

_____

### Key Words

covenant (p. 351)

Book of Genesis (p. 351)

human dignity (p. 351)

free will (p. 351)

conscience (p. 351)

## Capítulo 2

**Encierra en un círculo la letra al lado de la palabra que completa la oración.**

1. Una _____ es un acuerdo entre Dios y su pueblo.

   **a.** Biblia     **b.** creación     **c.** alianza

2. Los escritores de la Biblia usaron _____ para contar la historia real y al mismo tiempo dar un significado más profundo de la historia

   **a.** atributos   **b.** símbolos   **c.** sabiduría

3. _____ es la libertad y habilidad de escoger.

   **a.** Génesis     **b.** Libre     **c.** Conciencia albedrío

4. _____ es la fuente de toda vida.

   **a.** La Biblia     **b.** El Génesis     **c.** Dios

**Contesta con una corta oración.**

5. ¿Por qué Génesis es un nombre adecuado para el primer libro de la Biblia?

   _____

6. ¿Qué verdades nos revela la primera historia de la creación?

   _____

7. Dios tiene muchos atributos. Escribe tres.

   _____

8. ¿Qué es dignidad humana?

   _____

**Contesta.**

9–10. ¿Qué responsabilidades tenemos por ser creados a imagen y semejanza de Dios?

## Reflexiona y ora

Dios, creaste a la gente a tu imagen y semejanza, yo _____.

Señor, ayúdanos a alabarte _____.

## Chapter 2

**Circle the letter of the correct answer.**

1. The _____ is an agreement between God and his people.

   **a.** Bible    **b.** creation    **c.** covenant

2. Biblical writers used _____ to tell a realistic story and at the same time to give the deeper meaning of the story.

   **a.** attributes    **b.** symbols    **c.** scholars

3. _____ is the freedom and ability to choose.

   **a.** Genesis    **b.** Free will    **c.** Conscience

4. _____ is the source of all life.

   **a.** Bible    **b.** The Book of Genesis    **c.** God

**Short Answers**

5. Why is Genesis an appropriate name for the first book of the Bible?

   _____

6. What truths does the first creation story reveal to us?

   _____

7. God has many attributes; list three.

   *God is iternal, God is all powerful God is all knowing eternal*

8. What is human dignity?

   _____

**Write a paragraph to answer this question.**

**9–10.** Because we were created in the image and likeness of God, what responsibilities do we have?

# Reflect & Pray

God, you made people in your image and likeness, I _____.

Lord, help us to give you glory by _____.

# Respondemos y compartimos la fe

## Compartiendo lo aprendido

Habla con tu familia sobre lo siguiente:

- el libro de Génesis
- la creación
- atributos y características de Dios
- dignidad humana.

## Recuerda

- El libro del Génesis es sobre los orígenes.
- Dios creó el universo.
- Dios es la fuente de toda vida.
- Los humanos son creados a imagen y semejanza de Dios.

## Arbol de familia

Genealogía o árboles de familia, muestran la relación que existe entre las personas. Pide a tu familia te ayude a construir tu árbol de familia. Haz una lista de los nombres de tus familiares vivos y difuntos y su lugar en la familia. Investiga como puedes aprender más sobre tu familia.

## NUESTRA VIDA CATOLICA

### El Observatorio Romano

El Observatorio Romano es una de las instituciones astronómicas más antiguas del mundo. Fue fundado en 1582 por sacerdotes y hermanos jesuitas. Hoy tiene dos centros de investigaciones: Uno en Castel Gandolfo, Italia y el otro en Tucson, Arizona.

Al igual que los científicos que trabajan en el Observatorio Romano, nos acercamos a Dios y ayudamos a otros a acercarse a Dios apreciando las maravillas de su creación. Los estudios científicos, las estrellas, meteoritos y otros sistemas solares en nuestro universo son una forma de acercarse a Dios.

Visita Sadlier en

**www.CREEMOSweb.com**

**Conexión con el Catecismo**
Para referencia vea los párrafos 289, 293, 301, 357.

# We Respond and Share the Faith

## Sharing What I Learned

Discuss the following with your family:

- the Book of Genesis
- creation
- God's attributes or characteristics
- human dignity.

## Remember

- The Book of Genesis is about beginnings.
- God created the universe.
- God is the source of all life.
- Human beings are created in God's image and likeness.

## A Family Tree

Genealogies or family trees tell how people are related to one another and how they are part of God's family. With your family make your family tree. List all members of your family who are now living and their relationship in the family. List those family members who have died and their relationship in the family. Do research as to how you can learn more about your family.

## OUR CATHOLIC LIFE

### The Vatican Observatory

The Vatican Observatory, one of the oldest astronomical institutes in the world, was founded in 1582. The Jesuit priests and brothers are responsible for it. Today the observatory has two research centers: one in Castel Gandolfo, Italy, and one in Tucson, Arizona. The Vatican Advanced Technology Telescope (VATT) in Tucson is the first optical-infrared telescope to be used to study light at the farthest points of the universe. The observatory center in Italy has a unique meteorite collection which is being used to study the history of the solar system. Like the scientists who work at the Vatican Observatory, we grow closer to God and help others get closer to God by appreciating the wonders of his creation. Studying science— the stars, meteorites, and other solar systems of our universe—is one way to do this.

**Connect to the Catechism**
For adult background and reflection, see paragraphs 289, 293, 301, and 357.

Visit Sadlier's

**www.CREEMOSweb.com**

## NOS CONGREGAMOS

 **Líder:** Bendito sea el Dios de la creación quien nos formó como barro en las manos del alfarero.

**Todos:** Bendito seas por siempre, Señor.

**Lector:** "Entonces el Señor me dijo: '¿Acaso no puedo hacer yo con ustedes, israelitas, lo mismo que este alfarero hace con el barro? Ustedes son en mis manos como el barro en las manos del alfarero. Yo, el Señor, lo afirmo'" (Jeremías 18:5–6).

Palabra de Dios.

**Todos:** Te alabamos, Señor.

¿Qué puedes hacer que otras criaturas no pueden?

## CREEMOS

**Dios creó a los humanos, cuerpo y alma.**

El libro del Génesis ofrece una segunda historia de la creación. La podemos leer en Génesis 2:5–25. En esta historia el escritor nos dice que Dios creó a los humanos *antes* de crear a las plantas y a las otras criaturas. En eso difieren las dos historias de la creación. Sin embargo ambas señalan lo mismo: Los humanos son la creación de Dios más importante.

Las siguientes palabras sobre la humanidad son de otro libro de la Biblia. Ellas señalan claramente que Dios dio gran dignidad y poder a los humanos. "Pues lo hiciste casi como un dios, lo rodeaste de honor y dignidad" (Salmo 8:5).

## WE GATHER

✝ **Leader:** Blessed be the God of creation who forms us like clay in the hands of a potter.

**All:** Blessed be God now and for ever.

**Reader:** "Then the word of the Lord came to me: Can I not do to you, house of Israel, as this potter has done? says the LORD. Indeed, like clay in the hand of the potter, so you are in my hand, house of Israel."
(Jeremiah 18:5–6)

The word of the Lord.

**All:** Thanks be to God.

 What can you do that other creatures cannot do?

## WE BELIEVE

### God created human beings, body and soul.

The Book of Genesis provides a second story of creation. We can read it in Genesis 2:5–25. In this story the biblical writer tells us that God created humans *before* he created plants and other creatures. Thus, the two creation stories differ. Yet both make the same point: God created humanity as the high point of creation.

The following words about humanity are from another book of Scripture. They make it clear that God gave great dignity and power to all humans.

"Yet you have made them little less than a god, crowned them with glory and honor."
(Psalm 8:6)

En la segunda historia de la creación, el escritor describe a Dios creando a los humanos usando barro para formar el cuerpo del primer hombre. Esta historia es muy antigua, pero concuerda con la idea de estudios científicos modernos: Nuestros cuerpos están hechos de los mismos elementos que el resto del universo.

En esta historia leemos: "Dios el Señor formó al hombre de la tierra misma, y sopló en su nariz y le dio vida. Así el hombre comenzó a vivir" (Génesis 2:7). Este soplo de vida de Dios se refiere a nuestra **alma**, la realidad espiritual invisible que nos hace humanos. El alma es inmortal, nunca muere.

Los humanos son una unión de un cuerpo físico visible y un alma espiritual invisible. Cada ser humano es único, todos tienen cuerpo y alma. Un día moriremos y nuestros cuerpos se convertirán en polvo. Pero nuestras almas, el soplo de Dios, vivirá para siempre. Al final de los tiempos, nuestro cuerpo y nuestra alma se reunirán cuando Cristo venga para el juicio final.

También en la segunda historia de la creación Dios dijo: "No es bueno que el hombre esté solo. Le voy a hacer alguien que sea una ayuda adecuada para él" (Génesis 2:18). Dios creó entonces muchos animales salvajes y aves y finalmente, cuando el hombre cayó dormido, Dios tomó una de sus costillas y creó a la primera mujer. Cuando el hombre despertó y vio a la mujer dijo:

"¡Esta si que es de mi propia carne y de mis propios huesos!" (Génesis 2:23)

Que Dios creara a la mujer de una costilla del hombre simboliza que ambos, hombre y mujer, comparten la misma dignidad humana y que son iguales. Esto también nos recuerda que todos los humanos están unidos unos a otros. Todos tenemos un solo y verdadero Padre, Dios. Somos creados para compartir la propia vida de Dios y ayudarnos unos a otros a conocer y a amar a Dios.

Dios nos creó a cada uno con dones y habilidades. ¿Cuáles son los dones que tienes que pueden ayudar a otros a conocer y a amar a Dios? Dibújalos o escríbelos aquí.

and soul. One day we will die, and our bodies will turn to dust. But our souls, the breath of God in us, will live forever. At the end of time, our body and soul will be reunited when Christ comes again at the last judgment.

We also find in this second story of creation that God said, "It is not good for the man to be alone. I will make a suitable partner for him" (Genesis 2:18). So God created many wild animals and birds and then finally, while the man slept, God took one of his ribs and created the first woman. When the man woke up and saw this woman, he said,

"This one, at last, is bone of
my bones
and flesh of my flesh"
(Genesis 2:23).

God's creation of woman from the rib of man symbolizes that females and males share the same human dignity and are equal. It also reminds us that all humans are united to one another. We all have one true Father—God. We are all created to share in God's own life, and to help one another to know and love God.

In the second creation story, the biblical writer describes God creating humans by taking a lump of clay from the earth and using it to form the body of the first man. This creation story is very old, yet it agrees with the idea from today's modern scientific study: Our human bodies are made out of the same elements as the rest of the universe.

In this story we read: "The LORD God formed man out of the clay of the ground and blew into his nostrils the breath of life, and so man became a living being" (Genesis 2:7). This breath of life from God refers to our **soul**, the invisible spiritual reality that makes each of us human. The soul is immortal; it will never die.

Humans are a union of a visible, physical body and an invisible, spiritual soul. Every human being is unique, yet each of us is made body

God makes each of us with gifts and abilities. What gift do you have that can help others know and love God? Draw or write about it here.

## Dios nos llamó a ser mayordomos de la creación.

Dios dijo a los primeros humanos. "Tengan muchos, muchos hijos; llenen el mundo y gobiérnenlo; dominen a los peces y a las aves, y a todos los animales que se arrastran". (Génesis 1:28).

Dios pidió a los primeros humanos dar nueva vida al mundo, creando así la familia humana. El les pidió ser responsables de la tierra y de todas las cosas vivas en ella. Entonces Dios permitió a los humanos ser compañeros de él y de los demás en continuar el trabajo de la creación.

Dios puso a los primeros humanos en el hermoso jardín del Edén y compartió su amistad y vida con ellos. Ellos debían usar todos los dones de la creación. El jardín era un símbolo usado por el escritor bíblico para mostrar la felicidad que los humanos tenían en la presencia de Dios.

El escritor nos cuenta otro evento simbólico: Dios dio autoridad a los humanos sobre los animales permitiéndoles ponerles nombres. Para los antiguos israelitas, las personas tenían autoridad sobre aquello que nombraban. Así los humanos fueron llamados por Dios para ser mayordomos de la creación.

De todo lo creado por Dios, sólo los humanos tienen la habilidad de cuidar de la creación y hacerla prosperar. De hecho eso es lo que exactamente la mayordomía involucra, autoridad y responsabilidad. Un **mayordomo** es una persona a quien se le da autoridad y la responsabilidad sobre lo que está bajo su cuidado y de velar por su crecimiento y vida

Cada uno de nosotros es mayordomo de la creación de Dios. Al cuidar de la creación, mostramos respeto por el creador.

Somos llamados a cuidar de la creación todos los días. ¿Qué cosas podemos hacer para:

hacer buen uso del agua? _____

reciclar? _____

cuidar de los animales? _____

proteger el medio ambiente? _____

Otras _____

## God called us to be stewards of creation.

God told the first human beings, "Be fertile and multiply; fill the earth and subdue it. Have dominion over the fish of the sea, the birds of the air, and all the living things that move on the earth" (Genesis 1:28).

God told the first man and woman to bring new life into the world and thus create the human family. He asked them to be responsible for the earth and all the living things in it. Then God allowed humans to be partners with him and with one another in continuing his work of creation.

God put the first man and woman in the beautiful garden in Eden and shared his own friendship and life with them. They also had use of all the gifts of creation. The garden was a symbol that the biblical writer used to show the happiness that human beings had in the presence of God.

The biblical writer tells us about another symbolic event: God gave humans authority over all the animals by allowing them to name the animals. To the ancient Israelites, people had authority over those whom they named. So humans were called by God to be the caretakers of creation.

Of all of God's creatures, humans alone have the ability to care for creation and make it prosper. In fact, that is exactly what stewardship involves—authority and responsibility. A **steward** is a person who is given both the authority over what he or she cares for and the responsibility for seeing that it lives and grows.

Each of us is a steward of God's creation. By caring for creation, people show respect for the creator.

We are all called to take care of creation every day. What specific things can we do to:

use water wisely _____

recycle _____

take care of pets _____

protect the environment _____

other _____

43

## El mal entró al mundo por un acto humano.

En el capítulo 3 del Génesis, el escritor usa una historia para enseñar verdades importantes sobre el pecado y el sufrimiento. Esta historia nos dice una verdad muy real, la decisión del ser humano lo alejó de Dios y perdió su amistad con él.

Al inicio de la historia, los primeros humanos vivían en un hermoso jardín en Edén. Ellos eran amigos de Dios y por eso vivían en armonía con Dios, con ellos mismos y el resto de la creación. Vivían en el estado original de inocencia, santidad y justicia para lo que Dios los había creado.

Los primeros humanos eran libres de hacer todo menos una cosa: ellos no debían comer del árbol de la fruta del bien y del mal. Dios le dijo al hombre que si comía de ese árbol moriría.

Este aviso sobre la prohibición de la fruta simboliza que la amistad con Dios depende completamente de la confianza en Dios y en seguir su voluntad. Esto nos recuerda que, como criaturas, somos limitados y debemos respetar esas limitaciones.

Aprendemos de esta historia que los primeros humanos desobedecieron a Dios. Una serpiente habló a la mujer diciéndole: "Dios sabe muy bien que cuando ustedes coman del fruto de ese árbol podrán saber lo que es bueno y lo que malo, y que entonces serán como Dios". (Génesis 3:5). Ella creyó a la serpiente. Tomó una fruta y la comió. Después se la ofreció al hombre, y el comió.

Esta historia está llena de símbolos. La serpiente representa al diablo, que tienta a la mujer a hacer el mal. El hecho de que la mujer crea a la serpiente nos recuerda lo atractivo que puede ser el mal. Comer la fruta simboliza escoger. Muestra que por nuestro libre albedrío, los humanos tenemos el poder de tomar decisiones que pueden llevarnos al bien o al mal.

La historia continúa, los primeros humanos se dieron cuenta lo seria que había sido su acción. Tuvieron miedo de Dios y se escondieron. Pero Dios sabía lo que ellos habían hecho; al fin de la historia, Dios los saca del jardín. Ahora no tienen derecho a estar ahí. Por su libre voluntad escogieron alejarse de Dios.

Haz una lista de las razones por las que la gente toma decisiones que pueden alejarla de Dios y los demás.

_____

_____

_____

_____

## Evil entered the world through a human act.

In Chapter 3 of Genesis, the biblical writer uses a story to teach important truths about sin and suffering. This story tells of a very real truth—the choice of the human race to turn away from God and lose its close friendship with him.

As the story opens, the first man and woman were living in a beautiful garden in Eden. They were God's friends, and because of this they had harmony with God, each other, and the rest of creation. They were living in the original state of innocence, holiness, and justice for which God had created them.

The first humans were free to do all but one thing: they could *not* eat the fruit of the tree of the knowledge of good and bad. God told the man that if he ate from it, he would die.

This warning about the forbidden fruit symbolizes that friendship with God depends on complete trust in God and on following his will for us. It reminds us that, as created beings, we are limited and we must respect those limitations.

But we learn from the story that the first man and woman disobeyed God. A serpent spoke to the woman and said, "God knows well that the moment you eat of it [the fruit] your eyes will be opened and you will be like gods who know what is good and what is bad" (Genesis 3:5). She believed the serpent. So she picked some of the fruit and ate it. Then she offered some to the man, who also ate it.

This story is filled with symbols. The serpent represents the devil, who tempted the woman to do evil. The fact that the woman believed the serpent reminds us of just how attractive evil can be. Eating the fruit symbolizes a choice. It shows that because of our free will, humans have the power to make choices that can lead to good or to evil.

As the story continues, the first man and woman realized the seriousness of their actions. They became frightened of God and hid from him. But God knew what they had done, and, as the story closes, God sent them out of the garden. They no longer had any right to be there. Of their own free will, humans had chosen to turn from God.

List some of the reasons that people make choices that lead them away from God and others.

_____

_____

_____

_____

45

## Todo el mundo sufre los efectos del pecado original.

La historia de los primeros humanos, a quienes llamamos Adán y Eva, muestra lo estrecha que era la relación entre Dios y los humanos. También muestra que en vez de respetar el aviso de Dios y confiar en sus palabras, los humanos se alejaron de Dios. Ellos egoístamente hicieron lo que quisieron en vez de lo que Dios les había mandado. En otras palabras, ellos pecaron. **Pecado** es un pensamiento, palabra, obra u omisión contra la ley de Dios. Este pecado de los primeros humanos les quitó su inocencia, santidad y justicia original. Ellos perdieron la armonía que tenían con Dios, con cada uno y con el resto de la creación.

Porque los primeros humanos personalmente escogieron separarse de Dios, cometieron pecado personal. Su pecado personal fue el primer pecado y es llamado **pecado original**. El pecado original debilita la naturaleza humana y trajo ignorancia, sufrimiento y muerte al mundo. Esta naturaleza humana herida fue pasada al resto de la humanidad. Así nosotros sufrimos los efectos del pecado original, aunque no es un pecado por el que somos personalmente responsables.

Aun cuando los primeros humanos se alejaron de Dios, Dios no se alejó de ellos. Dios no abandonó a la humanidad, Dios mostró su misericordia.

En un lenguaje simbólico, el escritor bíblico nos dice que Dios dijo que un descendiente de los primeros humanos salvaría a la humanidad. Dios prometió que el pecado y el mal un día serían vencidos.

"Su descendencia te aplastará la cabeza, y tú le morderás el talón". (Génesis 3:15).

La humanidad no está totalmente perdida. La naturaleza humana fue herida, pero no destruida. Los humanos serán parte de la buena creación de Dios y Dios sigue amándolos.

## RESPONDEMOS

Conversa con tu grupo sobre noticias recientes que muestran que el sufrimiento es parte de la vida humana. ¿Cómo pueden ser consoladas las personas en estas historias?

### Vocabulario

**alma** (pp 349)

**mayordomo** (pp 349)

**pecado** (pp 350)

**pecado original** (pp 350)

## Como católicos...

Nuestro Señor y Salvador, Jesucristo, es verdadero Dios y verdadero hombre, es libre de todo pecado, incluyendo el pecado original. El murió y resucitó para liberarnos del pecado. Porque María fue la madre del Hijo de Dios, ella fue bendecida por Dios de manera especial. María fue libre del pecado original desde el momento de su concepción, y ella no cometió pecado durante toda su vida. Llamamos a esta creencia inmaculada concepción.

María, bajo el título de Inmaculada Concepción, es la patrona de los Estados Unidos. Toda la Iglesia celebra la fiesta de la Inmaculada el 8 de diciembre. En los Estados Unidos es día de precepto.

¿Cómo celebra tu parroquia esta fiesta?

## All people suffer from the effects of original sin.

The story of the first human beings, whom we call Adam and Eve, shows how close the relationship between God and human beings originally was. It also shows that instead of respecting God's warning and trusting his words, human beings turned away from God. They selfishly did what *they* wanted, rather than what God commanded. In other words, they committed a sin. **Sin** is a thought, word, deed or omission against God's law. This sin of the first humans took away their original innocence, holiness, and justice. They lost the harmony they felt with God, with each other, and with the rest of creation.

Because the first humans personally chose to turn from God, they committed personal sin. Their personal sin was the first sin and is called **original sin**. Original sin weakened human nature and brought ignorance, suffering, and death into the world. This wounded human nature was passed on to the rest of humanity. Thus, we all suffer from the effects of original sin, though it is not a sin for which we are personally responsible.

Even after the first human beings turned away from God, God did not turn away from them. God did not abandon humanity. Instead God showed them his mercy.

**Key Words**

soul (p. 352)

steward (p. 352)

sin (p. 352)

original sin (p. 352)

## As Catholics...

Our Lord and Savior Jesus Christ, as true God and true man, is free from all sin, including original sin. He died and rose to free us from sin. Because Mary was to be the mother of the Son of God, she was blessed by God in a special way. Mary was free from original sin from the moment she was conceived, and she did not commit sin during her entire life. We call this belief the Immaculate Conception.

Mary, under the title of the Immaculate Conception, is the patroness of the United States. The whole Church celebrates the Feast of the Immaculate Conception on December 8. In the United States this feast is a holy day of obligation.

How does your parish celebrate this feast?

In very symbolic language, the biblical writer tells us that God said a descendant of the first man and woman would save humanity. God promised that sin and evil would one day be overcome.

"He will strike at your head,
    while you strike at his heel." (Genesis 3:15)

So humanity was *not* completely lost. Human nature was wounded, but not destroyed. Humans were still a part of God's good creation, and God still loved them.

## WE RESPOND

With a group discuss recent news stories that show that suffering is a part of human life. How can the people in these stories be comforted?

## Capítulo 3

# Repaso

**Escribe V si es verdadero y F si es falso. Cambia lo falso en verdadero.**

**1.** _____ En las historias de la creación en el libro del Génesis, descubrimos que la mayor creación de Dios fueron los humanos.

_____

**2.** _____ Dios llama a cada uno de nosotros a ser responsables de la tierra y todas las cosas vivas en ella.

_____

**3.** _____ La amistad con Dios depende de la confianza total en él y de cumplir su voluntad.

_____

**4.** _____ Nacemos con el pecado original y sufrimos sus efectos porque somos personalmente responsables de este pecado.

_____

**Escribe en la raya la letra que mejor define el término.**

**5.** _____ mayordomo

**6.** _____ pecado

**7.** _____ alma

**8.** _____ pecado original

**a.** el primer pecado que quebrantó la naturaleza humana y trajo la ignorancia, el sufrimiento y la muerte al mundo

**b.** pensamiento, palabra, obra u omisión contra la ley de Dios

**c.** realidad espiritual invisible que nos hace humanos y que nunca morirá

**d.** persona a quien se le da la autoridad sobre lo que cuida y que es responsable de su vida y crecimiento

**e.** estado original de inocencia, santidad y justicia para el que fueron creados los humanos

**Contesta.**

**9–10.** ¿Qué mensajes ofrecen los símbolos en las historias de la creación?

# Reflexiona y ora

Dios nos llama a cuidar juntos de la creación. Señor, gracias por tu

maravilloso don de la creación, especialmente _____.

Ayúdame a _____

_____.

## Chapter 3

**Write True or False for the following sentences.**
**Then change the false sentences to make them true.**

1. _____ In the stories of creation in the Book of Genesis, we find out that God's greatest creation was humanity.

_____

2. _____ God calls each of us to be responsible for the earth and all the living things in it.

_____

3. _____ Friendship with God depends on complete trust in him and on following his will for us.

_____

4. _____ We are born with original sin and suffer from its effects because it is sin for which we are personally responsible.

_____

**Write the letter that best defines each term. There is an extra answer.**

5. __d__ steward

6. __b__ sin

7. __c__ soul

8. __a__ original sin

**a.** the first sin that weakened human nature and brought ignorance, suffering, and death into the world

**b.** a thought, word, deed or omission against God's law

**c.** the invisible spiritual reality that makes each of us human and that will never die

**d.** person who is given both the authority over what he or she cares for and the responsibility for seeing that it lives and grows

**e.** the original state of innocence, holiness, and justice for which humans were created

**Write a paragraph to answer this question.**

9–10. What messages do the symbols in the creation stories convey?

## Reflect & Pray

God calls us to be partners with one another in caring for creation.

Lord, thank you for your wonderful gift of creation, especially

_____

Help me to _____

# Respondemos y compartimos la fe

## Compartiendo lo aprendido

Habla con tu familia sobre lo siguiente:

- la creación de los humanos: cuerpo y alma
- mayordomía de la creación
- los primeros humanos se alejaron de Dios
- el pecado original y el pecado personal.

## Recuerda

- Dios creó a los humanos, cuerpo y alma.
- Dios nos llamó a ser mayordomos de la creación
- El mal entró al mundo por un acto humano.
- Todo el mundo sufre los efectos del pecado original.

## Mayordomo

Comparte con tu familia la llamada de Dios a ser mayordomos de su creación. Hablen sobre las formas en que la familia puede cuidar de la creación de Dios en el hogar, la escuela o el trabajo y la comunidad. Hagan un plan de acción.

## NUESTRA VIDA CATOLICA

### Conferencia Nacional Católica de la vida rural

Recientemente, daños como la contaminación y el abuso de la tierra han amenazado el medio ambiente. La Conferencia Nacional Católica de la vida rural es uno de los grupos preocupados por esos problemas. Este grupo ayuda a familias que viven en zonas rurales y nos recuerda nuestra llamada a cuidar de la creación. Este grupo se preocupa sobre avances científicos para producir comida. También habla a favor de la doctrina social de la Iglesia para ayudarnos a tomar buenas decisiones sobre esos asuntos. Este grupo llama a la gente a respetar la vida, la dignidad humana y toda la creación.

Visita Sadlier en

www.CREEMOSweb.com

**Conexión con el Catecismo**
Para referencia vea los párrafos 362, 373, 397 y 404.

# We Respond and Share the Faith

## Sharing What I Learned

Discuss the following with your family:

- the creation of human beings: body and soul
- steward of creation
- the first humans turn from God
- original sin and personal sin.

## Remember

- God created human beings, body and soul.
- God called us to be stewards of creation.
- Evil entered the world through a human act.
- All people suffer from the effects of original sin.

### Being Stewards

Share with your family that God called humanity to be stewards of his creation. Discuss ways your family can care for God's creation in your home, school/work, and community. Make a family plan of action.

## OUR CATHOLIC LIFE

### National Catholic Rural Life Conference

In recent times, dangers such as pollution and land overuse have threatened the environment. The National Catholic Rural Life Conference is among the groups who are concerned about these problems. This group helps families in rural farm areas and reminds us of our call to the stewardship of all creation.

The National Catholic Rural Life Conference is concerned about scientific advances in growing food. The group speaks out to make sure that Catholic social teachings help us to make good decisions about these issues. This group calls all people to respect life, uphold human dignity, and show respect for creation.

**Connect to the Catechism**
For adult background and reflection, see paragraphs 362, 373, 397, and 404.

Visit Sadlier's
**www.CREEMOSweb.com**

# Dios promete ayudar al pueblo

## NOS CONGREGAMOS

**✝ Líder:** En silencio piensen en un hermoso lugar. Puede ser una montaña, un parque, un valle o un océano. Escoge un lugar donde te sientas en paz.

Ahora imagina a Jesús parado junto a ti en ese lugar especial.

- ¿Qué le dices a Jesús?
- ¿Qué te dice él?
- ¿Qué le quieres preguntar?
- ¿Qué le quieres agradecer?

**Líder:** Jesús, hijo del Dios vivo.

**Todos:** Ten piedad de nosotros.

¿En qué momentos necesitas ayuda?

## CREEMOS

### Dios prometió enviar a un Salvador.

En el Antiguo Testamento aprendemos que Dios nunca dejó de amar y perdonar a su pueblo. La humanidad no pudo deshacer los efectos del pecado original. La humanidad necesitó la ayuda de Dios. Entonces Dios prometió enviar a un Salvador. El pueblo de Dios creyó que cuando el Salvador viniera restauraría la amistad con Dios totalmente.

El profeta Isaías habló al pueblo en nombre de Dios y le recordó la forma en que Dios quería que vivieran. Isaías le dijo que alguien vendría a librar a la humanidad del pecado y a restaurar la amistad con Dios. Isaías describe a esa persona como un *siervo fiel*:

"Después de tanta aflicción verá la luz, y quedará satisfecho al saberlo; el justo siervo del Señor liberará a muchos". (Isaías 53:11)

# God Promises to Help People

## WE GATHER

**Leader:** Sit quietly and think of a beautiful place. It might be a mountaintop, a park, a deep canyon, or the ocean's edge. Choose a place that makes you feel happy and peaceful.

Now imagine Jesus standing with you in your special place.

• What do you say to Jesus?

• What does he say to you?

• What do you want to ask Jesus?

• What do you want to thank him for?

**Leader:** Jesus, Son of the living God,

**All:** have mercy on us.

What are times when you need help?

## WE BELIEVE

### God promised to send a Savior.

We learn from the Old Testament that God would never stop loving people and forgiving them. Yet humanity could not undo the effects of original sin. Humanity needed God's help. So God promised to send a Savior. God's people believed that when the Savior came, he would fully restore their friendship with God.

The prophet Isaiah spoke to the people on God's behalf and reminded them of the way God wanted them to live. Isaiah told of someone who would come to free humanity from sin and restore their friendship with God. Isaiah described this person as the *suffering servant*:

"Through his suffering, my servant shall justify many,
    and their guilt he shall bear" (Isaiah 53:11).

53

Los cristianos creemos que ese siervo es el Hijo de Dios, Jesucristo. Jesús es verdaderamente divino y humano, y en él se cumplen todas las promesas de Dios. Por nuestra salvación Jesús murió en la cruz y resucitó de la muerte, para salvar al pueblo del pecado y darle esperanza de nueva vida. Como escribió San Pablo: "Así como en Adán todos mueren, así también en Cristo todos tendrán vida" (1 Corintios 15:22).

En el Nuevo Testamento hay cuatro libros sobre la vida y enseñanza de Jesús: los Evangelios de Mateo, Marcos, Lucas y Juan. La palabra *evangelio* significa "buena nueva". El **evangelio** es la buena nueva de Dios y la obra de Jesucristo.

En los evangelios leemos que la obra de Jesús trajo esperanza a los pobres y los sufridos, libertad a los perseguidos, salud a los enfermos. Aprendemos en los evangelios que con su vida, muerte y resurrección, Jesucristo hizo posible que de nuevo toda la humanidad compartirá en la vida de Dios.

Habla con un compañero sobre formas en que puedes compartir y participar en la vida y la amistad de Dios.

54

Christians believe that this suffering servant is God's own Son, Jesus Christ. Jesus is truly divine and truly human, and he fulfilled all that God promised. For our sake Jesus died on the cross and rose from the dead to save all people from sin and to bring us the hope of new life. As Saint Paul wrote, "For just as in Adam all die, so too in Christ shall all be brought to life" (1 Corinthians 15:22).

The New Testament contains four books about Jesus' life and teachings: the Gospels of Matthew, Mark, Luke, and John. The word *gospel* means "good news." The **gospel** is the good news about God at work in Jesus Christ.

In the gospels we read of Jesus' work to bring hope to the poor and suffering, freedom to those who are persecuted, and healing to those who are sick. From the gospels we learn that through his life, death, and Resurrection, Jesus Christ makes it possible for all humanity to again share in God's life.

## As Catholics...

We call our share in God's life and friendship *grace*, and we receive grace through the sacraments. A sacrament is an effective sign given to us by Jesus through which we share in God's life.

There are seven sacraments: Baptism, Confirmation, Eucharist, Penance and Reconciliation, Anointing of the Sick, Holy Orders, and Matrimony. Jesus instituted, or began, the sacraments so that his saving work would continue for all time.

The sacraments join Catholics all over the world with Christ and with one another.

How are the sacraments an important part of your life and the life of your family?

With a partner discuss ways you show that you share in God's life and friendship.

## La primera familia humana luchaba debido al pecado original.

En el capítulo cuarto del Génesis leemos sobre los dos hijos de Adán y Eva. El mayor, Caín, era agricultor. El menor Abel, era pastor.

En apariencia la familia era feliz. Cada uno de los hijos hizo una ofrenda a Dios, pero "El Señor miró con agrado a Abel y a su ofrenda, pero no miró así a Caín ni a su ofrenda" (Génesis 4:4–5).

La historia no explica por qué una ofrenda fue aceptada y la otra no. Así el autor bíblico indica que no siempre entendemos las formas de Dios y que no debemos tratar de juzgar su voluntad. Caín juzgo sólo desde su punto de vista. El sintió que no había sido tratado justamente y por eso se enojó.

Dios le dijo a Caín que él debía tratar de vencer el mal, pero Caín llevó su rencor a su inocente hermano. Caín mató a Abel. Se mató a alguien, la muerte es uno de los peores efectos del pecado original.

Dios le preguntó a Caín dónde estaba Abel. Caín le contestó: "No lo sé. ¿Acaso es mi obligación cuidar de él?" (Génesis 4:9). Dios estaba profundamente ofendido y le dijo a Caín: "¿Por qué has hecho esto? La sangre de tu hermano, que has derramado en la tierra, me pide a gritos que yo haga justicia. Por eso, quedarás maldito y expulsado de la tierra que se ha bebido la sangre de tu hermano, a quien tú mataste". (Génesis 4:10–11).

Caín se dio cuenta de que había sido expulsado y que había perdido la protección de Dios. Tuvo miedo de ser asesinado. Sin embargo, Dios marcó a Caín para mostrar que, aun cuando él mató a Abel, sería protegido por Dios. Aun en estas terribles circunstancias Dios mostró su gran amor por Caín.

La historia de Caín y Abel por un lado declara lo sagrado de la vida humana y prohibe el pecado y simboliza la separación entre los seres humanos. Por otra parte acepta la vida y el respeto. Por último trata sobre el poder sanador de Dios.

 Conversen sobre situaciones que causan enojo o resentimiento y formas de vencer el enojo o resentimiento.

## The first human family struggled because of original sin.

In the fourth chapter of Genesis we find out about Adam and Eve's two sons. The older son Cain was a farmer. His younger brother, Abel, was a shepherd.

By all appearances this family was loving and happy. Then each brother made an offering to the Lord, but "the LORD looked with favor on Abel and his offering, but on Cain and his offering he did not" (Genesis 4:4–5).

The story does not explain why one offering was acceptable and the other was not. That was the biblical writer's way of indicating that we cannot always understand the ways of God and should not try to judge his ways. Yet Cain judged everything only from his own point of view. He felt that he had been treated unfairly, and he became very angry about it.

God told Cain that he could overcome evil, but Cain took his resentment out on his innocent brother. Cain killed Abel. Murder, one of the worst effects of original sin, had been committed.

God asked Cain where Abel was. Cain replied, "I do not know. Am I my brother's keeper?" (Genesis 4:9). God was deeply offended and said to Cain, "What have you done! Listen: Your brother's blood cries out to me from the soil! Therefore you shall be banned from the soil that opened its mouth to receive your brother's blood from your hand" (Genesis 4:10–11).

Cain realized that he was being sent away and would lose God's protection. He feared that he himself would now be killed. However, God put a mark on Cain to show that though he murdered Abel, Cain was protected by God. So even in this terrible circumstance God showed his great love for Cain.

The story of Cain and Abel can be understood on several levels. On one level it declares the sacredness of human life and prohibits murder. On another level it symbolizes the separation of human beings from one another. On a third level it is about accepting one's life and respecting one another. On a fourth level it is about the healing power of God's love.

Discuss some situations that cause anger or resentment and ways we can overcome anger and resentment.

## Dios hizo una alianza con Noé.

También aprendemos en el libro del Génesis que Dios no estaba gratamente complacido con los humanos. Ellos no habían cuidado bien del mundo.

 Génesis 6:7; 9:17

Noé era un hombre justo. Dios le dijo: "He decidido terminar con toda la gente. Por su culpa hay mucha violencia en el mundo, así que voy a destruirlos a ellos y al mundo entero". (Génesis 6:13). Entonces Dios le pidió a Noé construir una gran arca y llenarla con una pareja de cada especie viva, junto con su esposa y su familia.

Después Dios envió lluvia durante cuarenta días y cuarenta noches. Dios permitió que las aguas subieran por encima de las montañas. Toda vida fuera del arca desapareció.

Eventualmente las aguas bajaron a su nivel. Noé y su familia y todos los animales salieron del arca. En agradecimiento, Noé construyó un altar y ofreció un sacrificio a Dios. Dios estuvo contento con ese sacrificio e hizo una alianza, o acuerdo con Noé. Dios prometió que aun si la humanidad pecaba nuevamente él nunca enviaría otro diluvio para destruir la tierra. El símbolo de esta promesa fue un arco iris. Dios dijo a Noe: "Esta es la señal del pacto que yo he establecido con todo hombre y animal aquí en la tierra" (Génesis 9:17).

Esta historia revela una verdad religiosa importante: El perdón y el amor de Dios, y la bondad humana pueden vencer el mal. Por Noé Dios hizo una alianza eterna

con la humanidad. Por esta razón todos somos llamados a la amistad con Dios.

Hay un gran significado en los símbolos encontrados en esta historia. Para la Iglesia el agua es símbolo del agua del Bautismo. Por el Bautismo somos librados del pecado original y todo pecado personal. Por el Bautismo Dios nos ofrece su perdón y su amor.

Noé y su familia fueron llevados a una nueva vida por medio del diluvio. Por el agua del Bautismo somos llevados a una nueva vida en Cristo. Por medio del agua del Bautismo, Dios empieza una alianza con cada cristiano. Así como el mundo fue limpiado con el agua, así somos nosotros limpiados con el agua del bautismo.

Diseña una ventana que te recuerde la relación de Dios con su pueblo.

## God made a covenant with Noah.

As the Book of Genesis continues, we learn that God is greatly displeased with human beings. They were not being faithful stewards of the world.

 Genesis 6:7—9:17

So to Noah, who was a just man, God said, "I have decided to put an end to all mortals on earth; the earth is full of lawlessness because of them. So I will destroy them and all life on earth" (Genesis 6:13). Then God commanded Noah to build a great ark and fill it with two of every living thing, male and female, along with his wife and family.

Then God sent forty days and nights of rain. God allowed the floodwaters to rise above the highest mountains. All life outside the ark was lost.

Eventually the floodwaters went down, and Noah, his family, and all the animals left the ark. In gratitude, Noah built an altar and offered God a sacrifice on it. God was pleased with this sacrifice and made a covenant, or agreement, with Noah. God promised that even if humanity failed him again, he would never send another flood to destroy life on earth. The symbol of this promise was a rainbow. God told Noah, "This is the sign of the covenant I have established between me and all mortal creatures that are on earth" (Genesis 9:17).

This story revealed an important religious truth: God's forgiveness and love, and humanity's goodness, can overcome all evil. Through Noah God made an everlasting covenant with all humanity. For that reason all people are called to friendship with God.

There is great meaning in the symbols found in the story of Noah. For the Church the flood water is a symbol of the waters of the sacrament of Baptism. Through Baptism we are freed from original sin and all personal sins. Through Baptism God offers us his forgiveness and his love.

Noah and his family were brought through the flood to new life. Through the waters of Baptism we are brought to a new life in Christ. Through the waters of Baptism, God begins a covenant relationship with each Christian. Just as the world was washed and made clean by the flood, we are washed and made clean in the baptismal water.

Design a stained-glass window that reminds you of God's friendship with all people.

## La unidad de la raza humana se perdió.

Miremos el último evento en el libro del Génesis, registrado en el período llamado prehistoria. En Génesis 11:1–9 leemos la historia de Babel. Esta historia simboliza la pérdida de la unidad humana y el desarrollo de diferentes lenguajes.

Leemos que primero: "En aquel tiempo todo el mundo hablaba el mismo idioma" (Génesis 11:1). Esto simboliza que todos los humanos estaban relacionados. Porque ellos podían comunicarse, actuaban como verdaderos mayordomos de Dios en la tierra. La parte del plan de Dios para completar su trabajo de la creación involucra la expansión de la humanidad en toda la tierra. Sin embargo, los humanos tenían miedo. Decidieron poner resistencia al plan de Dios: ellos se establecerían en un lugar y construirían una gran torre donde vivir.

La torre que trataron de construir se parecía mucho a una estructura antigua llamada zigurat. Un *zigurat* era una serie de pequeñas plataformas una encima de otra. El escritor bíblico llamó a la ciudad y la torre que construyeron los humanos, *Babel*, el nombre hebreo para Babilonia. Babilonia era un antigua ciudad donde estaban los zigurats más famosos.

En la historia la torre era un símbolo de la resistencia humana a la voluntad de Dios. El pueblo que construía esa ciudad no confiaba en Dios. Ellos preferían hacer las cosas a su manera.

Dios vio lo que los humanos estaban haciendo y decidió detenerlos. Lo hizo confundiendo su lenguaje. Como resultado, los humanos no podían trabajar juntos. Todo lo que podían hacer era balbucear. La unidad de la raza humana se había perdido.

Torre de Babel de Pieter Elder Brueghel (1515–1569)

Muchas veces la gente no está de acuerdo porque no se entienden. Estos malentendidos llevan a la sospecha, la desconfianza y algunas veces a la hostilidad. Esto empezó a suceder a los humanos después de Babel. La humanidad empezó a perder su unidad y aparecieron grupos rivales.

Al terminar la historia, el proceso de población de la tierra continuó según la voluntad de Dios. Ahora, sin embargo, los humanos hablan diferentes idiomas y desarrollan diferentes formas de vivir y comunicarse. Hoy es necesario respetar las diferencias y apreciar la dignidad que posee cada persona.

### Vocabulario

evangelio (pp 349)

### RESPONDEMOS

En grupo produzcan un programa de televisión. El tema de hoy es: ¿Nos afectan aún hoy las divisiones simbolizadas en la historia de la torre de Babel? ¿Por qué sí o no?

## The unity of the human race was lost.

We now come to the very last event that the Book of Genesis records for the period called prehistory. In Genesis 11:1–9 we read the story of the tower of Babel. This story symbolizes humanity's loss of unity and the development of different languages.

We read that at first "the whole world spoke the same language, using the same words" (Genesis 11:1). This symbolizes that all human beings were related. Because they were able to communicate, they could truly act as God's stewards of the earth. Part of God's plan for completing the work of creation involved humanity's spread across the face of the earth. However, human beings feared this. So they decided to resist God's plan: They would all settle in one place and build a great tower to live in.

The tower that they tried to build looked very much like an ancient structure called a *ziggurat*. A ziggurat is made of a series of smaller and smaller brick platforms, one on top of the other. The biblical writer called the city and the tower that the humans built *Babel*, the Hebrew name for Babylon. Babylon was an ancient city with the most famous ziggurat of all.

In the story the tower was a symbol of human resistance to God's will. The people who were building it did not trust God. They preferred to do things their way.

God saw what human beings were doing and decided to stop them. He did this by confusing their language. As a result, humans could not work together. All the people could do was babble helplessly at one another. The unity of the human race had been lost.

People often disagree because they do not understand one another. This misunderstanding can lead to suspicion, mistrust, and even open hostility. This began to happen to the human race after Babel. Humanity began to lose its unity and break up into rival groups.

As the story closes, the process of populating the earth continued as God had planned. Now, however, humans spoke many different languages and developed different ways of living and communicating. Today it is still necessary to respect these differences and to appreciate the dignity that all people possess.

**gospel** (p. 351)

### WE RESPOND

As a class produce a talk show. The topic of today's talk show is: Do the divisions symbolized by the story of the tower of Babel still affect our lives today? Why or why not?

## Capítulo 4

**Encierra en un círculo la letra al lado de la palabra que completa la oración.**

1. Los _____ son los libros de la Biblia que presentan la buena nueva de la vida y enseñanzas de Jesús.

   **a.** convenios   **b.** Génesis   **c.** Evangelios

2. Isaías fue un _____ que habló al pueblo en nombre de Dios para recordarle la forma en que Dios quería que viviera.

   **a.** profeta   **b.** pastor   **c.** granjero

3. La historia de la torre de Babel simboliza la _____ entre diferentes grupos.

   **a.** alianza   **b.** separación   **c.** caridad

4. Dios prometió enviar a _____ para restaurar la amistad entre la humanidad y Dios.

   **a.** Isaías   **b.** Noé   **c.** un Salvador

**Contesta.**

5. ¿Qué hizo Dios para ayudar a la humanidad después que se alejó de él?

   _____

6. La historia de Caín y Abel se puede entender de varias formas. Escribe dos.

   _____

7. ¿Qué importante verdad religiosa es revelada en la historia de Noé?

   _____

8. En la historia de la torre de Babel, ¿qué simboliza la torre?

   _____

**Contesta.**

9–10. ¿Cómo Dios cumplió su promesa y restauró su vida y relación con toda la humanidad?

## Reflexiona y ora

Dios promete estar siempre con nosotros. Dios está conmigo cuando

_____.

Querido Dios, ayúdame a _____.

**Circle the letter of the correct answer.**

1. The _____ are the books of the Bible in which the "good news" of Jesus' life and teachings are presented.

   **a.** covenants   **b.** Genesis   **c.** gospels

2. Isaiah was a _____ who spoke to the people on God's behalf and reminded them of the way God wanted them to live.

   **a.** prophet   **b.** shepherd   **c.** farmer

3. The story of the tower of Babel symbolizes the _____ among different groups of people.

   **a.** covenant   **b.** separation   **c.** love

4. God promised to send _____ who would restore humanity's friendship with God.

   **a.** Cain   **b.** Noah   **c.** Savior

**Short Answers**

5. What does God do to help humanity after they had turned away from him?

   _____

6. The story of Cain and Abel can be understood on several levels. List two.

   _____

7. What important religious truth is revealed in the story of Noah?

   _____

8. In the story of the tower of Babel, what does the tower symbolize?

   _____

**Write a paragraph to answer this question.**

9–10. How did God keep his promise and restore his life and friendship to all humanity?

## Reflect & Pray

God promises to be with us always. God is with me when I

_____.

Dear God, help me to _____.

# Respondemos y compartimos la fe

## Compartiendo lo aprendido

Habla con tu familia sobre lo siguiente:

- Jesús el Salvador
- la historia de Caín y Abel
- la historia de Noé
- la historia de la torre de Babel.

## Recuerda

- Dios prometió enviar a un Salvador.
- La primera familia humana luchaba debido al pecado original.
- Dios hizo una alianza con Noé.
- La unidad de la raza humana se perdió.

## Buscando la "buena nueva"

Comparte con tu familia que la palabra *evangelio* significa "buena nueva". Esta semana, busca personas y eventos que ayudan a compartir la buena nueva de Jesucristo en tu casa, escuela o trabajo, y la comunidad. Comparte tu buena nueva con otros miembros de tu familia.

## NUESTRA VIDA CATÓLICA
### Servicio de prensa católica

¿Cómo te enteras de lo que está afectando a la Iglesia en nuestro mundo? El Servicio de Prensa Católica es una agencia que ofrece noticias y fotografías a periódicos y otras agencias en todo el mundo. Fue fundada en 1920. Los obispos de los Estados Unidos pensaron que sería una buena idea que el pueblo tuviera noticias sobre lo que los católicos estaban haciendo en el mundo. Esta agencia informa a la gente lo que está pasando en el mundo y en la Iglesia. La noticia de último minuto es puesta en la web en www.catholicnews.com y con frecuencia es impresa en los periódicos diocesanos.

**Conexión con el Catecismo**
Para referencia vea los párrafos 410, 401, 58 y 57.

# We Respond and Share the Faith

## Sharing What I Learned

Discuss the following with your family:

- Jesus as Savior
- the story of Cain and Abel
- the story of Noah
- the story of the tower of Babel.

## Remember

- God promised to send a Savior.
- The first human family struggled because of original sin.
- God made a covenant with Noah.
- The unity of the human race was lost.

## Finding the "Good News"

Share with your family that the word *gospel* means "good news." This week, be on the lookout for people and events that help to share the good news of Jesus Christ in your home, school/work, and community.

Share your good news with the other members of your family.

## OUR CATHOLIC LIFE
### Catholic News Service

How do we know what is affecting the Church in our world? The Catholic News Service is a news agency that provides news and photographs to newspapers and other news agencies around the world. This Catholic news agency was started in 1920. The bishops of the United States decided that it would be a good idea for people to get news about what Catholics were doing throughout the world. The agency lets people know what is going on in the world and in the Church today. The latest news is posted regularly on their Web site at *www.catholicnews.com* and is often printed in diocesan newspapers.

 **Connect to the Catechism**
For adult background and reflection, see paragraphs 410, 401, 58, and 57.

Visit Sadlier's
**www.CREEMOSweb.com**

# Los patriarcas: Dios escoge a su pueblo

## NOS CONGREGAMOS

**Líder:** Dios de amor, el salmista dijo: "Escuchen hoy lo que él les dice: 'No endurezcan su corazón'". (Salmo 95:7–8)

**Todos:** Ayúdanos a escuchar y seguir tu palabra con corazón abierto. Amén.

**Lector:** Por las veces que deliberadamente escogimos hacer mal, excluimos a otros por ser diferentes, usamos palabras para ofender o no ayudamos al necesitado.

**Todos:** Señor, ten piedad.

¿Qué sabes de tus antepasados? ¿Puedes investigar algo más sobre ellos?

## CREEMOS

### Los patriarcas fueron nuestros antepasados en la fe.

En una nueva etapa de la relación de Dios con la humanidad, Dios formó al pueblo para sí mismo. Llamamos a este período formativo la *edad de los patriarcas*.

Un **patriarca** es un padre, o un fundador de un clan o grupo de parientes. Los cuatro patriarcas del Antiguo Testamento fueron Abraham, Isaac, Jacob y José. Por medio de ellos Dios escogió a una familia especial. Esta familia es el pueblo de Dios: Sara, Rebeca, Raquel y Lea fueron mujeres importantes en la familia de Dios. Ellas fueron llamadas matriarcas. Esos hombres y mujeres vivieron aproximadamente entre 1900 A.C. y 1650 A.C. Su historia es contada en los capítulos del 12 al 50 en el libro del Génesis.

Las familias de los patriarcas del Antiguo Testamento vivían en tiendas y su medio de vida era principalmente criar ovejas y cabras. Su vida estaba centrada en sus familias y el clan. Caminaban por el territorio no ocupado entre los pueblos y villas de Canaán y el desierto. **Canaán** era un área del oeste de Palestina que incluía lo que mayormente es hoy Israel.

# The Patriarchs: God Chooses a People

## WE GATHER

✝ **Leader:** Loving God, your psalmist said, "Oh, that today you would hear his voice: Do not harden your hearts" (Psalm 95:7–8).

**All:** Help us to hear and follow your word with open hearts. Amen.

**Reader:** For the times when we have deliberately chosen to do what we know is wrong, excluded others because they are not like us, used words to hurt and harm rather than to heal, and for the times we have walked by someone in need.

**All:** Lord, have mercy.

St. Theresa's Fall Harvest Drive

 What do you know about your ancestors? How can you find out more about them?

## WE BELIEVE

### The patriarchs are our ancestors in faith.

In a new stage in God's relationship with humanity, God formed a people for himself. We call this formative period *The Age of the Patriarchs.*

A **patriarch** is a father, or founder, of a clan, a group of related families. The four Old Testament patriarchs are Abraham, Isaac, Jacob, and Joseph. Through them God chose a special family for himself. This family is the people of God. Sarah, Rebekah, Rachel, and Leah were important women in God's family. They are called matriarchs. These men and women lived from approximately 1900 B.C. to about 1650 B.C. Their story is told in Chapters 12–50 of the Book of Genesis.

The families of these Old Testament patriarchs and matriarchs lived in tents and made their living primarily by raising flocks of sheep and goats. Their life centered on their families and the clan. They roamed the unoccupied territory between the towns and villages of Canaan and the desert. **Canaan** was an area in western Palestine that included most of present-day Israel.

Durante el período de los patriarcas, Canaán estaba formada de pequeños estados-ciudades independientes. Un rey gobernaba cada estado. Cada estado estaba compuesto de una ciudad cercada por un muro y áreas vecinas.

Los habitantes de Canaán, o cananitas, tenían el mismo origen que los patriarcas y sus familias. Hablaban un lenguaje similar. Por eso se trataban como primos lejanos, no como extraños.

Las familias de los patriarcas y las matriarcas son nuestros antepasados en la fe. **Fe** es un don de Dios que nos permite creer en él y aceptar todo lo que él ha revelado.

"Tener fe es tener la plena seguridad de recibir lo que se espera; es estar convencidos de la realidad de cosas que no vemos". (Hebreos 11:1). Por la relación de confianza y fe los patriarcas y sus familias aprendieron lo que significa ser parte de la familia de Dios. Ellos vivieron sus vidas tratando de cumplir los mandamientos de Dios y hacer lo que Dios les pedía. Estos antepasados en la fe son un buen ejemplo para confiar en Dios durante nuestro propio peregrinaje de fe. Por el don de la fe podemos empezar a ver nuestras vidas y el mundo a nuestro alrededor como Dios lo ve. Podemos vivir también de la forma que Dios quiere que vivamos.

Un día serás un antepasado en la fe. ¿Cómo te gustaría ser recordado por futuras generaciones?

### Dios escogió a Abraham para ser el padre de todas las naciones.

El libro de Génesis describe como Dios decidió formar a su pueblo.

Génesis 12:1–7

Dios vio y llamó a Abram. Dios dijo: "Deja tu tierra, tus parientes y la casa de tu padre, para ir a la tierra que yo te voy a mostrar" (Génesis 12:1). Esta tierra era la tierra de Canaán, que Dios prometió dar a Abram y a su descendencia.

Tan pronto Abram escuchó a Dios, él y su mujer Sarai, reunieron a su familia y sus propiedades y empezaron un largo viaje a Canaán.

En Abram Dios escogió a alguien no muy apropiado para empezar su pueblo. Abram tenía setenta y cinco años, no era famoso ni poderoso y su esposa Sarai no podía tener hijos.

During the period of the patriarchs, Canaan was made up of small independent city-states. A king ruled each city-state. Each city-state was made up of a walled city and the surrounding countryside.

The inhabitants of Canaan, or Canaanites, had the same background as the patriarchs and their families. They all spoke a similar language. That is why they treated one another as distant cousins rather than as complete strangers.

The families of the patriarchs and matriarchs are our ancestors in faith. **Faith** is a gift from God that enables us to believe in him and accept all that he has revealed. "Faith is the realization of what is hoped for and evidence of things not seen." (Hebrews 11:1) Through the trusting relationship of faith, the patriarchs and their families learned what it meant to be a part of God's family. They lived their lives trying to follow God's commands and going where God led them. These ancestors in faith are a good example of reliance on God during our own journey through life. Through the gift of faith we can begin to see our lives and the world around us as God sees them. We can live the way God wants us to live, too.

 One day you will be an ancestor in faith. How would you like to be remembered by future generations?

### God chose Abraham to be the father of his people.

The Book of Genesis describes how God decided to form a people for himself.

📖 Genesis 12:1–7

God looked about him and called Abram. God said, "Go forth from the land of your kinsfolk and from your father's house to a land that I will show you" (Genesis 12:1). This land was the land of Canaan, which God promised to give to Abram and his descendants forever.

As soon as Abram heard God's call, he and his wife, Sarai, gathered their family and property and started out on the long journey to Canaan.

In Abram God chose a very unlikely person to begin his people. Abram was seventy-five years old; he was neither famous nor powerful; and, his wife, Sarai, could not have children.

Cuando Dios le habló, Abram no discutió con Dios. El tenía una gran fe y confió completamente en la voluntad de Dios. De hecho, Abram es nuestro modelo más importante en la fe en el Antiguo Testamento.

Cuando Abram y Sarai llegaron a Canaán, Dios hizo una alianza con Abram. Dios le dijo: "Yo soy el Dios todopoderoso; vive una vida sin tacha delante de mí, y yo haré un pacto contigo: haré que tengas muchísimos descendientes". (Génesis 17:1–2). Con este acuerdo Abram y sus descendientes servirían a Dios y harían su voluntad y Dios le daría un hijo a Abram para hacer de él "una gran nación" (Génesis 12:2). Para indicar que era el inicio de una nueva vida como nuevo pueblo, Dios cambió el nombre de Abram por Abraham y el de Sarai por Sara.

Como fue anunciado, Isaac, el hijo esperado por Abraham y Sara, finalmente nació. Cuando Isaac era un adolescente, Dios probó la fe de Abraham.

📖 Génesis 22:2–18

Dios le dijo a Abraham:

Toma a Isaac, tu único hijo, al que tanto amas, y vete a la tierra de Moriah. Una vez allá, ofrécelo en holocausto sobre el cerro que yo te señalaré" (Génesis 22:2).

Abraham no preguntó nada a Dios cuando estaba dispuesto a sacrificar a Isaac un mensajero del cielo le dijo: "No le hagas ningún daño al muchacho, porque ya sé que tienes temor de Dios, pues no te negaste a darme tu único hijo" (Génesis 22:12)

La Iglesia ve un paralelo con el Nuevo Testamento: Dios el padre, ofrece a su único Hijo, Jesucristo, para salvarnos.

🏃 ¿Crees que puedes confiar en Dios como lo hizo Abraham para hacer algo muy difícil? ¿Por qué sí o no?

## El pueblo de Dios se conoció como israelitas.

Cuando Abraham murió, su hijo, Isaac, heredó la posición de padre como patriarca de la familia. Isaac se casó con una mujer llamada Rebeca, con quien tuvo mellizos: Esaú y Jacob. El nacimiento de los mellizos causó un problema: ¿Cuál de los dos heredaría la posición de Isaac en la familia? La posición no podía dividirse. Sólo uno de los mellizos podía heredarla.

## Como católicos...

La palabra *ángel* viene de una palabra griega que significa "mensajero". Los ángeles fueron creados por Dios como espíritus puros sin cuerpos físicos. En toda la Biblia encontramos ángeles que llevan el mensaje de Dios a su pueblo. Honramos a los ángeles hoy y nos beneficiamos de su poderosa ayuda. San Basilio escribió: "Al lado de cada creyente hay un ángel protector y pastor dirigiendo su vida".

Esta semana recuerda pedir a tu ángel que te dé la ayuda que necesitas en tu vida.

When God spoke to him, Abram did not argue with God. Rather, Abram had great faith, and trusted completely in God's will. In fact, Abram is our most important Old Testament model of faith.

When Abram and Sarai arrived in Canaan, God made a covenant with Abram. God said, "I am God the Almighty. Walk in my presence and be blameless. Between you and me I will establish my covenant, and I will multiply you exceedingly" (Genesis 17:1–2). By this agreement Abram and his descendants would serve God and follow his ways, and God would give Abram a son and make "a great nation" of him (Genesis 12:2). To indicate that they were beginning a new life as a new people, God changed Abram's name to Abraham and Sarai's name to Sarah.

As predicted, Isaac, Abraham and Sarah's long-awaited son, was finally born. When Isaac was a young boy, Abraham's faith was tested by God.

 Genesis 22:2–18

God said to Abraham, "Take your son Isaac, your only one, whom you love, and go to the land of Moriah. There you shall offer him up as a holocaust on a height that I will point out to you" (Genesis 22:2).

Abraham did what God asked. But as he was about to sacrifice Isaac to God, a messenger from God called to him, "Do not do the least thing to him. I know now how devoted you are to God, since you

did not withhold from me your own beloved son" (Genesis 22:12).

The Church sees a New Testament parallel in this story: God the Father offered his only Son, Jesus Christ, to save us.

Do you think that like Abraham you could trust in God if he told you to do something very difficult? Why or why not?

## God's people became known as the Israelites.

When Abraham died, his son, Isaac, inherited his father's position as patriarch of the family. Isaac married a woman named Rebekah, with whom he had twin sons: Esau and Jacob. The birth of twin sons caused a problem: Which son would someday have Isaac's position in the family? The position could not be divided. Only one of the twins could inherit it.

Esaú nació primero. Parecía correcto que heredara el papel de Isaac. Pero antes de que nacieran los mellizos, Dios había dicho a la madre, Rebeca: "En tu vientre hay dos naciones, dos pueblos que están en lucha desde antes de nacer. Uno será más fuerte que el otro, y el mayor estará sujeto al menor" (Génesis 25:23).

Sin embargo, para heredar la posición de Isaac debían ser destituidas las reglas de herencia. Así, la historia de Jacob es una historia de conflicto.

La elección de Jacob como sucesor de Abraham fue una sorpresa. Jacob creció con astucia. Por primera vez vemos ese lado de Jacob en Génesis 25:27–34, cuando engaña a su hermano Esaú cambiándole su derecho de nacimiento por una taza de sopa de lentejas. El derecho de nacimiento es el derecho natural de heredar la propiedad del padre.

Como leemos en Génesis 27:1–46 ese no es el fin de la astucia de Jacob. Con la ayuda de su madre, Jacob se hace pasar por Esaú. Engaña a su anciano y ciego padre para que le dé la bendición que le corresponde a Esaú. Cuando Isaac descubre lo sucedido se enoja. Esaú quiere matar a su hermano. Entonces Rebeca le dijo a Jacob que huyera a la tierra de Harán.

Es claro que Jacob poseía una cualidad que es importante para vivir la alianza. Esta cualidad es la determinación, o perseverancia. Jacob nunca desistió.

En su camino a Harán, Jacob tuvo un sueño en el que vio una escalera grande extendida hacia el cielo. En el sueño Dios le dijo lo que le había dicho a Abraham: "Yo soy el Señor, el Dios de tu abuelo Abraham y de tu padre Isaac. A ti y a tus descendientes les daré la tierra en donde estás acostado. Ellos llegarán a ser tantos como el polvo de la tierra... Yo estoy contigo; voy a cuidarte por dondequiera que vayas, y te haré volver a esta tierra. No voy a abandonarte sin cumplir lo que te he prometido" (Génesis 28:13–15).

Con esas apalabras, Dios le aseguró a Jacob que él heredaría Canaán y que Dios siempre lo protegería.

En Harán, Jacob prosperó, se casó, tuvo muchos hijos y enriqueció. Con eso el escritor bíblico quiere decirnos que el pueblo de Dios era bendito. Después de veinte años Jacob decidió regresar a Canaán, donde finalmente se reconcilia con su hermano y su padre.

En Génesis 35:9–15 leemos que Dios renueva su alianza con Jacob. El también le cambia el nombre por Israel. Esta es una forma simbólica de mostrar que el pueblo de Dios ha crecido al punto de que realmente puede tener un nombre que lo distinga. El pueblo de Dios ahora es llamado pueblo de Israel, o israelitas.

Escribe dos formas en las que la perseverancia puede ayudar a vivir la fe.

_____

_____

_____

_____

*The Story of Jacob and Esau*, by Lorenzo Ghiberti (1378–1455) Baptistery, Florence, Italy.

Esau was the first born. It seemed his right to inherit Isaac's role. But before the twins were born, God had said to their mother, Rebekah,

"Two nations are in your womb,
    two peoples are quarreling while still
        within you;
But one shall surpass the other,
    and the older shall serve the younger"
(Genesis 25:23).

However, to inherit Isaac's position Jacob must overturn the man-made rules of inheritance. Thus, the story of Jacob is a story of conflict.

The choice of Jacob as Abraham's successor was surprising. Jacob grew up to be something of a trickster. We get our first hint of this side of Jacob's character in Genesis 25:27–34 when he tricked Esau into selling him his birthright for a bowl of lentil stew. A birthright is the child's natural right to inherit the father's property.

As we read in Genesis 27:1–46 this was not the end of Jacob's tricks. With his mother's help Jacob pretended to be Esau. He tricked his elderly and blind father into giving him the blessing that Esau had the right to. When his father Isaac discovered what had happened, he was outraged. And Esau wanted to kill his brother, Jacob. So Rebekah told Jacob to flee to the land of Haran.

It is clear that Jacob possessed the one quality that was crucial to living out the covenant. This quality was determination, or perseverance. Jacob never gave up.

On his way to Haran, Jacob had a dream in which he saw a great staircase reaching to heaven. In the dream God told Jacob what he told Abraham, "I, the LORD, am the God of your forefather Abraham and the God of Isaac; the land on which you are lying I will give to you and your descendants. These shall be as plentiful as the dust of the earth. . . . Know that I am with you; I will protect you wherever you go, and bring you back to this land. I will never leave you until I have done what I promised you" (Genesis 28:13, 15).

With these words, God assured Jacob that he would inherit Canaan and that God would always protect him.

In Haran, Jacob prospered, married, had many children, and grew very rich. This was the biblical writer's way of telling us that God's people were blessed. After twenty years Jacob decided to return to Canaan, where he was finally reconciled to his brother and father.

In Genesis 35:9–15 we can read that God renewed the covenant with Jacob. He also changed Jacob's name to Israel. This was the symbolic way to show that God's people had grown to the point that they could actually be distinguished by name. God's people were now called the people of Israel, or the Israelites.

Write two ways perseverance can help us to live out our faith.

_____

_____

_____

_____

## Dios cuidó de todos los israelitas.

El último de los patriarcas del Antiguo Testamento es José. Su historia es contada en Génesis 37:1; 50:26. La historia de José es sobre como se cumple la voluntad de Dios. En el caso de José, el plan de Dios era ofrecer un hogar temporal para su pueblo.

**Providencia** es el plan de Dios y la protección de toda la creación. Por medio de la providencia Dios guía su creación hacia la perfección para la que fue creada. En la historia de José, la providencia fue simbolizada por el cumplimento de sueños. José sólo se comunica con Dios por medio de sueños que indican el plan de Dios.

📖 Génesis 37:3–28; 39:1–23; 40:1; 46:30

José y sus hermanos no tenían una buena relación. José era el hijo de Raquel y Jacob, y entre los doce, era el favorito de Jacob. Jacob le había dado a José una capa especial, larga, como la que usan los reyes. Los demás hermanos odiaban a José porque su padre lo prefería.

José tenía sueños que predecían que él tendría autoridad sobre la familia. Esos sueños enojaban a los hermanos de José. Un día vendieron a José como esclavo a una caravana de mercaderes que pasaba. Los mercaderes vendieron a José al jefe de los mayordomos del **faraón**, el rey de Egipto.

Al principio a José le iba muy bien, pero fue encarcelado bajo cargos falsos. En la prisión José descubrió su habilidad de interpretar sueños. Esta habilidad llamó la atención del faraón, quien estaba siendo perturbado por sueños extraños.

José le dijo al faraón que sus sueños significaban que a un período de gran abundancia lo seguiría otro de terrible escasez. Al faraón le gustó la explicación de su sueño y puso a José encargado de la administración de su reino. José preparó a Egipto para la gran escasez.

Cuando llegó la escasez, Jacob y su familia en Canaán sufrían por el hambre. Al escuchar que había comida en Egipto, los hermanos de José viajaron allá para comprar granos. Esto lo puso cara a cara con José. Ellos no lo reconocieron al principio y le hicieron reverencia cuando entraron a la sala. El sueño de José se había materializado. José estaba ahora en autoridad sobre su familia. José se reconcilió con sus hermanos. Los invitó a mudarse a Egipto. Su padre, Jacob aceptó la invitación e hicieron el largo viaje a Egipto. El propósito de Dios se había cumplido. El pueblo de Dios encontró un hogar temporal en Egipto.

## RESPONDEMOS

🧍 Piensa en una vez en que Dios actuó en tu vida de forma inesperada. Comparte tu historia con un compañero. Da gracias a Dios por su cuidado y providencia.

**Vocabulario**

patriarca (pp 350)
Canaán (pp 349)
fe (pp 349)
providencia (pp 350)
faraón (pp 349)

Los doce hijos de Jacob

1. Rubén
2. Simeón
3. Leví
4. Judá
5. Dan
6. Neftalí
7. Gad
8. Aser
9. Isacar
10. Zebulón
11. José
12. Benjamín

**Key Words**

patriarch (p. 352)
Canaan (p. 351)
faith (p. 351)
providence (p. 352)
pharaoh (p. 352)

**Twelve Sons of Jacob**

1. Reuben
2. Simeon
3. Levi
4. Judah
5. Dan
6. Naphtali
7. Gad
8. Asher
9. Issachar
10. Zebulun
11. Joseph
12. Benjamin

## God cared for the Israelites.

The last of the Old Testament patriarchs is Joseph. His story is told in Genesis 37:1—50:26. Joseph's story is about the way that God's will is achieved. In Joseph's case, God's plan was to provide a temporary home for his people.

**Providence** is God's plan for and protection of all creation. Through providence God leads his creation toward the perfection for which it was made. In the story of Joseph, providence was symbolized by the fulfillment of dreams. Joseph's only contact with God is through dreams which indicated God's plan.

Genesis 37:3–28; 39:1–23; 40:1—46:30

Joseph and his brothers were not on friendly terms. Joseph was the son of Rachel and Jacob, and was the favorite of Jacob's twelve sons. Jacob had given Joseph a special long robe such as a king might wear. The other brothers hated Joseph because their father, Jacob, loved him so much.

Joseph had dreams that predicted that he would have authority over his family. These dreams upset Joseph's brothers. So one day they sold Joseph as a slave to a passing caravan of merchants. The merchants sold Joseph to the chief steward of the pharaoh, the king of Egypt.

At first Joseph did well, but eventually he was thrown into prison on false charges. In prison Joseph discovered his ability to interpret dreams. This skill brought him to the attention of the pharaoh, who had been disturbed by strange dreams. Joseph told the pharaoh that his dreams meant that a period of great abundance would be followed by a time of terrible famine. The pharaoh was delighted by the explanation of his dreams, and put Joseph in charge of the management of his kingdom. Joseph prepared Egypt for the famine.

When the famine arrived, Jacob and his family in Canaan suffered greatly from hunger. Hearing that there was food in Egypt, Joseph's brothers traveled there to buy grain. This brought them face-to-face with Joseph. They did not recognize Joseph at first and bowed down to him when he entered the room. So Joseph's dreams had come true. Joseph now had authority over his family.

Joseph was eventually reconciled to his brothers. He invited his whole family to move to Egypt. His father, Jacob, accepted the invitation, and made the long journey to Egypt. God's purpose had been fulfilled. God's people found a temporary home in Egypt.

## WE RESPOND

Think about a time when God acted in your life in an unexpected way. Share your story with a partner. Thank God for his care and providence.

## Capítulo 5

Repaso

**Escribe en la raya la letra que mejor define el término.**

1. _____ fe

    **a.** área al oeste de Palestina que incluía la mayor parte de lo que hoy es Israel.

2. _____ providencia

    **b.** don de Dios que nos permite creer en él y aceptar todo lo que él ha revelado.

3. _____ patriarca

    **c.** derecho natural de heredar la propiedad paterna.

    **d.** padre, fundador de un clan o un grupo de familiares.

4. _____ Canaán

    **e.** el plan de Dios para la creación y su protección

**Contesta.**

5. ¿Quiénes eran los patriarcas en el Antiguo Testamento?

_____

6. ¿Cómo está simbolizada la providencia en la historia de José?

_____

7. ¿Qué hay en Jacob que le permite vivir la alianza?

_____

8. ¿Cómo fue probada la fe de Abraham?

_____

**Contesta.**

**9–10.** ¿Qué muestra cada historia de los patriarcas sobre nuestra relación con Dios?

## Reflexiona y ora

Dios actúa en las vidas de muchas personas para hacer de la descendencia de Abraham un gran pueblo.

Señor, sabemos que estás con nosotros, actuando en nuestras vidas

_____

_____

## Chapter 5

**Write the letter that best defines each term. There is an extra answer.**

1. _____ faith

2. _____ providence

3. _____ patriarch

4. _____ Canaan

**a.** an area in western Palestine that included most of present-day Israel

**b.** a gift from God that enables us to believe in him and accept all that he has revealed

**c.** the child's natural right to inherit the father's property

**d.** a father, or founder, of a clan, a group of related families

**e.** God's plan for and protection of all creation

### Short Answers

5. Who are the patriarchs of the Old Testament?

_____

6. How is providence symbolized in the story of Joseph?

_____

7. What is it about Jacob that makes him able to live out the covenant?

_____

8. How was Abraham's faith tested?

_____

**Write a paragraph to answer this question.**

9–10. What does the story of each patriarch show about our relationship with God?

## Reflect & Pray

God acted in the lives of many people to make the descendants of Abraham a great people.

Lord, we know you are still with us, acting in our lives

_____

_____

# Respondemos y compartimos la fe

## Compartiendo lo aprendido

Habla con tu familia sobre lo siguiente:

- los patriarcas del Antiguo Testamento
- la alianza de Dios con su pueblo
- fe y providencia
- la historia de José.

## Recuerda

- Los patriarcas fueron nuestros antepasados en la fe.
- Dios escogió a Abraham para ser el padre de todas las naciones.
- El pueblo de Dios se conoció como israelitas.
- Dios cuidó de todos los israelitas.

## Caminando hacia donde Dios nos dirige

Esta semana, anima a tu familia a ir donde Dios la dirija. Toma unos minutos para hablar y escuchar a Dios en la oración. Pídele que te dirija a ti y a tu familia a lugares donde se necesite tu amor y tu trabajo.

## NUESTRA VIDA CATOLICA

### Bendiciones en familia

Las bendiciones son parte importante de las oraciones diarias. Es una costumbre recibida y compartida con el pueblo judío. Pedimos a Dios bendiga nuestra comida antes de comer. Podemos pedir a Dios bendecir nuestras vidas. Hay bendiciones para las familias, los niños, los hogares, los animales, el lugar de trabajo, los momentos de diversión y los de tristeza. He aquí una bendición que puedes rezar: Protégenos, Señor, mientras estamos despiertos; vela sobre nosotros mientras dormimos. Para que despiertos podamos velar con Cristo, y dormidos descansar en su paz. Amén.

**Conexión con el Catecismo**
Para referencia vea los párrafos 61, 59, 63 y 303.

# We Respond and Share the Faith

## Sharing What I Learned

Discuss the following with your family:

- the patriarchs of the Old Testament
- God's covenant with his people
- faith and providence
- the story of Joseph.

## Remember

- The patriarchs are our ancestors in faith.
- God chose Abraham to be the father of his people.
- God's people became known as the Israelites.
- God cared for the Israelites.

## Going Where God Leads Us

This week, encourage your family members to go where God leads them. Take a few moments to talk and listen to God in private prayer. Ask God to lead you and your family to the people and places where your love and care are needed.

## OUR CATHOLIC LIFE
### Family Blessings

Blessings are a large part of our daily prayer. This is a custom we received from and share with the Jewish people. We ask God to bless our food before we eat. We can always ask God to bless us in our everyday lives. There are blessings for families, children, homes, animals, workplaces, times of joy, and times of sorrow. Here is one blessing you might like to pray:

Protect us, Lord, as we stay awake;
watch over us as we sleep,
that awake, we may keep watch with Christ,
and asleep, rest in his peace. Amen.

**Connect to the Catechism**
For adult background and reflection, see paragraphs 61, 59, 63, and 303.

Visit Sadlier's

**www.CREEMOSweb.com**

**Durante el año litúrgico celebramos todo el misterio de Cristo.**

## NOS CONGREGAMOS

✝ *Señor, creaste todas las cosas para tu gloria.*

¿Qué días del año son muy importantes para ti? ¿Por qué? ¿Cómo muestras a otros que esos días son especiales para ti?

## CREEMOS

Igual que la Iglesia, nosotros tenemos días y tiempos en el año que son importantes para nosotros. Una forma especial de recordar esos tiempos es la celebración de la liturgia. La liturgia es la oración pública y oficial de la Iglesia. Incluye la celebración de la Eucaristía,

la misa, y otros sacramentos. La liturgia también incluye la Liturgia de las Horas, una oración que la Iglesia reza por partes durante el día y la noche.

Durante el año en la liturgia recordamos y nos regocijamos en las acciones salvadoras de Jesucristo. Llamamos *año litúrgico* al año de la Iglesia. Durante el año litúrgico recordamos y celebramos todo el misterio de Cristo. Celebramos el nacimiento del Hijo de Dios, sus años de juventud, su ministerio público, su sufrimiento, su muerte, su resurrección y ascensión al cielo. Durante este año también veneramos o mostramos devoción a María, la madre de Dios, y a todos los santos.

"Alégrense siempre en el Señor. Repito: ¡Alégrense!"
Filipenses 4:4

# The Liturgical Year

**Throughout the liturgical year we celebrate the entire mystery of Christ.**

## WE GATHER

✝ *Lord, you create all things to give you glory.*

What are some days of the year that are very important to you? Why? How do you show others that these days and times are special to you?

## WE BELIEVE

As the Church we have special days and times of the year that are very important to us. One special way we remember these times is in the celebration of the liturgy. The liturgy is the official public prayer of the Church. It includes the celebration of the Eucharist, or Mass, and the other sacraments. The liturgy also includes the Liturgy of the Hours, a prayer parts of which the Church prays at various times during the day and night.

In the liturgy throughout the year, we remember and rejoice in the saving actions of Jesus Christ. So we call the Church year the *liturgical year*. During the liturgical year we recall and celebrate the whole mystery of Christ. We celebrate the birth of the Son of God, his younger years, his public ministry, his suffering, death, Resurrection, and Ascension into heaven. During this year we also venerate, or show devotion to, Mary, the Mother of God, and all the saints.

"Rejoice in the Lord always.
I shall say it again: rejoice!"
(Philippians 4:4)

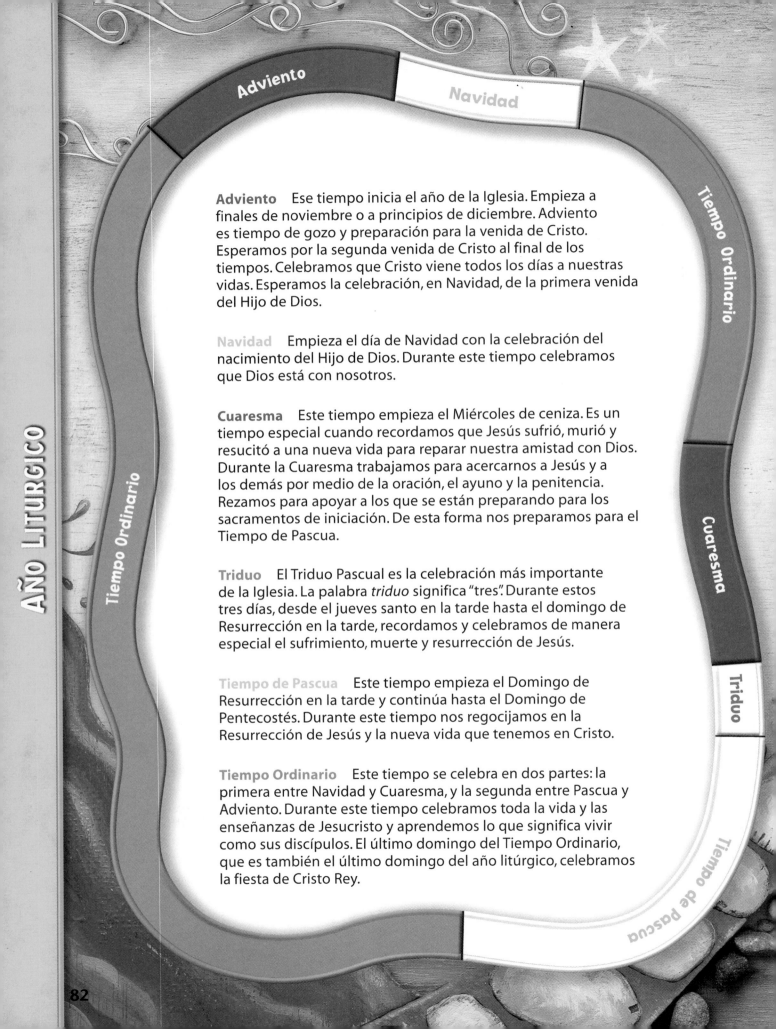

**Adviento** Ese tiempo inicia el año de la Iglesia. Empieza a finales de noviembre o a principios de diciembre. Adviento es tiempo de gozo y preparación para la venida de Cristo. Esperamos por la segunda venida de Cristo al final de los tiempos. Celebramos que Cristo viene todos los días a nuestras vidas. Esperamos la celebración, en Navidad, de la primera venida del Hijo de Dios.

**Navidad** Empieza el día de Navidad con la celebración del nacimiento del Hijo de Dios. Durante este tiempo celebramos que Dios está con nosotros.

**Cuaresma** Este tiempo empieza el Miércoles de ceniza. Es un tiempo especial cuando recordamos que Jesús sufrió, murió y resucitó a una nueva vida para reparar nuestra amistad con Dios. Durante la Cuaresma trabajamos para acercarnos a Jesús y a los demás por medio de la oración, el ayuno y la penitencia. Rezamos para apoyar a los que se están preparando para los sacramentos de iniciación. De esta forma nos preparamos para el Tiempo de Pascua.

**Triduo** El Triduo Pascual es la celebración más importante de la Iglesia. La palabra *triduo* significa "tres". Durante estos tres días, desde el jueves santo en la tarde hasta el domingo de Resurrección en la tarde, recordamos y celebramos de manera especial el sufrimiento, muerte y resurrección de Jesús.

**Tiempo de Pascua** Este tiempo empieza el Domingo de Resurrección en la tarde y continúa hasta el Domingo de Pentecostés. Durante este tiempo nos regocijamos en la Resurrección de Jesús y la nueva vida que tenemos en Cristo.

**Tiempo Ordinario** Este tiempo se celebra en dos partes: la primera entre Navidad y Cuaresma, y la segunda entre Pascua y Adviento. Durante este tiempo celebramos toda la vida y las enseñanzas de Jesucristo y aprendemos lo que significa vivir como sus discípulos. El último domingo del Tiempo Ordinario, que es también el último domingo del año litúrgico, celebramos la fiesta de Cristo Rey.

**Advent**   The season of Advent begins the liturgical year in late November or early December. Advent is a time of joyful preparation for the coming of Christ. We look forward to Christ's second coming at the end of time. We celebrate that Christ comes into our lives every day. We await Christmas, the celebration of the first coming of the Son of God.

**Christmas**   The Christmas season begins on Christmas Day with the celebration of the birth of the Son of God. During this entire season we celebrate that God is with us always.

**Lent**   The season of Lent begins on Ash Wednesday. Lent is the special time when we remember that Jesus suffered, died, and rose to new life to restore our relationship with God. During Lent we work to grow closer to Jesus and one another through prayer, fasting, and penance. We pray for and support all who are preparing for the sacraments of initiation. We prepare for the Easter Triduum.

**Triduum**   The Easter Triduum is the Church's greatest and most important celebration. The word *triduum* means "three days." During these three days, from Holy Thursday evening until Easter Sunday evening, we remember and celebrate Jesus' suffering, death, and Resurrection in a very special way.

**Easter**   The season of Easter begins on Easter Sunday evening and continues until Pentecost Sunday. During this season we rejoice in Jesus' Resurrection and in the new life we have in Jesus Christ.

**Ordinary Time**   The season of Ordinary Time is celebrated in two parts: the first part is between Christmas and Lent, and the second part is between Easter and Advent. During this time we celebrate the life and teachings of Jesus Christ and learn what it means to live as his disciples. On the last Sunday of Ordinary Time, also the last Sunday of the liturgical year, we celebrate the feast of Christ the King.

THE LITURGICAL YEAR

**El calendario**   Nuestros años, meses y días calendarios dependen de los elementos de la naturaleza, como por ejemplo: el sol y la luna. Muchas de las fiestas litúrgicas también reflejan el ciclo de la naturaleza.

Nuestro año litúrgico está construido alrededor de las fechas del Triduo Pascual, el cual depende del equinoccio de primavera y la luna llena. El equinoccio de primavera es el día en que el sol está alineado con el Ecuador, haciendo que los días y las noches tengan igual longitud. El Domingo de Pascua sigue a la luna llena después del equinoccio de primavera. El hecho por sí solo es una hermosa proclamación de la Resurrección de Cristo, quien resucitó para traer la luz a nuestra oscuridad.

Los astrónomos pueden calcular la fecha en que el equinoccio ocurrirá. Ellos usan fórmulas para calcular años futuros.

Mirando esos cálculos vemos que la fecha del Domingo de Pascua siempre está entre marzo 22 y abril 25.

Usando la fecha del Domingo de Pascua podemos construir el calendario litúrgico para cada año. Podemos trabajar seis semanas hacia atrás para determinar la Cuaresma y siete hacia delante para determinar Pentecostés.

## RESPONDEMOS

Las lecturas que escuchamos, los himnos que cantamos, los colores que vemos y las formas en que adoramos, nos ayudan a celebrar los tiempos litúrgicos.

 En grupos describan como tu parroquia celebra los tiempos litúrgicos.

## ✞ Respondemos en oración

**Líder**: Alabemos a Dios, quien es rico en misericordia y nos favorece en forma maravillosa. Bendito sea Dios por siempre.

**Todos:** Bendito sea Dios por siempre.

**Líder:** San Pablo nos anima a dar gracias siempre a Dios por Jesucristo, porque en él Dios nos ha dado vida eterna.

**Lector:** Lectura de la carta de San Pablo a los Filipenses

"Alégrense siempre en el Señor. Repito: ¡Alégrense! Que todos los conozcan a ustedes como personas bondadosas. El Señor está cerca. No se aflijan por nada, sino preséntenselo todo a Dios en oración; pídanle, y denle gracias también". (Filipenses 4:4–6)

Palabra de Dios.

**Todos:** Te alabamos, Señor.

**Líder:** Demos gracias a Dios por todas sus bendiciones y ofrezcámosle nuestras necesidades.

**Todos:** Escúchanos, Señor.

🎵 **Alegraos, alegraos en el Señor**
Sus riquezas recibimos de su amor.

**The calendar** Our calendar of years, months, and days depends upon elements of nature, like the sun and the moon. Many of our liturgical feasts also reflect the cycle of nature.

Our liturgical year is constructed around the dates of the Easter Triduum, which depend each year on the spring equinox and the rising of the full moon. The spring equinox is the day the sun crosses the equator, making day and night of equal length everywhere. Easter Sunday follows the full moon after the spring equinox. This fact alone is a beautiful proclamation of the Resurrection of Christ, whose rising brings light to our darkness.

Astronomers can calculate the date of the spring equinox. They use formulas to do this for years into the future. Looking at their calculations we find that the date of Easter Sunday is always between March 22 and April 25.

Using the date for Easter Sunday, we can construct the liturgical calendar for each year. We can work backward six weeks to determine the beginning of Lent, and forward seven weeks to find the date of Pentecost.

## WE RESPOND

The readings we hear, the songs we sing, the colors we see, and the ways we worship, help us to celebrate each liturgical season.

In groups describe some of the ways your parish celebrates each of the liturgical seasons.

## ✝ We Respond in Prayer

**Leader:** Give praise to God, who is rich in mercy and who has favored us in wonderful ways. Blessed be God for ever.

**All:** Blessed be God for ever.

**Leader:** Saint Paul urges us to give thanks to God always through Christ, for in him, God has given us everything.

**Reader**: A reading from the Letter of Saint Paul to the Philippians

"Rejoice in the Lord always. I shall say it again: rejoice! Your kindness should be known to all. The Lord is near. Have no anxiety at all, but in everything, by prayer and petition, with thanksgiving, make your requests known to God." (Philippians 4:4–6)

The word of the Lord.

**All:** Thanks be to God.

**Leader:** Let us thank God for our blessings and offer our needs to him.

**All:** Hear us, O Lord.

### 🎵 Rejoice in the Lord Always

Round 1
Rejoice in the Lord always,
again I say, rejoice!
Rejoice in the Lord always,
again I say, rejoice!

Round 2
Rejoice! Rejoice! Again I say, rejoice!
Rejoice! Rejoice! Again I say, rejoice!

# Respondemos y compartimos la fe

## Compartiendo lo aprendido

Habla con tu familia sobre lo siguiente:

- el año litúrgico
- los tiempos litúrgicos del año
- el calendario litúrgico.

## Alrededor de la mesa

Usa un calendario para encontrar las fechas en que empiezan cada uno de estos tiempos este año.

Adviento _____

Navidad _____

Tiempo Ordinario (primera parte) _____

Cuaresma _____

Triduo _____

Tiempo de Pascua _____

Tiempo Ordinario (segunda parte) _____

## Oración en familia

Esta oración de la Liturgia de las Horas, es tomada de Completas, u Oración de la noche. Rézala con tu familia esta noche.

Señor, bendícenos mientras estamos despiertos y guárdanos mientras dormimos. Para que, despiertos o dormidos, podamos confiar en tu bondad y glorificarte. Amén.

Visita Sadlier en
www.CREEMOSweb.com

**Conexión con el Catecismo**
Para referencia vea el párrafo 1168.

# We Respond and Share the Faith

## Sharing What I Learned

Discuss the following with your family:

- the liturgical year
- the liturgical seasons of the year
- the liturgical calendar.

## Around the Table

Use a calendar to find the dates on which each of these liturgical seasons begins this year.

Advent _____

Christmas _____

Ordinary Time (First part) _____

Lent _____

Triduum _____

Easter _____

Ordinary Time (Second part) _____

## Family Prayer

This prayer is from the Liturgy of the Hours. It is from Compline, or Night Prayer. Pray it together tonight.

Lord, bless us as we are awake
and guard us as we sleep,
that, awake or asleep, we
may trust in your goodness
and give you glory. Amen.

**Connect to the Catechism**
For adult background and reflection, see paragraph 1168.

Visit Sadlier's
**www.CREEMOSweb.com**

**Durante el Tiempo Ordinario celebramos la vida y las enseñanzas de Jesucristo.**

## NOS CONGREGAMOS

✝ *Jesús, ayúdanos a mantener santo el domingo*

¿Cuál es tu disposición hacia el domingo? ¿Lo esperas con ansiedad? ¿Por qué sí o no? ¿Qué diferencias hay entre el domingo y los demás días de la semana?

## CREEMOS

El Tiempo Ordinario es uno de vida y esperanza. Aprendemos lo que significa vivir como discípulo de Cristo y crecemos como miembros de la Iglesia. El color verde se usa durante este tiempo para recordarnos que la vida y la esperanza vienen de Cristo.

Otros tiempos litúrgicos durante el año se centran en un período o evento particular en la vida de Jesús. Durante el Tiempo Ordinario celebramos todo lo que Cristo hizo por nosotros con su nacimiento, vida, muerte, resurrección y ascensión. Recordamos la vida de Jesucristo y nos centramos en sus enseñanzas de manera especial.

El Tiempo Ordinario dura treinta y tres, o treinta y cuatro semanas. Es llamado Tiempo Ordinario porque las semanas están en "orden", o sea numeradas en orden. Por ejemplo: la primera semana del Tiempo Ordinario es seguida por la segunda y así sucesivamente.

Celebramos este Tiempo dos veces durante el año litúrgico. Celebramos primero por un corto tiempo entre Navidad y Adviento. La primera parte empieza temprano en enero y dura sólo hasta el martes antes de la Cuaresma. La segunda parte es entre Pascua y Adviento. Empieza a finales de mayo o en junio, después del Domingo de Pentecostés, cuando termina el Tiempo de Pascua. Dura varios meses hasta la tarde antes del primer domingo de Adviento, a finales de noviembre o principios de diciembre.

Este es el día en que el Señor ha actuado: ¡estemos hoy contentos y felices!

*Salmo 118: 24*

# Ordinary Time

**During the season of Ordinary Time, we celebrate the life and teachings of Jesus Christ.**

## WE GATHER

✝ *Jesus, help us to keep Sunday holy.*

What is your attitude toward Sunday? Do you look forward to it? Why or why not? How is it the same as other days of the week? How is it different?

## WE BELIEVE

Ordinary Time is a season of life and hope. We learn what it means to live as Christ's disciples, and we grow as members of the Church. The color green, which we use during this season, reminds us of the life and hope that come from Christ.

Other seasons during the liturgical year focus on a particular event or period in Jesus' life. During the season of Ordinary Time, we celebrate all that Christ does for us through his birth, life, death, Resurrection, and Ascension. We recall the life of Jesus Christ and focus on his teachings in a special way.

The season of Ordinary Time lasts thirty-three to thirty-four weeks. It is called Ordinary Time because the weeks are "ordered," or named in number order. For example, the first week in Ordinary Time is followed by the second week in Ordinary Time, and so on.

We celebrate Ordinary Time twice during the liturgical year. We celebrate first for a short time between the seasons of Christmas and Lent. The first part of Ordinary Time begins in early January and lasts until the Tuesday before Ash Wednesday. The second part of Ordinary Time is between the seasons of Easter and Advent. So it begins in late May or June after Pentecost Sunday, which ends the Easter season, and lasts several months until the evening before the first Sunday of Advent in late November or early December.

> "This is the day the LORD has made; let us rejoice in it and be glad."
>
> (Psalm 118:24)

**El día del Señor** En el calendario judío, el sábado sigue siendo el sabat, el día dedicado a honrar a Dios de forma especial. El sabat es un día especial para alabar a Dios por toda su creación y por obrar en la vida de su pueblo. El sábado es el último día de la semana y el pueblo judío descansa como descansó Dios el séptimo día al completar la creación. Es una tradición judía observar el sabat desde el atardecer del viernes hasta el atardecer del sábado.

Los primeros cristianos seguían muchas de las costumbres judías. Ellos rezaban los salmos y mantenían el sabat. Gradualmente, porque Jesús resucitó un domingo, el domingo se convirtió en el sabat cristiano. Porque Cristo resucitó en un domingo, los cristianos llaman al domingo "el día del Señor". En ese día se reúnen y recuerdan la muerte y la resurrección de Cristo celebrando la Eucaristía.

Hoy la Iglesia mantiene el domingo como nuestro día de precepto más importante. Mantenemos santo el día del Señor asistiendo a la celebración de la Eucaristía, descansando y divirtiéndonos en familia, recordamos nuestra amistad con Dios y servimos a las necesidades de la comunidad.

El domingo es el día más importante para reunirnos en nuestra parroquia y celebrar la Eucaristía, también llamada la misa. En la misa:

- alabamos y damos gracias a Dios por todos sus dones

- escuchamos la palabra de Dios

- recordamos la vida, muerte y resurrección de Jesús y celebramos el don de Jesús mismo en la Eucaristía

- recibimos el Cuerpo y la Sangre de Cristo en la comunión

- nos acercamos más a Cristo y a los demás en la Iglesia

- somos enviados a compartir el amor de Jesús, a servir a otros y a trabajar por la justicia y la paz.

Al observar el día del Señor seguimos la costumbre judía de celebrar desde un atardecer a otro. Así que empezamos nuestra celebración el sábado en la tarde y la completamos el domingo en la tarde. Es por eso que algunas personas asisten a la misa del domingo, el sábado en la tarde.

Today the Church keeps Sunday as our first holy day. We keep the Lord's Day holy by participating in the celebration of the Eucharist, by resting from work and enjoying our families, by remembering our relationship with God and by serving the needs of the community.

Sunday is the most important day to gather with our parishes for the celebration of the Eucharist, also called the Mass. In the Mass, we

- praise and thank God for his many gifts

- listen to God's word

- remember Jesus' life, death, and Resurrection and celebrate Jesus' gift of himself in the Eucharist

- receive the Body and Blood of Christ in Holy Communion

- are joined more closely to Christ and one another in the Church

- are sent out to share Jesus' love, serve others, and work for justice and peace.

In observing the Lord's Day we follow the Jewish custom of celebrating from sundown to sundown. So we begin our celebration on Saturday evening and complete it on Sunday evening. This is why some people participate in the Sunday Mass on Saturday evening.

**The Lord's Day** In the Jewish calendar, Saturday was and still is the Sabbath, the day of rest set apart to honor God in a special way. The Sabbath is a special day to praise God for giving us his creation and for acting in the lives of his people. Saturday is the last day of the week, and the Jewish people rest as God rested on the seventh day after completing his creation. It is Jewish tradition to observe that Sabbath from sundown on Friday to sundown on Saturday.

The early Christians followed many of the Jewish customs of prayer and worship. They prayed the psalms and they kept the Sabbath. Gradually, because Jesus Christ rose on a Sunday, Sunday became the Christian Sabbath. Because Christ rose on a Sunday, the Christians called it "the Lord's Day." On this day they gathered to recall Christ's death and Resurrection by celebrating the Eucharist.

**Domingos del Tiempo Ordinario** Los domingos son la base de nuestro año litúrgico y los usamos para marcar el paso de las semanas del Tiempo Ordinario y los otros tiempos. La importancia del domingo viene del hecho de que Jesús resucitó un domingo.

Durante el Tiempo Ordinario hay tres domingos muy importantes:

- Santísima Trinidad, se celebra el segundo domingo en la segunda parte del Tiempo Ordinario, el domingo después de Pentecostés. Celebramos de manera especial nuestra fe en la Santísima Trinidad: Dios Padre, Dios Hijo y Dios Espíritu Santo.

- Corpus Cristi, palabras latinas que significan *Cuerpo de Cristo*. Esta fiesta se celebra el domingo siguiente al domingo de la Santísima Trinidad.

- Cristo Rey se celebra el último domingo del Tiempo Ordinario. Este día nos regocijamos de que Cristo es el rey del universo. El nos salvó del demonio y nos trae nueva vida. Por El, el reino de Dios ha empezado en la tierra.

## RESPONDEMOS

En grupos hagan una lista de las formas en que celebran el día del Señor.

_____

_____

_____

_____

_____

## ✝ Respondemos en oración

**Líder:** Señor y Dios nuestro, te bendecimos. Al reunirnos te pedimos que en tu bondad nos llenes con tu conocimiento de cual es tu voluntad para así poder complacerte en todo, y acercarnos más a ti.

Te lo pedimos por Cristo, nuestro Señor.

**Todos:** Amén.

**Lector:** Lectura del Evangelio según San Mateo.

**Todos:** Gloria a ti, Señor.

**Lector:** "Ustedes son la luz de este mundo. Una ciudad en lo alto de un cerro no puede esconderse. Ni se enciende una lámpara para ponerla bajo un cajón; antes bien, se la pone en alto para que alumbre a todos los que están en la casa. Del mismo modo,

procuren ustedes que su luz brille delante de la gente, para que, viendo el bien que ustedes hacen, todos alaben a su Padre que está en el cielo". (Mateo 5: 14–16).

Palabra del Señor.

**Todos:** Gloria a ti, Señor Jesús.

### 🎵 Nueva Creación

Camina, pueblo de Dios;
camina, pueblo de Dios.
Nueva ley, nueva alianza,
en la nueva Creación:
camina pueblo de Dios;
camina pueblo de Dios.

**Sundays during Ordinary Time** Sundays are the foundation of our liturgical year, and we use them to mark the passing of the weeks of Ordinary Time and the other seasons. Sunday's importance comes from the fact that Jesus' Resurrection was on a Sunday.

During Ordinary Time there are three very important Sundays.

- Trinity Sunday, the first Sunday after Pentecost, is the first Sunday in the second part of Ordinary Time. On this Sunday we celebrate in a special way our belief in the Blessed Trinity: God the Father, God the Son, and God the Holy Spirit.

- The Body and Blood of Christ is the Sunday after Trinity Sunday. This is sometimes called "Corpus Christi Sunday" because the term *Body of Christ* comes from these two Latin words.

- Christ the King is the last Sunday in Ordinary Time. On this day we rejoice that Christ is the King of the universe. He saves us from evil and brings us new life. Through him the Kingdom of God has begun on earth.

## WE RESPOND

In groups list some ways that you celebrate the Lord's Day.

_____

_____

_____

_____

## ✝ We Respond in Prayer

**Leader:** Lord our God, we bless you. As we come together we ask you in your kindness to fill us with the knowledge of your will so that, pleasing you in all things, we may grow in every good work. We ask this through Christ our Lord.

**All:** Amen.

**Reader:** A reading from the holy Gospel according to Matthew

**All:** Glory to you, Lord.

"You are the light of the world. A city set on a mountain cannot be hidden. Nor do they light a lamp and then put it under a bushel basket; it is set on a lampstand, where it gives light to all in the house. Just so, your light must shine before others, that they may see your good deeds and glorify your heavenly Father." (Matthew 5:14–16)

The Gospel of the Lord.

**All:** Praise to you, Lord Jesus Christ.

### 🎵 This Little Light of Mine

This little light of mine,
I'm gonna let it shine. (Repeat 3 times)
Let it shine, let it shine, let it shine.

Ev'rywhere I go,
I'm gonna let it shine. (Repeat 3 times)
Let it shine, let it shine, let it shine.

Jesus gave it to me;
I'm gonna let it shine. (Repeat 3 times)
Let it shine, let it shine, let it shine.

# Respondemos y compartimos la fe

## Compartiendo lo aprendido

Habla con tu familia sobre lo siguiente:

- el Tiempo Ordinario
- la importancia del domingo
- las fiestas del Señor durante el Tiempo Ordinario.

## Alrededor de la mesa

En familia conversen sobre estas preguntas. ¿Cómo podemos celebrar el día del Señor como un día de descanso y oración? ¿Qué podemos hacer en casa para que el domingo sea más especial?

## Oración en familia

Empiecen su comida del domingo con esta oración.

*Una persona enciende una vela y dice:*
Jesucristo es la luz del mundo.
*Todos:* una luz que ninguna oscuridad puede vencer.
*El líder levanta el pan y reza:*
Te damos gracias, Padre,
   por la vida y el conocimiento que nos has revelado por tu Hijo Jesucristo.
Gloria te sean dadas por todos los siglos.
Como el grano una vez regado en
   los campos
fue hecho uno en este pan partido,
así todas los pueblos sean reunidos por tu
   Hijo en tu reino.

El Señor nos bendiga y nos guarde.
*Todos:* Amén.
Que el rostro del Señor brille sobre
   nosotros y nos dé su gracia.
*Todos:* Amén.
Que el Señor vele por nosotros con
   bondad y nos dé su paz.
*Todos:* Amén.

Visita Sadlier en

www.CREEMOSweb.com

**Conexión con el Catecismo**
Para referencia vea el párrafo 1163.

# We Respond and Share the Faith

## Sharing What I Learned

Discuss the following with your family:

- the season of Ordinary Time
- the importance of Sunday
- the feasts of the Lord during Ordinary Time.

## Around the Table

Discuss these questions as a family:
How can we celebrate the Lord's Day as a day of rest and prayer?
What can make Sunday more special in our home?

## Family Prayer

Begin your Sunday meal with this prayer.

*One person lights a candle and says:*
Jesus Christ is the light of the world.
*All:* A light no darkness can overpower.
*The leader lifts up the bread and prays:*
We thank you, Father,
for the life and knowledge you
   have revealed to us
through your child Jesus.
Glory be yours through all ages.
As grain once scattered on the hillside
was in this broken bread made one,
so from all lands may we be gathered
into your kingdom by your Son.

The Lord bless us and keep us.
*All:* Amen.
The Lord's face shine upon us and be
   gracious to us.
*All:* Amen.
The Lord look upon us with kindness
   and give us peace.
*All:* Amen.

*(Catholic Household Blessings and Prayers)*

**Connect to the Catechism**
For adult background and reflection, see paragraph 1163.

Visit Sadlier's
**www.CREEMOSweb.com**

# Un pueblo esclavo

## NOS CONGREGAMOS

 **Líder:** Para los seguidores de Cristo, la libertad es un don de amor y bondad y viene de Cristo. Vamos a rezar por los que no tienen libertad, los esclavos en nuestro mundo hoy.

**Lector:** Por todos los esclavizados por el hábito del pecado, el egoísmo, por las malas condiciones de trabajo, las adicciones, enfermedades crónicas, la pobreza y el hambre, oremos al Señor.

**Todos:** Señor, Jesús, libéralos.

### 🎵 Cántico del Exodo

¡Carroza y caballo arrojó al mar!
¡Cantemos al Señor, sublime es su victoria!

Cantaré al Señor
Que se ha cubierto de gloria,
Dios de mi fortaleza,
mi canción y mi salvación.

☀️ ¿De qué forma eres libre de hablar y actuar? ¿Tiene la gente la misma libertad en todas partes del mundo?

## CREEMOS

### Egipto se convirtió en el hogar de los israelitas.

Dios dirigió a la familia de Jacob, o como lo llamó Dios, Israel, a Egipto. Los doce hijos de Israel se reunieron, incluyendo a José. En Egipto la familia de Jacob se salvó de morir de hambre y fue protegida de hacer labores fuertes. Dios proveyó para su pueblo por medio de José.

José dijo al faraón que: "Su padre y sus hermanos habían llegado de Canaán, y que ya estaban en la región de Gosén" (Génesis 47:1) El faraón le dijo: "La tierra de Egipto está a su disposición" (Génesis 47:6). Jacob y su familia fueron invitados especiales en Egipto. Se les dio la mejor tierra en Gosén, un área fértil al norte de Egipto. En esa época Egipto estaba divido en dos reinos. La parte sur del país era gobernada por reyes egipcios. Un reino separado en el norte era gobernado por personas venidas del este de Egipto.

# An Enslaved People

## 8

## WE GATHER

✝ **Leader:** For followers of Christ, freedom is a gift of love and goodness, and comes from Christ. Let us pray for all those who are not free, who are enslaved, in our world today.

**Reader:** For all who are enslaved by the habit of sin and selfishness, by unsafe working conditions and low pay, enslaved by addiction, by disease and chronic illness, by poverty and hunger, and for all those illegally denied their freedom, let us pray.

**All:** Lord Jesus Christ, set them free.

 **Go Down, Moses**

Go down, Moses,
Way down in Egypt's land;
Tell old Pharaoh: Let my people go.

 In what ways are you free to do and say things? Do people in all parts of the world have these same freedoms?

## WE BELIEVE

### Egypt became the home of the Israelites.

God led the family of Jacob, or as God had named him, Israel, into Egypt. All twelve of Israel's sons, including Joseph, were reunited. In Egypt Jacob's family was saved from famine and protected from hardships. God had provided for his people through Joseph.

Joseph told the pharaoh, "My father and my brothers have come from the land of Canaan, with their flocks and herds and everything else they own; and they are now in the region of Goshen" (Genesis 47:1). The pharaoh told Joseph that they could settle there. He said, "The land of Egypt is at your disposal" (Genesis 47:6). So Jacob's family became honored guests in Egypt. They were given the best land in Goshen, a fertile area in northern Egypt. At the time Egypt was divided into two kingdoms. The southern part of the country was ruled by Egyptian kings. A separate kingdom in northern Egypt was ruled by people who came from regions to the east of Egypt.

**Cambio en Egipto.** En Gosén, al norte de Egipto, la familia de Jacob prosperó y el pueblo de Dios creció. Al principio vivieron seguros y cómodos. Pero los egipcios ganaron el control del reino del norte. Dos reyes egipcios unieron Egipto. Egipto entró en un período de gran riqueza y poder. Este período es llamado el Nuevo Reino, y duró cientos de años.

El tiempo pasó, José y su generación murieron. Un nuevo faraón tomó el poder. El no conoció a José y no veía a los israelitas como invitados de honor. De hecho tenía miedo y decía: "Miren, el pueblo israelita es más numeroso y más poderoso que nosotros … puede ser que, en caso de guerra, se pongan de parte de nuestros enemigos para pelear contra nosotros y se vayan de este país". (Exodo 1: 9–10).

En el Exodo, el segundo libro de la Biblia, leemos como los egipcios esclavizaron a los israelitas. El faraón los obligó a construir monumentos y a trabajar largas horas en el campo. Los israelitas no eran libres de adorar al verdadero Dios y de cumplir sus leyes. La vida de los israelitas era tan insoportable que lloraban a Dios para que los sacara de Egipto.

En Exodo también leemos sobre el terrible sufrimiento de los israelitas como esclavos del faraón. También aprendemos que Dios llevó a cabo su plan de llevar a su pueblo a Canaán. **Exodo** es la palabra bíblica que se usa para describir la salida de los israelitas a la libertad.

Haz una lista de cosas de las cuales la gente necesita liberarse hoy.

## Dios escogió a Moisés para dirigir a su pueblo.

Los israelitas también son llamados hebreos, porque su idioma se conoce como hebreo. El faraón se dio cuenta de que a pesar de todas las dificultades en sus vidas, el número de hebreos seguía creciendo. El mandó a que todas las hebreas mataran a los recién nacidos. Como las mujeres no hicieron caso él mandó: "Echen al río a todos los niños hebreos que nazcan" (Exodo 1:22).

## Como católicos...

La esclavitud devalúa la dignidad humana y quita la libertad. La mayoría de los países protegen de la esclavitud y el trabajo forzado. Sin embargo, la necesidad de proteger los derechos de los trabajadores sigue siendo un reto.

La Iglesia enseña que la oportunidad de tener un empleo, tener condiciones de trabajo seguras y ganar una paga adecuada, son asuntos de justicia. La Iglesia habla en contra de cualquier sistema, público o privado, que trate de obtener ganancias a expensas de la dignidad y la libertad humana.

¿Qué puedes hacer para respetar la dignidad de los trabajadores?

POBLANDO LA TIERRA
1220 AC   Los jueces

Los israelitas llegan a Canaán | Débora, jueza | Sansón | Samuel profeta de Dios

Historia de Rut

The story of Ruth

Israelites settle in Canaan | Deborah the Judge | Samson | Samuel becomes God's prophet

1220 BC   THE JUDGES
SETTLING THE LAND

EL REINO UNIDO
1020 AC                    1000 AC              961 AC

Saúl deja a Dios | Dios escoge a David | David vence a Goliat | David, rey | Israel se fortalece | Salomón rey | Israel prospera en paz | Salomón deja a Dios

Dios pide ungir a Saúl

Construcción del Templo

God tells Samuel to anoint Saul

Temple built

Saul turns away from God | God chooses David | David defeats Goliath | David becomes king | Israel becomes strong | Solomon becomes king | Israel achieves peace and prosperity | Solomon turns from God

1020 BC              1000 BC          961 BC
THE UNITED KINGDOM

**Change in Egypt** In Goshen, in northern Egypt, Jacob's family prospered and God's people grew in number. At first they lived there in safety and comfort. But in time the Egyptians gained control of the northern kingdom. Two Egyptian kings united Egypt. Egypt entered a period of great wealth and power. This period, called the New Kingdom, lasted for hundreds of years.

As time passed, Joseph and his generation died. A new pharaoh came into power. He did not know of Joseph and did not look upon the Israelites as honored guests. In fact, he feared them, saying, "Look how numerous and powerful the Israelite people are growing. . . . In time of war they too may join our enemies to fight against us, and so leave our country" (Exodus 1:9–10).

In the Book of Exodus, the second book of the Bible, we find out that eventually the Egyptians made the Israelites their slaves. The pharaoh forced them to build monuments and to work long hours in the fields. The Israelites were no longer free to worship the one true God and to follow his laws. And the lives of the Israelites became so unbearable that they cried out to God to be rescued from Egypt.

In the Book of Exodus we also read of the terrible suffering of the Israelites as slaves of the pharaoh. Yet we learn that God carried out his plan to bring his people back to Canaan. **Exodus** is the biblical word describing the Israelites' departure from slavery to freedom.

List some things from which people need to be rescued today.

## God chose Moses to lead his people.

The Israelites were also called Hebrews, since their language was known as Hebrew. The pharaoh noticed that despite all the difficulties in their lives, the number of Hebrews was still growing. He told some of the Hebrew women that all the newly born sons of the Israelites must be killed. But these women did not listen to the pharaoh. So the pharaoh gave a new command: "Throw into the river every boy that is born to the Hebrews" (Exodus 1:22).

## As Catholics...

Slavery devalues human dignity and takes away freedom. Most countries protect people from slavery and from forced labor. However, the need to protect the rights of workers remains.

The Church teaches us that the opportunity to be employed, to have safe working conditions, and to earn a fair wage are issues of justice. The Church speaks out against any system, private organization, or government that focuses on making a profit at the expense of human dignity and freedom.

What can you do to respect the dignity of workers?

Para salvar a su hijo, una mujer hizo una canasta de paja, la acolchó y colocó en ella a su hijo. Tiró la canasta en las aguas del río. La hija del faraón encontró al niño y lo llevó a su casa. Ella le puso por nombre Moisés y lo crió como a un egipcio.

**Vida en Madián** Cuando Moisés creció, visitaba a los hebreos con frecuencia. Un día vio como un egipcio maltrataba a un hebreo esclavo y se enfureció tanto que mató al egipcio. Moisés tuvo que huir al desierto a la región de Madián porque ahora el faraón quería matar a Moisés. Moisés se estableció ahí y vivía como pastor. El se casó con Séfora y tuvieron hijos.

Un día mientras Moisés atendía a su rebaño, Dios se le apareció en una zarza ardiendo. El fuego salía del arbusto pero no lo consumía. Dios llamó a Moisés desde el arbusto y Moisés le contestó: "Aquí estoy" (Exodo 3:4). Dios le dijo a Moisés que quería que regresara a Egipto y dirigiera a los hebreos hacia la libertad. Moisés preguntó a Dios como podía hacer eso y Dios le dijo que él le ayudaría.

Moisés le preguntó a Dios que debía hacer cuando los israelitas le preguntaran quien lo había enviado. "Dios le contestó: "Yo soy el que soy". Después añadió: "Y dirás a los Israelitas: "Yo soy me ha enviado a ustedes". (Exodo 3:14).

Este nombre que Dios pronunció dio origen a la palabra *Yavé*. "Yo soy" es el nombre que describe a Dios siempre presente en su pueblo. Este nombre era tan santo que por reverencia los israelitas no lo pronunciaban. Usaban el título *Adonai*, que significa "Señor", para referirse a Dios.

Dios habló de nuevo a Moisés: "Anda, reúne a los ancianos de Israel y diles: "El Señor, el Dios de sus antepasados, el Dios de Abraham, de Isaac y de Jacob, se me apareció y me dijo que ha puesto su atención en ustedes, y que ha visto el trato que les dan en Egipto. También me dijo que los va a librar de los sufrimientos en Egipto, y que los va a llevar al país de los cananeos. . .una tierra donde la leche y la miel corren como el agua" (Exodo 3: 16–17). Moisés hizo lo que Dios le mandó.

Escribe una oración que exprese tu agradecimiento por las muchas formas en que Dios ha mostrado su amor por el pueblo.

_____

_____

_____

_____

To save her son, one woman made a basket out of reeds from the river. She coated it with tar to prevent it from sinking and then put her son in it. She placed the basket in the shallow water near one of the riverbanks. The pharaoh's daughter found the child and took him home with her. She named the child Moses and raised him as an Egyptian.

**Life in Midian** When Moses was an adult, he often visited his fellow Hebrews. One day he saw a Hebrew slave being beaten by an Egyptian, and got so angry that he killed the Egyptian. Moses had to run away to the desert region of Midian because now the pharaoh wanted Moses put to death. Moses settled there and lived the life of a shepherd. He married a woman named Zipporah and they had children.

One day while Moses was tending his flocks, God appeared to him in a burning bush. The fire was flaming from the bush but not destroying it. God called out to Moses from the bush and Moses answered, "Here I am" (Exodus 3:4). God told Moses that he wanted him to return to Egypt and lead the Hebrews out of slavery. Moses asked God how he would be able to do this, and God told Moses that he would be with him.

Moses asked God what he should say when the Israelites asked him who sent him to them. "God replied, 'I am who am.' Then he added, 'This is what you shall tell the Israelites: I AM sent me to you'" (Exodus 3:14).

This name that God gave was the source of the word *Yahweh.* "I AM" was a name that described God as ever-present to his people. This name was so holy that out of reverence the Israelites did not even speak it. Instead they used the title *Adonai,* which means "my Lord."

Again God spoke to Moses: "Go and assemble the elders of the Israelites, and tell them: The LORD, the God of your fathers, the God of Abraham, Isaac and Jacob, has appeared to me and said: I am concerned about you and about the way you are being treated in Egypt; so I have decided to lead you up out of the misery of Egypt into the land of the Canaanites, . . . a land flowing with milk and honey" (Exodus 3:16–17). Moses did as God commanded.

Write a prayer that expresses gratitude for the many ways God shows love and care for all people.

_____

_____

_____

_____

## Dios ayudó a su pueblo.

Después que Moisés regresó a Egipto, Aarón, su hermano, lo ayudó a explicar el mensaje de Dios a los israelitas. Gradualmente, Moisés ganó el apoyo del pueblo.

Moisés y Aarón se reunieron con el faraón. Ellos le dijeron: "Así ha dicho el Señor, el Dios de Israel: Dejar ir a mi pueblo al desierto, para que haga allí una fiesta en mi honor" (Exodo 5:1). El faraón se negó. Peor aun, el faraón ahora no le daba a los israelitas el material que necesitaban para trabajar.

Era imposible para los israelitas completar su trabajo. Culparon a Moisés de su desgracia. Moisés dijo a Dios que el pueblo estaba sufriendo y Dios le contestó: "Ahora verás lo que voy a hacer con el faraón, porque sólo por la fuerza los dejará salir de su país" (Exodo 6:1).

Dios sabía que sería difícil convencer al faraón para que dejara ir a los israelitas. Le dijo a Moisés: "Yo descargaré mi poder sobre Egipto, y con grandes actos de justicia sacaré de allí a mis ejércitos, es decir, a mi pueblo, los israelitas. Y cuando haya mostrado mi poder sobre Egipto, y haya sacado de allí a los israelitas, los egipcios sabrán que yo soy el Señor". (Exodo 7:4–5). Estos "actos de justicia" de los que Dios hablaba eran las plagas. Durante los tiempos bíblicos, un desastre o una catástrofe eran considerados plagas.

**Las plagas** Moisés y Aarón volvieron donde el faraón para exigir la libertad de los israelitas. Ellos mostraron al faraón una señal del poder de Dios. El faraón y los egipcios no hicieron caso a la señal. Entonces empezó una gran lucha entre Dios y el faraón. Las diez plagas, las catástrofe que los egipcios tuvieron que soportar, simbolizan esta lucha.

Cuando los israelitas vieron los efectos de las plagas en los egipcios, se dieron cuenta de que Dios los protegía. Su fe en Dios empezó a crecer.

Por medio de Moisés Dios siguió pidiendo al faraón que lo escuchara. Sin embargo, el faraón no escuchó los avisos de Dios y se negó a libertar a los israelitas. Debido a sus acciones el faraón fue responsable del sufrimiento del pueblo egipcio.

Al final de la novena plaga parecía que el faraón cedía a los requerimientos de Moisés. Pero de nuevo cambió de idea. Entonces el Señor le dijo a Moisés: "Todavía voy a traer otra plaga sobre el faraón y los egipcios. Después de esto, el faraón no sólo va a dejar que ustedes salgan, sino que él mismo los va a echar de aquí" (Exodo 11:1).

🏃 En grupo hablen sobre las razones por las que el faraón quería mantener a los israelitas en Egipto.

## Dios guió a su pueblo a la libertad.

Cuando Moisés dejó al faraón después de la novena plaga, Dios le dijo que preparará a las familias israelitas para su salida de Egipto. Ellos debían matar a una oveja y marcar las puertas de sus casas con su sangre. Esto sería la señal de que en esa casa vivían israelitas, no egipcios

Después los israelitas debían quedarse dentro de sus casas. Ellos debía cocinar las ovejas y comerlas con hierbas amargas y pan sin levadura. Este ácimo, toma menos tiempo en cocinarse. Esto simbolizaba la rapidez con que los israelitas debían salir.

Los israelitas obedecieron las instrucciones de Dios. A media noche Dios pasó sobre todo Egipto, tomando la vida de los primogénitos egipcios, incluyendo el hijo del faraón. Sólo los israelitas y sus animales pudieron escapar. Este evento es llamado pascua, porque Dios pasó por encima para librar a su pueblo.

## God helped his people.

After Moses returned to Egypt, Aaron, his brother, helped him to explain God's message to the Israelites. Gradually, Moses gained the support of the people.

Moses and Aaron met with the pharaoh. They said, "Thus says the LORD, the God of Israel: Let my people go, that they may celebrate a feast to me in the desert" (Exodus 5:1). The pharaoh refused. Worse still, the pharaoh now would not give the Israelite slaves the materials they needed for their work.

It became impossible for the Israelites to complete their required work. They blamed Moses for this hardship. Moses told God how the people were suffering, and God replied, "Now you shall see what I will do to Pharaoh. . . . Compelled by my outstretched arm, he will drive them from his land" (Exodus 6:1). God knew that it would be difficult to convince the pharaoh to let the Israelites leave Egypt. So God said to Moses, "I will lay my hand on Egypt and by great acts of judgment I will bring the hosts of my people, the Israelites, out of the land of Egypt, so that the Egyptians may learn that I am the LORD" (Exodus 7:4–5). These "great acts of judgment" that God speaks of were the plagues. During biblical times, a major disaster or catastrophe was considered a plague.

**The Plagues**   Moses and Aaron went to the pharaoh to demand freedom for the Israelites. They showed the pharaoh a sign of God's power. The pharaoh and the Egyptians disregarded this sign. A great struggle then began between God and the pharaoh. The ten plagues, the catastrophies that the Egyptians had to endure, symbolize this struggle.

When the Israelites saw the effects of the plagues on the Egyptians, they knew that God was protecting them. Their faith in God was strengthened.

Through Moses God continually called the Pharoah to listen to him. However, the pharaoh did not listen to God's warnings and refused to free the Israelites from slavery. Because of his actions the pharaoh was responsible for the suffering of the Egyptian people.

At the end of the ninth plague, the pharaoh seemed to give in to Moses' requests. But again the pharaoh changed his mind. Then the Lord told Moses, "One more plague will I bring upon Pharaoh and upon Egypt. After that he will let you depart. In fact, he will not merely let you go; he will drive you away" (Exodus 11:1).

With a group discuss reasons why the Pharoah wanted to keep the Israelites in Egypt.

## God guided his people to freedom.

When Moses left the pharaoh after the ninth plague, God told him to have every Israelite family prepare for their escape from Egypt. They were to kill a lamb and mark the doorframes of their houses with its blood. This would be a sign that the people inside the house were Israelites, not Egyptians.

Then, the Israelites were to remain inside their houses. They were to cook the lambs and eat them with bitter herbs and unleavened bread. Unleavened bread, made without yeast, does not need to rise and so takes less time to prepare. It symbolized the Israelites' rush to escape.

The Israelites obeyed God's instructions. At midnight God passed over all of Egypt, taking the lives of every firstborn Egyptian, including the son of the pharaoh. Only the Israelites and their animals were spared. This event was called the **Passover**, since God passed over, or spared, his people.

Todos los años durante la fiesta de Pascua los judíos cumplen el mandato de Dios y recuerdan esta noche especial. Ellos celebran comiendo la misma comida que sus antepasados comieron el día de la primera pascua. Al celebrar esta fiesta, los judíos recuerdan como Dios perdonó las vidas de sus antepasados y los liberó de la esclavitud de los egipcios.

**Salida de Egipto** Horrorizados por lo que había pasado, el faraón llamó a Moisés y a Aarón. El les dijo que sacaran a los israelitas de Egipto inmediatamente. Moisés y los israelitas salieron rápidamente. El éxodo estaba en camino.

Moisés y los israelitas fueron rumbo al Mar Rojo, el agua que separa a Egipto de la península Arábica. Durante su escape: "De día, el Señor los acompañaba en una columna de nube, para señalarles el camino; y de noche, en una columna de fuego, para alumbrarlos" (Exodo 13:21).

Tan pronto como los israelitas salieron, el faraón cambió de idea y envió a su ejército a capturarlos. Los israelitas ya estaban en el Mar Rojo y de nuevo Dios hizo una maravilla para salvar a su pueblo.

Exodo 14:10–28

El ejército egipcio estaba cercando a los israelitas. Dios separó el Mar Rojo y los israelitas pudieron escapar sobre el camino seco que Dios había preparado. Cuando los egipcios trataron de seguirlos las aguas se cerraron sobre ellos y se ahogaron.

De esta forma Dios llevó a su pueblo de la esclavitud a la libertad. Fue un punto culminante en la historia de la relación de Dios con su pueblo. Como en la historia de Noé, Dios usó agua para salvar a su pueblo. Para los israelitas la salvación de la nación sucedió cuando cruzaban el Mar Rojo. Como cristianos, las aguas del Mar Rojo simbolizan las aguas salvíficas de nuestro propio bautismo.

## RESPONDEMOS

En el mundo hay muchas personas cuya libertad ha sido negada. Escribe formas en que podemos ayudar y trabajar por libertad para todos.

_____

_____

_____

**Vocabulario**

éxodo (pp 349)

pascua (pp 350)

Every year during the feast of Passover Jews follow God's command and remember this special night. They celebrate a seder by eating the same meal that their ancestors ate on the first Passover. By celebrating this feast, Jews recall how God spared the lives of their ancestors and brought them out of slavery in Egypt.

**Leaving Egypt**   Horrified by what had happened, the pharaoh summoned Moses and Aaron. He told them to take the Israelites out of Egypt immediately. Moses and the Israelites left quickly. The Exodus was finally underway.

Moses led the Israelites toward the Red Sea, the water that separated Egypt from the Arabian Peninsula. During their escape, "The LORD preceded them, in the daytime by means of a column of cloud to show them the way, and at night by means of a column of fire to give them light" (Exodus 13:21).

As soon as the Israelites were gone, the pharaoh changed his mind and sent his army to recapture them. By this time, the Israelites were at the Red Sea, and God again caused a wonder that saved his people.

 Exodus 14:10–28

The Egyptian army closed in on the Israelites. God parted the Red Sea, and the Israelites escaped over the dry path God had made through it. But when the Egyptians tried to follow, the waters closed over them, and they drowned.

In this way God brought his people from slavery into freedom. It was the great turning point in the history of God's relationship with his people. As in the story of Noah, God used water to save the people. For the Israelites the salvation of the nation came about as they passed through the waters of the Red Sea. To Christians the waters of the Red Sea symbolize the saving waters of our own Baptism.

## WE RESPOND

There are many people throughout the world whose freedoms are being denied. Write ways we can assist in the work of freedom for all.

_____

_____

_____

Key Words

exodus (p. 351)
Passover (p. 352)

## Capítulo 8

**Completa las siguientes oraciones.**

1. Cuando la familia de Israel llegó por primera vez a Egipto, fueron tratados como invitados de honor y se les dio

   _____

2. Cuando niño Moisés fue salvado por

   _____

3. Mientras Moisés vivía en Madián y cuidaba su rebaño

   _____

4. El faraón no dejaba a los israelitas salir de Egipto, entonces Dios

   _____

**Escribe V si es verdadero y F si es falso. Cambia lo falso en verdadero.**

5. _____ Gosén fue un período de tremenda riqueza y poder en Egipto.

   _____

6. _____ Los israelitas sufrieron terriblemente como esclavos del faraón.

   _____

7. _____ Dios reveló su nombre al faraón.

   _____

8. _____ Después de la pascua, los israelitas pudieron escapar del ejército del faraón.

   _____

**Contesta.**

9–10. ¿Por qué Dios libertó a los israelitas de la esclavitud de Egipto?

## Reflexiona y ora

Por aquellos cuya vida parece imposible, te pido

_____.

Espíritu Santo, ayúdame a amar y cuidar del pueblo de Dios. Amén.

## Chapter 8

**Complete the following.**

1. When Israel's family first entered Egypt, they were treated as honored guests and given

   _____

2. The child Moses was saved from

   _____

3. While Moses was living in Midian and tending his flocks,

   _____

4. The pharaoh would not let the Israelites leave Egypt, so God

   _____

**Write True or False for the following sentences.**
**Then change the false sentences to make them true.**

5. _____ Goshen was the period of tremendous wealth and power of Egypt.

   _____

6. _____ The Israelites suffered terribly as slaves of the pharaoh.

   _____

7. _____ God revealed his name to the pharaoh.

   _____

8. _____ After the Passover the Israelites were able to escape from the pharaoh's army.

   _____

**Write a paragraph to answer this question.**

9–10. Why did God free the Israelites from slavery in Egypt?

## Reflect & Pray

For those people whose lives seem unbearable, I pray

_____.

Holy Spirit, help me to love and care for all of God's people. Amen.

# Respondemos y compartimos la fe

## Compartiendo lo aprendido

Habla con tu familia sobre lo siguiente:

- la vida de los israelitas en Egipto
- Moisés
- la pascua
- salida de Egipto.

## Recuerda

- Egipto se convirtió en el hogar de los israelitas.
- Dios escogió a Moisés para dirigir a su pueblo.
- Dios ayudó a su pueblo.
- Dios guió a su pueblo a la libertad.

## Preguntas sobre el judaísmo

**P:** ¿Qué es la comida de pascua judía?

**R:** Es una comida celebrada para conmemorar la liberación de los egipcios. Esta comida incluye pan sin levadura, hierbas y carne de cordero.

## NUESTRA VIDA CATÓLICA

### Beato Pierre Toussaint

Pierre Toussaint fue un esclavo que nació en 1778 en Haití. Llegó a New York con la familia católica a quien servía. Ellos le enseñaron a leer y escribir, y a ser un barbero. El incitaba a sus clientes a rezar, a confiar en Dios y a vivir de acuerdo al evangelio. Cuando el amo murió, la esposa le ofreció la libertad, pero él no aceptó. El usó sus ingresos para mantenerla y eventualmente fue un hombre libre. Pierre se caso y juntos con su esposa ayudaron a los pobres, trabajaron para libertar esclavos, ayudaron a fundar uno de los primeros orfelinatos y la primera escuela católica para niños negros. Murió en 1853 y en 1996 el Papa Juan Pablo II lo reconoció por haber tenido una vida cristiana.

**Conexión con el Catecismo**
Para referencia vea los párrafos 312, 2575, 207 y 1363.

# We Respond and Share the Faith

## Sharing What I Learned

Discuss the following with your family:

- the Israelites' life in Egypt
- Moses
- Passover
- the exodus from Egypt.

## Remember

- Egypt became the home of the Israelites.
- God chose Moses to lead his people.
- God helped his people.
- God guided his people to freedom.

## Questions About Judaism

**Q:** What is the Jewish passover meal?

**R:** It is a meal to celebrate the liberation from slavery. It includes matzoh, bitter herbs, salt water, and the paschal lamb.

## OUR CATHOLIC LIFE

### Blessed Pierre Toussaint

Pierre Toussaint, born in 1778 in Haiti, was a slave. He came to New York with the Catholic couple who owned him. They taught him to read and write and allowed him to become a hairdresser. He encouraged his clients to pray, to trust in God, and to live according to the gospel. When the husband died, the wife offered to free Pierre, but he refused. He used his earnings to support her, and he eventually became a free man. Pierre married, and he and his wife helped the poor and worked to free slaves, helped to found one of the first orphanages and the first Catholic school for children of color. Pierre Toussaint died in 1853, and in 1996 Pope John Paul II recognized him as having lived an outstanding Christian life.

**Connect to the Catechism**
For adult background and reflection, see paragraphs 312, 2575, 207, and 1363.

Visit Sadlier's
**www.CREEMOSweb.com**

# Un pueblo libre

## NOS CONGREGAMOS

**Líder:** Igual que los israelitas, estamos en un peregrinaje con Dios. En el camino, hay dificultades, obstáculos y problemas que prueban nuestra fe y valor. Pero seguimos a Jesús quien nos dice: "No tengan miedo" (Mateo 14:27).

**Lector:** "Envía tu luz y tu verdad, para que ellas me enseñen el camino que lleva a tu santo monte, al lugar donde tú vives. Llegaré entonces a tu altar, oh Dios, y allí te alabaré al son del arpa, pues tú, mi Dios, llenas mi vida de alegría" (Salmo 43:3–4).

**Líder:** Gloria al Padre, y al Hijo, y al Espíritu Santo.

**Todos:** Como era en el principio, ahora y siempre por los siglos de los siglos. Amen.

🎵 **En ti confío**

En ti mi Dios, mi amparo y mi refugio,
en ti pongo mi confianza.

☀ ¿Puedes recordar un largo viaje que hiciste con tu familia? Describe algunos de los eventos que pasaron durante el viaje?

## CREEMOS

**Moisés dirigió el pueblo de Dios por el desierto.**

Los israelitas escaparon de Egipto y fueron enviados en un viaje a la tierra de Canaán. Moisés y los israelitas cantaron alabanzas a Dios. Miriam, la hermana de Moisés y Aarón, tocaron tamborín y dirigieron un baile de victoria, ella cantó:

"Canten en honor al Señor, que tuvo un triunfo maravilloso al hundir en el mar caballos y jinetes". (Exodo 15:21)

# A Free People

## 9

## WE GATHER

**Leader:** Like the Israelites, we are on a journey with God. Along the way, there are difficulties, obstacles, and hardships that test our faith and courage. But we follow Jesus, who tells us, "Do not be afraid" (Matthew 14:27).

**Reader:** "Send your light and fidelity,
   that they may be my guide
And bring me to your holy mountain,
   to the place of your dwelling.
That I may come to the altar of God,
   to God, my joy, my delight."
         (Psalm 43:3–4)

**Leader:** Glory to the Father, and to the Son, and to the Holy Spirit.

**All:** As it was in the beginning, is now, and will be for ever. Amen.

 **Be Not Afraid**

You shall cross the barren desert,
   but you shall not die of thirst.
You shall wander far in safety,
   though you do not know the way.
You shall speak your words in foreign
   lands and all will understand.
You shall see the face of God and live.

Refrain:
Be not afraid.
I go before you always.
Come, follow me,
and I will give you rest.

 Can you remember a very long trip you took with your family? Describe some of the events that might have happened along the way.

## WE BELIEVE

### Moses led God's people through the wilderness.

The Israelites had escaped from Egypt and were beginning their journey to the land of Canaan. Moses and the Israelites sang a song of praise to God. Miriam, the sister of Moses and Aaron, took a tambourine and led a dance of victory. She sang,

"Sing to the LORD, for he is gloriously
   triumphant;
horse and chariot he has cast into the sea"
   (Exodus 15:21).

Como está escrito mayormente en los capítulos 16–18 del libro del Éxodo, los israelitas pasaron muchos años en el desierto. Fue durante ese tiempo que los israelitas hicieron la transición de esclavos del faraón a vivir como pueblo libre sirviendo a Dios.

**Hacia el Monte Sinaí**   Dios estaba con su pueblo cuando estaba en el desierto. Con la ayuda de Dios, Moisés dirigió a los israelitas hacia el Monte Sinaí, una montaña al sureste de la Península del Sinaí. Durante ese peregrinaje Dios probó la fidelidad de su pueblo. Como vemos en la historia de Abraham, Dios pidió a su pueblo mostrar su fe al confiar en él. Aun cuando algunas cosas no parecían razonables, cuando el pueblo cumplía la voluntad de Dios se daba cuenta de la sabiduría en el plan que él tenía para el pueblo.

Los israelitas, sin embargo, no siempre cumplían la voluntad de Dios. Ellos murmuraban contra Moisés por las dificultades del viaje y algunas veces dudaban de Dios. Pero Dios demostró su fidelidad para con su pueblo e hizo muchos milagros. **Milagro** es un evento extraordinario hecho por Dios y que está más allá del poder humano.

Por ejemplo, cuando el pueblo protestó por que no tenía comida, Dios envió pequeñas aves llamadas codornices. Durante todo el viaje Dios proveyó una substancia parecida al pan llamada **maná**. Este maná, era una comida dulce que sabía a miel y caía de los arbustos del desierto. Cuando los israelitas protestaron porque no tenían agua, Dios le pidió a Moisés golpear una roca y, milagrosamente, agua manó de ella. De esas formas Dios se aseguró de que su pueblo tuviera lo que necesitaba para vivir y se cumpliera su plan. A través de la historia Dios continuó satisfaciendo las necesidades de su pueblo.

También nosotros somos llamados por Dios para que se cumpla su plan en nosotros. Puede que no crucemos ríos o desiertos, pero necesitamos el amor y la guía de Dios en nuestro peregrinaje por la vida. Como los israelitas en el desierto, necesitamos confiar en Dios y creer en su amor por nosotros.

Escribe una canción o un poema alabando a Dios por todas las cosas que ha hecho por ti.

_____

_____

_____

## Dios dio la ley al pueblo.

Cuando los israelitas llegaron al Monte Sinaí, Moisés subió a la montaña a rezar a Dios. Dios le recordó a Moisés que los israelitas eran el pueblo de Dios. Debido a esta alianza, el pueblo de Israel debía consagrarse a Dios en forma especial. Todos debían adorar y ofrecer sacrificios a Dios.

Cuando Moisés dijo a los israelitas lo que Dios le había dicho, ellos contestaron: "Haremos todo lo que el Señor ha ordenado" (Éxodo 19:8). Al tercer día de su estadía en el Monte Sinaí, Dios se hizo presente en truenos y relámpagos y el sonido de trompeta.

As is mainly told in Chapters 16–18 of the Book of Exodus, the Israelites spent many years in the wilderness. It was during this period that the Israelites made the transition from being slaves under the pharaoh to living as a free people in service of God.

**Toward Mount Sinai**   God was with his people during their time in the wilderness. With God's help Moses led the Israelites toward Mount Sinai, a mountain peak in the southern part of the Sinai Peninsula. During this journey God tested his people's faithfulness. As we saw in the story of Abraham, God asked his people to show their faith and trust in him. Though some things might not seem reasonable when the people followed God's will, they saw the wisdom of his plan for them.

The Israelites, however, did not always follow God's will for them. They grumbled against Moses for the hardships of this journey and sometimes even doubted God. Yet God demonstrated his faithfulness to his people and worked many miracles. A miracle is an extraordinary event that is beyond human power and brought about by God.

For instance, when the people complained that they had no food, God sent small birds called quail. All through their journey God also provided a bread-like substance called manna. This manna, a sweet food that tasted like honey, fell from the desert shrubs. And when the Israelites grumbled that they had no water, God told Moses to strike a certain rock and water miraculously gushed out. In all of these ways, God made sure his people had what they needed to live and to follow his plan for them. And throughout history God has continued to care for the needs of his people.

We, too, are called by God to follow his plan for us. We may not cross seas and deserts but we do need God's love and guidance on our journey through this life. Just like the Israelites in the desert, we, too, need to trust in God and to believe in his love for us.

Write the lyrics to your own song or poem praising God for something he has done for you.

_____

_____

_____

_____

_____

## God gave his people the law.

When the Israelites arrived at Mount Sinai, Moses went up to the mountain to pray to God. There God reminded Moses that the Israelites were God's people. Because of this covenant relationship, the Israelite people were consecrated to God in a special way. All of them were to take part in worshiping God and offering sacrifice to him.

When Moses told the Israelites what God had said, they answered together, "Everything the LORD has said, we will do" (Exodus 19:8). On the third day of their stay at Mount Sinai, God made his presence known through thunder, lightning, and the sound of trumpets.

Entonces Dios pidió a Moisés subir a la cima de la montaña. Ahí Dios le dio los Diez Mandamientos. Los **Diez Mandamientos** son las leyes de la alianza con Dios. Si el pueblo de Dios cumple los mandamientos mantiene su relación de alianza con Dios. El será su Dios y ellos serán su pueblo. Encontramos los mandamientos en Exodo, capítulo 20. Dios también dio a Moisés otras leyes para ayudar al pueblo, que se encuentran en el libro Levítico.

Al crecer en una familia judía, Jesús aprendió los mandamientos. El vivió de acuerdo a las leyes de Dios y como discípulos de Cristo nosotros también cumplimos los mandamientos.

## Los Diez Mandamientos

1. Yo soy el Señor, tu Dios, no tendrás otros dioses fuera de mí.
2. No tomarás el santo nombre de Dios en vano.
3. Recuerda mantener santo el día del Señor.
4. Honra a tu padre y a tu madre.
5. No matarás.
6. No cometerás adulterio.
7. No robarás.
8. No levantarás falso testimonio contra tu prójimo.
9. No desearás la mujer de tu prójimo.
10. No codiciarás los bienes ajenos.

Escribe algunas cosas que puedes hacer para mostrar tu amor por Dios y por los demás cumpliendo los Diez Mandamientos.

_____

_____

**Sellando la alianza**   Moisés compartió con el pueblo toda las leyes que Dios le había dado. Los israelitas estuvieron de acuerdo en cumplirlas. Así que Moisés las escribió. Después preparó un altar de piedra con doce pilares. Cada pilar representaba a las doce tribus de Israel, los descendientes de los doce hijos de Jacob. Moisés selló la alianza sacrificando unos novillos como una ofrenda pacífica a Dios. Moisés roció la sangre de los novillos diciendo: "Esta es la sangre que confirma el pacto que el Señor ha hecho con ustedes, sobre la base de todas estas palabras" (Exodo 24:8).

**Sealing the Covenant**   Moses shared with the people all the laws that God had given him. The Israelites agreed to follow these laws. So Moses wrote the laws down. He then set up a stone altar with twelve pillars. The pillars represented the twelve tribes of Israel, the descendants of the twelve sons of Jacob.

Moses then sealed the covenant by sacrificing some young bulls as a peace offering to God. Moses sprinkled some of the blood from the bulls, saying, "This is the blood of the covenant which the LORD has made with you in accordance with all these words of his" (Exodus 24:8).

Then God called Moses back to the top of the mountain. There God gave the Ten Commandments to Moses. The **Ten Commandments** are the laws of God's covenant. If God's people would live by the Ten Commandments, they would keep their covenant relationship with God. He would be their God, and they would be his people. We can find the commandments in Exodus, Chapter 20. God also gave Moses other laws to help the people, and these are recorded in the Book of Leviticus.

Growing up in a Jewish family, Jesus learned the commandments. He lived by God's laws, and as disciples of Christ, we follow the Ten Commandments, too.

Write a few ways that you can show your love for God and others by following the Ten Commandments?

_____

_____

## THE TEN COMMANDMENTS

1. I am the LORD your God: you shall not have strange gods before me.
2. You shall not take the name of the LORD your God in vain.
3. Remember to keep holy the LORD's Day.
4. Honor your father and your mother.
5. You shall not kill.
6. You shall not commit adultery.
7. You shall not steal.
8. You shall not bear false witness against your neighbor.
9. You shall not covet your neighbor's wife.
10. You shall not covet your neighbor's goods.

**La nueva alianza**   De acuerdo a la interpretación cristiana, los doce pilares del altar de piedra también simbolizan a los doce apóstoles, los hombres con quienes Jesús compartió su ministerio de manera especial. Jesucristo también los envío a predicar la buena nueva de que él era el Hijo de Dios, enviado para salvar a todos.

Antes de morir Jesús fue con sus apóstoles y discípulos a celebrar la comida de pascua. Durante esta comida, que los cristianos llaman última cena, Jesús dijo: "Esta copa es el nuevo pacto confirmado con mi sangre, la cual es derramada en favor de ustedes" (Lucas 22:20).

Jesucristo ofreció su propia vida para salvarnos y para librarnos del pecado. La nueva alianza entre Dios y su pueblo ha sido sellada con la sangre de Jesús. Por esta nueva alianza es posible que nosotros podamos compartir la vida y la amistad con Dios. Celebramos esta nueva alianza en cada celebración de la Eucaristía.

## El pueblo construyó una morada.

Mientras Moisés estaba en el Monte Sinaí, Dios le dio dos tablas en las que estaban escritos los Diez Mandamientos. Dios le recordó a Moisés que los israelitas no debían adorar a ningún otro dios. Dios instruyó a Moisés en la forma en que el pueblo debía adorar al único y verdadero Dios. Esas instrucciones incluían planes para hacer diferentes cosas que debían usar durante los ritos.

Como Moisés estuvo en la cima de la montaña por mucho tiempo, los israelitas estaban impacientes. Ellos fueron donde Aarón y le dijeron: "Anda, haznos dioses que nos guíen, porque no sabemos qué le ha pasado a este Moisés que nos sacó de Egipto" (Exodo 32:1). Entonces tomaron sus joyas y construyeron una estatua de un buey. Cuanto estuvo terminada, empezaron a adorarla como si fuera dios.

Cuando Moisés bajó y vio al pueblo celebrando alrededor del buey, se enojó tanto que tiró las tablas y se rompieron. El pueblo se había rebelado contra los mandamientos de Dios construyendo un ídolo. Moisés castigó a los infieles a Dios e imploró a Dios que perdonara al pueblo. Dios llamó a Moisés a la montaña por última vez. Cuando Moisés regresó volvió con dos tablas nuevas de los Diez Mandamientos.

**Construyendo una morada**   Como Dios lo pidió, los israelitas empezaron a construir una "morada" para Dios. Contribuyeron con objetos personales para hacer:

- Un lugar de reunión para alabar a Dios, "una morada", que pudiera moverse de un lugar a otro

- El arca de la alianza, caja de madera en la que se guardaban las tablas de los Diez Mandamientos

- Varios altares y muebles necesarios para la alabanza

Un año después que los israelitas salieron de Egipto, Dios entró en esta "morada". El escritor bíblico simboliza la presencia de Dios por medio de truenos y relámpagos. Los israelitas de dieron cuenta de que Dios estaba siempre con ellos y que serían consolados por ese recuerdo visible de su presencia.

 ¿Cuándo o dónde sientes la presencia de Dios?

Interpretación artística de como debía ser el arca de la alianza.

**The New Covenant** According to Christian interpretation, the twelve pillars of the stone altar also symbolize the twelve apostles, the men with whom Jesus shared his ministry in a special way. Jesus Christ would send them out to spread the good news that he was the Son of God, sent to save all people.

Before his death Jesus was with his apostles and some disciples celebrating the Passover meal. At this meal, which Christians call the Last Supper, Jesus said, "This cup is the new covenant in my blood, which will be shed for you" (Luke 22:20).

Jesus Christ offered his own life to save us and to free us from sin. So the *new* covenant between God and his people has been sealed with Jesus' blood. Through this new covenant it is possible for us to share in God's life and friendship. We celebrate the new covenant at each celebration of the Eucharist.

## The people built God a dwelling place.

While Moses was on Mount Sinai, God gave him two tablets on which the Ten Commandments were written. God reminded Moses that the Israelites were not to worship false gods. God gave Moses instructions on the ways the people should worship the one true God. These instructions included plans to make different things that the Israelites needed to use in their worship.

Since Moses had been on the mountain for a very long time, the Israelites became restless. They went to Aaron and said, "Come, make us a god who will be our leader; as for the man Moses who brought us out of the land of Egypt, we do not know what has happened to him" (Exodus 32:1). So they constructed a statue of a calf out of their gold jewelry. When it was finished, they began to worship it as if it were a god.

When Moses came down and saw the people celebrating around the calf, he was angry. He threw down the tablets and they broke. The people had gone against God's commandment

The Dwelling Place

by building an idol. Moses then punished those who were unfaithful to God and begged God to forgive the people. God called Moses to the mountain one last time. And when Moses returned from the mountain he had two new tablets of the commandments.

**Building the Dwelling Place** Then as God had instructed, the Israelites began making the "dwelling place" for God. They contributed their personal belongings, and made

- a meeting tent, God's dwelling place, which served as a movable place of worship

- the **ark of the covenant**, a wooden box in which the tablets of the Ten Commandments were kept

- several altars and furniture needed for worship

Almost a year after the Israelites had left Egypt, God entered this "dwelling place." The biblical writer symbolized this by the thunder and lightning that appeared over the tent. The Israelites realized that God was always with them, and they were comforted by the visible reminder of his presence.

When or where do you feel God's presence most strongly?

117

## Dios dirigió a su pueblo hacia la tierra prometida.

Se dice que el peregrinaje de los israelitas a la tierra prometida de Canaán duró 40 años. La historia de este viaje es mayormente contada en el libro de Números. El nombre hebreo para este libro quiere decir "en el desierto". Se refiere a los dos censos, durante el viaje, para contar el número de personas.

Durante el viaje Dios se hizo presente en una enorme nube que, durante el día, se mantenía sobre la tienda de reuniones. Durante la noche se iluminaba para que los israelitas pudieran verla. Cuando la nube se movía ellos la seguían. Cuando se detenía, los israelitas se quedaban donde estaban. La nube simbolizaba que Dios mismo estaba dirigiendo el viaje.

**En las planicies de Moab** Dios usó la experiencia en el desierto para ayudar a su pueblo a crecer y a ser más fiel y más caritativo. Los israelitas enfrentaron muchas dificultades durante su viaje. Aprendieron más sobre Dios y sobre ellos mismos.

Finalmente los israelitas llegaron a las planicies de Moab, al este de Canaán. Ahí encontraron a un profeta llamado Balaam, quien predijo las grandezas de Israel en el futuro.

"Veo algo en el futuro, diviso algo allá muy lejos: es una estrella que sale de Jacob, un rey que se levanta en Israel". (Números 24:17).

Aunque los israelitas no habían entrado aún a Canaán, el tiempo de Moisés se había cumplido, ya era muy viejo y murió. Así que Moisés le dijo a Dios: "Dios y Señor, tú que das la vida a todos los hombres, nombra un jefe que se ponga al frente de tu pueblo y lo guíe por todas partes, para que no ande como rebaño sin pastor" (Número 27:16–17).

Dios le dijo a Moisés que pondría su mano sobre Josué, uno de sus generales de confianza y lo nombraría para dirigir al pueblo de Dios a Canaán. Dios cumplió su promesa.

## RESPONDEMOS

Subraya, en esta página, las formas en que Dios actuó en las vidas de los israelitas.

Mira en tu propia vida. ¿Cuáles son algunas formas en que Dios ha actuado en tu vida?

_____

_____

_____

## Como católicos...

En nuestras iglesias, el tabernáculo es una hermosa caja decorada en la que se mantiene el Santísimo Sacramento o la Eucaristía, reservada para ser distribuida a los enfermos y para la adoración. La palabra tabernáculo viene del latín "tienda". En el Santísimo Sacramento, Cristo está real y verdaderamente presente. Reverenciamos y adoramos a Jesús, el Hijo de Dios.

Visita tu parroquia y pasa tiempo en oración ante el Santísimo Sacramento.

## Vocabulario

**Monte Sinaí** (pp 350)

**milagro** (pp 350)

**maná** (pp 349)

**Diez Mandamientos** (pp 349)

**arca de la alianza** (pp 349)

## God led his people toward the promised land.

The journey of the Israelites to the promised land of Canaan is said to have taken forty years. The story of this journey is mainly told in the Book of Numbers. The Hebrew name for this book means "in the desert." The English meaning refers to two censuses, or head counts of all the people, that took place during the journey.

On their journey God made his presence known by the huge cloud that hung over the meeting tent during the day. At night the cloud became fiery, so that the Israelites could see it. When the cloud moved, they followed it. When it did not move, the Israelites remained where they were. The guiding cloud symbolized that God himself was directing their journey.

**On the Plains of Moab** God used the experience in the desert to help his people grow to be more loving and faithful. The Israelites faced many difficult situations during their journey. From these they learned more about God and about themselves. Finally the Israelites arrived on the plains of Moab, east of Canaan. Here they met a prophet named Balaam, who predicted the greatness of Israel in the centuries to come.

"I see him, though not now;
   I behold him, though not near:
A star shall advance from Jacob,
   and a staff shall rise from Israel"
(Numbers 24:17).

Though the Israelites had not yet entered Canaan, the time was coming for Moses, who was a very old man, to die. So Moses asked God, "May the LORD, the God of the spirits of all mankind, set over the community a man who shall act as their leader in all things, to guide them in all their actions; that the LORD's community may not be like sheep without a shepherd" (Numbers 27:16–17).

God told Moses to lay his hand on Joshua, one of his trusted generals, and commission him to lead God's people into Canaan. God's promise would be fulfilled.

### WE RESPOND

On this page, highlight the ways God acted in the lives of the Israelites.

Look back at your own life. What are some of the ways God has acted in your life?

_____

_____

## Key Words

Mount Sinai (p. 352)

miracle (p. 352)

manna (p. 351)

Ten Commandments (p. 352)

ark of the covenant (p. 351)

## As Catholics...

In our churches, the tabernacle is a beautifully crafted box in which the Blessed Sacrament, or the Eucharist, is reserved for distribution to those who are sick, and also for adoration. Tabernacle comes from the Latin word for "tent." In the Blessed Sacrament Christ is really and truly present. So we show reverence and worship for Jesus, the Son of God.

Visit your parish and spend some time in prayer before the Blessed Sacrament.

## Capítulo 9

**Escribe en la raya la letra que mejor define el término.**

1. _____ milagro

2. _____ maná

3. _____ Diez Mandamientos

4. _____ arca de la alianza

a. la leyes de la alianza de Dios dadas a Moisés en el Monte Sinaí

b. evento extraordinario hecho por Dios que está más allá del poder humano

c. caja de madera en la que estaban guardados los Diez Mandamientos

d. pan dulce, comida que Dios proveyó a los israelitas en el desierto

e. tienda móvil que servía como lugar de reunión y adoración

**Contesta.**

5. ¿Cómo demostró Dios su fidelidad a su pueblo durante su peregrinaje?

_____

6. ¿Por qué el pueblo necesitaba los Diez Mandamientos?

_____

7. Haz una lista de cosas que los israelitas hicieron para "morada" de Dios.

_____

8. ¿Cómo Dios hizo conocer su presencia a su pueblo durante el peregrinaje hacia la tierra prometida?

_____

**Contesta.**

9–10. ¿Qué nos dice el peregrinaje del pueblo de Dios a la tierra prometida sobre nuestra relación con Dios?

# Reflexiona y ora

Durante la peregrinación por el desierto, fue difícil para los israelitas ser fieles a Dios. La próxima vez que dude de la acción de Dios en mi vida, voy a

_____.

## Chapter 9

**Write the letter that best defines each term. There is an extra answer.**

1. _____ miracle

2. _____ manna

3. _____ Ten Commandments

4. _____ ark of the covenant

a. the laws of God's covenant given to Moses on Mount Sinai

b. an extraordinary event that is beyond human power and brought about by God

c. a wooden box in which the tablets of the Ten Commandments were kept

d. a sweet, bread-like food that God provided for the Israelites in the desert

e. a meeting tent that served as a movable place of worship

**Short Answers**

5. How did God demonstrate his faithfulness to his people on their journey to Mount Sinai?

_____

6. Why did the people need the Ten Commandments?

_____

7. List three things that the Israelites made for the "dwelling place" of God.

_____

8. How was God's presence made known to his people during their journey to the promised land?

_____

**Write a paragraph to answer this question.**

9–10. What does the story of the journey of God's people to the promised land tell us about our relationship with God?

## Reflect & Pray

During the journey through the desert, the Israelites found it difficult to remain faithful to God. The next time I doubt God's loving action in my life, I will

_____.

# Respondemos y compartimos la fe

## Compartiendo lo aprendido

Habla con tu familia sobre lo siguiente:

- el viaje al Monte Sinaí
- los milagros en el desierto
- los Diez Mandamientos
- arca de la alianza

## Recuerda

- Moisés dirigió el pueblo de Dios por el desierto.
- Dios dio la ley al pueblo.
- El pueblo construyó una morada.
- Dios dirigió a su pueblo hacia la tierra prometida.

## Pregunta sobre el judaísmo

**Q:** ¿Qué es el Pentateuco?

**R:** Los primeros cinco libros de la Biblia: Génesis, Exodo, Levítico, Números y Deuteronomio. Contienen toda la ley y enseñanzas judías.

## NUESTRA VIDA CATOLICA

### Música e himnos

Heredamos algunas de las costumbres en nuestros cultos del pueblo judío. La música y los himnos son parte importante de nuestras costumbres. Miriam tocó un tamborín y bailó de gozo cuando el pueblo ganó su libertad. Los judíos con frecuencia alababan a Dios con pipas y címbalos, trompetas y cuernos, liras y arpas. Hoy seguimos celebrando con esos instrumentos y muchos otros. Organos, pianos, tambores, guitarras pueden ayudarnos a "canten al Señor un canto nuevo" (Salmo 149:1). Hoy continuamos cantando lo antiguos salmos judíos, algunas veces cantados en el modo gregoriano.

**Conexión con el Catecismo**
Para referencia vea los párrafos 1334, 2057, 2578 y 697.

# We Respond and Share the Faith

## Sharing What I Learned

Discuss the following with your family:

- the journey to Mount Sinai
- miracles in the desert
- the Ten Commandments
- the ark of the covenant.

## Remember

- Moses led God's people through the wilderness.
- God gave his people the law.
- The people built God a dwelling place.
- God led his people toward the promised land.

### Question about Judaism

**Q:** What is the Torah?

**A:** In its narrowest sense, the Torah consists of the first five books of the Bible: Genesis, Exodus, Leviticus, Numbers, and Deuteronomy. In the broadest meaning of the word, it is the entire body of Jewish law and teachings.

## OUR CATHOLIC LIFE

### Music and Song

We inherited some of our customs of worship from the Jewish people. Music and song are important parts of these customs. Miriam played a tambourine and danced for joy when the people gained their freedom. Jews often praised God with pipes and cymbals, trumpets and horns, lyres and harps. Today, we still celebrate with these instruments and many others. Organ, piano, drums, guitar—all can help us to "Sing to the LORD a new song" (Psalm 149:1).

We still sing the ancient Jewish psalms today, often in chant-like form.

 **Connect to the Catechism**
For adult background and reflection, see paragraphs 1334, 2057, 2578, and 697.

Visit Sadlier's
**www.CREEMOSweb.com**

## NOS CONGREGAMOS

✝**Líder:** Bendito sea nuestro Dios, quien ha mostrado su gran amor al pueblo. Bendito sea Dios por siempre.

**Lector:** "Den gracias al Señor, porque él es bueno, porque su amor es eterno. Díganlo los que el Señor ha salvado, los que salvó del poder del enemigo, los que reunió de entre los países del norte y del sur, del este y del oeste". (Salmo 107:1–3)

**Líder:** Vamos a cantar dando gracias a Dios.

🎵 **Un pueblo que camina**

Somos un pueblo que camina,
y juntos caminando podremos alcanzar
otra ciudad que no se acaba,
sin penas ni tristezas: ciudad
de eternidad.

☀ Nombra una verdad importante que hayas aprendido últimamente. ¿Cómo la aprendiste?

## CREEMOS

### El pueblo de Dios conquistó a Canaán.

El tema del libro de Deuteronomio es que el pueblo de Dios debe amarlo y obedecerlo. En Deuteronomio leemos que Moisés dijo al pueblo: "Oye, Israel: El Señor nuestro Dios es el único Señor. Ama al Señor tu Dios con todo tu corazón, con toda tu alma y con todas tus fuerzas" (Deuteronomio 6:4–5). Estas palabras de Moisés se convirtieron en una importante oración para los judíos.

# A Conquering People

## 10

## WE GATHER

✝ **Leader:** Blessed be our God who has shown his people great love. Blessed be God for ever.

**All:** Blessed be God for ever.

**Reader:** "'Give thanks to the Lord who is good,
  whose love endures forever!'
  Let that be the prayer of the Lord's redeemed,
    those redeemed from the hand of the foe,
  Those gathered from foreign lands,
    from east and west, from north and south."
  (Psalm 107:1–3)

**Leader:** Let us thank God singing a song.

 **City of God**

O comfort my people; make gentle your words.
Proclaim to my city the day of her birth.

Refrain:
Let us build the city of God.
May our tears be turned into dancing!
For the Lord, our light and our love,
has turned the night into day!

 Name one important truth you have learned lately. How did you learn it?

## WE BELIEVE

### God's people conquered Canaan.

The theme of the Book of Deuteronomy is that God's people must love God and be obedient to him. In Deuteronomy we read that Moses told the people: "Hear, O Israel! The Lord is our God, the Lord alone! Therefore, you shall love the Lord, your God, with all your heart, and with all your soul, and with all your strength" (Deuteronomy 6:4–5). These words of Moses became an important prayer which is known as the Shema.

Moisés dijo a los israelitas: "Grábate en la mente todas las cosas que hoy te he dicho. Y enséñaselas continuamente a tus hijos; háblales de ellas tanto en tu casa como en el camino y cuando te acuestes y cuando te levantes" (Deuteronomio 6:6–7). Los israelitas siguieron las instrucciones de Moisés. Durantes siglos, el pueblo judío ha hecho esta oración parte de su vida diaria. La alianza de Dios con el pueblo judío permanece aún.

**Llegada del pueblo a Canaán** Al final del libro de Deuteronomio, vemos que Moisés vio la tierra prometida desde una montaña, pero no vivió para entrar en ella. Después en el libro de Josué leemos que Dios dijo a Josué: "Como mi siervo Moisés ha muerto, ahora eres tú quien debe cruzar el río Jordán con todo el pueblo de Israel . . . yo tu Señor y Dios, estaré contigo dondequiera que vayas" (Josué 1:2, 9).

En el libro de Josué los detalles de la entrada de los israelitas a la tierra prometida son simplificados. El recuento de la conquista y entrada no es una descripción diaria, sino un escrito bíblico que interpreta los eventos de significados religiosos.

En el libro de Josué, encontramos un evento famoso en la conquista de Canaán, la caída de Jericó. Jericó era una ciudad muy conocida en el centro de Canaán. Esta es la historia de la caída de Jericó.

📖 Josué 6:1–20

Dios le dijo a Josué que no atacará directamente la ciudad, sino que marchara a su alrededor con sus tropas. Josué dijo a sus tropas todo lo que Dios le había mandado. Ellos cargaron el arca de la alianza al frente de ellos. Siete sacerdotes con cuernos y

trompetas dirigían la marcha. Josué y sus tropas hicieron esto durante seis días. Al séptimo día ellos marcharon alrededor de la ciudad siete veces. Después los sacerdotes hicieron sonar los cuernos y los israelitas gritaron con fuerza. Las paredes de Jericó se derrumbaron. Después Josué y los israelitas tomaron la ciudad.

Los israelitas conquistaron a esta ciudad porque siguieron el plan de Dios. Aun cuando Josué era el líder militar, Dios fue el verdadero héroe que capturó a Jericó. El escritor bíblico usa esta historia para mostrar que los israelitas creían que Dios estaba con ellos en todos los eventos de sus vidas.

👤 En el libro de Josué se pone énfasis en que Dios está con su pueblo. Escribe una historia que cuente a otros que Dios está con ellos en todos los eventos de sus vida. Haz el plan aquí.

_____

_____

Moses told the Israelites, "Take to heart these words which I enjoin on you today. Drill them into your children. Speak of them at home and abroad, whether you are busy or at rest" (Deuteronomy 6:6–7). The Israelites followed Moses' instructions. Through the ages, the Jewish people have made this prayer a part of their everyday lives. God's covenant relationship with the Jewish people remains strong today.

**Bringing the People into Canaan**   As the Book of Deuteronomy ends, we learn that Moses saw the promised land from a mountain top but did not live to enter it. Then in the

Book of Joshua we read that God said to Joshua, "My servant Moses is dead. So prepare to cross the Jordan here, with all the people, into the land I will give the Israelites. . . . the LORD, your God, is with you wherever you go" (Joshua 1:2, 9).

In the Book of Joshua the details of the Israelites' entry into the promised land are greatly simplified. The account of the

Ancient ram's horn

conquest and entry is not a day-by-day description, but rather the biblical writer's interpretation of the religious significance of events.

In the Book of Joshua, we find one very famous event in the conquest of Canaan—the fall of Jericho. Jericho was a well-known city in the center of Canaan. Here is the story of the fall of Jericho.

 Joshua 6:1–20

God told Joshua not to attack the city directly but to march around it with his troops. Joshua had his troops do all that God commanded him. They carried the ark of the covenant before them. Seven priests using rams' horns as trumpets led the march. Joshua and his troops did this for six days. On the seventh day they marched around the city seven times. Then the priests blew their horns, and the Israelites shouted loudly. And the walls of Jericho fell down! Then Joshua and the Israelites took over the city of Jericho.

The Israelites conquered this city because they followed the plan of God. Even though Joshua was the military leader, it was God who was the real hero in the capture of Jericho. The biblical writer used this story to show that the Israelites believed that God was with them in every part of their lives.

The Book of Joshua emphasizes that God is with his people. Write a story that will tell others that God is with them in every part of their lives. Plan your story here.

_____

_____

## El pueblo de Dios se estableció en Canaán.

Después que los israelitas conquistaron Canaán, la tierra fue distribuida entre las doce tribus de Israel, los descendientes de los doce hijos de Jacob, o Israel. La tierra fue dividida de acuerdo a la tradición, echando suerte con monedas. Las monedas eran unas piedras especialmente marcadas, o palos forrados de papel. Se establecieron las reglas y los lugares de las parcelas. Se creyó que el resultado era la voluntad de Dios. El escritor bíblico quiere mostrarnos que sólo Dios fue responsable de la distribución de la tierra. La tierra fue un regalo de Dios.

Una vez la tierra fue distribuida, las tribus se reunieron para dar gracias a Dios por sus grandes bendiciones y para renovar la alianza. Los israelitas empezaron a poblar Canaán. La historia de su establecimiento se encuentra en el libro de Jueces. Este libro también cuenta sobre los jueces de Israel, mujeres y hombres destinados por Dios para ayudar a Israel. Un juez no era un oficial de una corte. Era, generalmente, un líder militar quien había vencido al enemigo y gobernaba la tierra según Dios mandaba. Durante el tiempo de Jueces, los israelitas continuamente se alejaban de Dios y necesitaban ayuda para ser fieles.

**Débora, la juez.** Uno de los grandes jueces descritos en el Antiguo Testamento fue Débora. Dios la escogió para recordar a los israelitas que debían cumplir la alianza. Ella saldó muchas disputas y dio consejo al pueblo. "Acostumbraba sentarse bajo una palmera … los israelitas acudían a ella para resolver sus pleitos" (Jueces 4:5).

Durante el tiempo de Débora de nuevo los israelitas empezaron a adorar falsos dioses. Debido a esta caída, el territorio israelí cayó en manos de un rey cananeo y su general. Débora ordenó al comandante israelí Barac, reunir a su tropa en el Monte Tabor. Ella le dijo que Dios le daría una gran victoria a Israel.

Barac dudó de Débora, pero ella insistió. Barac le dijo que seguiría sus órdenes si ella lo acompañaba a él y a su ejército al Monte Tabor. Débora fue con él y el ejército a encontrar a los cananitas. Dios envió una gran tormenta que causó que los carros de los cananitas se atascarán en el lodo y fueron derrotados. Por la acción de Dios y la fe de Débora, la tierra estuvo de nuevo libre de enemigos. Débora rezó un gran himno, o cántico, en alabanza a Dios he aquí el final: "¡Qué así sean destruidos, Señor, todos tus enemigos, y que brillen los que te aman, como el sol en todo su esplendor!" (Jueces 5:31).

Hay personas que nos ayudan a mantener a Dios en el centro de nuestras vidas. Nombra algunas de esas personas en tu vida. ¿Qué hacen para ayudarte?

## Como católicos...

Los votos son promesas serias que se hacen a Dios o a otra persona. Durante el sacramento del Matrimonio un hombre y una mujer prometen amarse y honrarse. De forma similar los hombres y mujeres religiosos toman votos de castidad, pobreza y obediencia. En ambos casos los votos ayudan a las personas a centrarse en vivir vidas dedicadas a Dios y a los demás.

¿Conoces a alguien que ha tomado votos?

## God's people settled in Canaan.

After the Israelites conquered Canaan, the land was distributed among the twelve tribes of Israel, the descendants of the twelve sons of Jacob, or Israel. The land was parceled out to each tribe by the ancient practice of casting lots. Lots were coins, sets of specially marked stones, or sticks wrapped in paper. Rules which stated what the lots or the various positions of the lots would represent were agreed upon. The outcome of the lots was believed to be an expression of God's will. The biblical writer used the casting of lots to show us that God alone was responsible for the distribution of the land. The land was a gift from God.

Once the land had been distributed, the tribes gathered to thank God for the great blessings he had bestowed on them and to renew their covenant with him. The Israelites then began to settle in Canaan. The story of their settlement can be found in the Book of Judges. This book also records the accounts of Israel's judges, men and women sent by God to help the Israelites. A judge was not an officer of the court. He or she was often a military leader who defeated the enemy and ruled the land as God directed. During the time of the Judges, the Israelites continually turned from God and needed help to be faithful.

**Deborah, the Judge**   One of the great judges described in the Old Testament was Deborah. God chose Deborah to remind the Israelites to keep the covenant. She settled legal disputes and offered advice to the people. "She used to sit under Deborah's palm tree . . . and there the Israelites came up to her for judgment." (Judges 4:5)

During Deborah's lifetime the Israelites once again began to worship false gods. Because of this failure, Israelite territory was taken over by a Canaanite king and his general. So Deborah ordered the Israelite commander Barak to call his troops together at Mount

Tabor. She told him that God would give the Israelites a great victory there.

Barak doubted Deborah, but she insisted. Barak told Deborah that he would follow her order as long as she accompanied him and his army to Mount Tabor. Thus, Deborah went with Barak and the army to meet the Canaanites at Mount Tabor. God sent a great thunderstorm that caused the chariots of the Canaanites to get stuck in the mud, and they were defeated. Through God's actions and Deborah's faith, the land was again free of enemies. Deborah prayed a great hymn, a canticle, in praise of God. Here is its ending:

"May all your enemies perish thus, O Lord!
   but your friends be as the sun rising in
      its might!" (Judges 5:31).

There are people in our lives who help us to stay focused on loving God and one another. Name some of these people in your life. What do they do to help you?

## Sansón fue el juez más famoso.

De nuevo los israelitas se alejan de Dios y caen en manos de sus enemigos, los filisteos. Dios envía otro juez al pueblo. Este juez fue el único cuyo nacimiento fue pronosticado de manera extraordinaria.

Un ángel del Señor se apareció a una mujer en la ciudad de Zora y le dijo: "Tú nunca has podido tener hijos, pero ahora vas a quedar embarazada y tendrás un niño. . . .no se le deberá cortar el cabello, porque ese niño estará consagrado a Dios como nazareo desde antes de nacer para que sea él quien comience a librar a los israelitas del poder de los filisteos". (Jueces 13:3–5).

Cuando nació el niño se le dio por nombre Sansón y el espíritu del Señor estaba con Sansón. Dios lo bendijo dándole gran fuerza. Durante toda su vida Sansón fue un **nazareo**, persona consagrada a Dios. Como nazareo Sansón mantuvo promesas especiales, o votos. El no debía tomar vino o bebidas fuertes, tocar nada muerto, ni cortarse el pelo. Dios lo fortalecería mientras el cumplía sus votos.

Sansón se casó con una filistea, pero los filisteos los maltrataban a los dos. Así empezó una lucha personal entre Sansón y los filisteos. Los filisteos mataron a su esposa y su familia. Sansón se enfureció y se vengó de los filisteos. Ellos empezaron a temer a la fuerza de Sansón y querían capturarlo.

**Sansón y Dalila**   Sansón se enamoró de otra filistea, Dalila. Los líderes filisteos le pagaron a Dalila para que descubriera el secreto de la fuerza de Sansón. Al principio Sansón le mintió. Esto enojó a Dalila. Por temor a perderla Sansón le dijo a Dalila que Dios le mantendría su fuerza mientras él mantuviera sus votos nazareos. Un día mientras Sansón dormía, Dalila dejó que un hombre cortara el cabello de Sansón. Después llamó a los filisteos, quienes cegaron a Sansón y lo llevaron a la cárcel, donde lo mantuvieron encadenado forzándolo a rodar una gran piedra de molino.

En la cárcel su pelo volvió a crecer. Un día los filisteos llevaron a Sansón al templo. Lo pusieron en medio de las columnas del templo. Ahí Sansón rezó a Dios para que le devolviera sus fuerzas. Sansón haló las columnas que sostenían el templo cayendo este y matando a Sansón y a todos los que ahí se encontraban.

La historia de Sansón simboliza al Israel de su tiempo. El nacimiento de Sansón, como el nacimiento de Israel, fue el resultado de la mano guiadora de Dios. Sansón fue dedicado a Dios y Dios estaba con él, igual que Dios estaba con los israelitas. Sansón olvidó sus votos a Dios. El usó su fuerza para vengarse de los que personalmente le habían herido. Pero Dios convirtió la derrota de Sansón en el inicio de la caída de los filisteos. De nuevo Dios permite que los israelitas derroten a los que tratan de vencerlos.

Ser fuerte es más que tener fuerza física. Dios nos hace fuertes compartiendo su vida y su amor con nosotros. ¿Cuáles son algunas formas en que Dios hace eso en nuestras vidas?

### Vocabulario
nazareo (pp 350)

## Samson was the most famous judge.

The Israelites again turned from God and some of them came under the rule of their enemies, the Philistines. So God sent another judge to his people. This judge was the only one whose birth was foretold in a very extraordinary way.

An angel of the Lord appeared to a woman in Zorah and said, "Though you are barren and have had no children, yet you will conceive and bear a son. . . . No razor shall touch his head, for this boy is to be consecrated to God from the womb. It is he who will begin the deliverance of Israel from the power of the Philistines" (Judges 13:3–5).

When the baby was born he was given the name Samson and the spirit of the Lord was with Samson. He was blessed by God with great strength. Throughout his life Samson was a Nazirite, a person consecrated to God. As a Nazirite Samson was to keep special promises, or vows. He was not to drink wine or strong drink, touch anyone or anything that had died, or cut or shave his hair. And as long as Samson kept his vows, God continued to make him strong.

Samson married a Philistine woman, but the Philistines mistreated him and his wife. So a very personal struggle began between Samson and the Philistines. The Philistines went so far as to kill Samson's wife and her family.

Key Word

Nazirite (p. 352)

Samson was enraged by this and took revenge on the Philistines. They began to fear Samson's strength and wanted to capture him.

**Samson and Delilah** Samson fell in love with another Philistine woman, Delilah. The Philistine leaders paid Delilah to find out the secret of Samson's great strength. At first Samson lied. This made Delilah very angry. Afraid of losing her, Samson told Delilah that God gave him strength as long as he kept his Nazirite vows.

So while Samson was asleep, Delilah had a man shave off Samson's hair. Then she called in the waiting Philistines who blinded Samson. They then took Samson to a prison, kept him chained, and forced him to turn a great stone that ground grain.

While in prison, Samson's hair grew back. One day the Philistines brought Samson into the temple while they were having a religious festival. They placed him between two temple columns. There Samson prayed and asked God to give him his strength once again. Samson pushed down the columns that were holding up the temple. They fell killing Samson and everyone else in the temple.

The story of Samson symbolized the Israelite nation of his time. Samson's birth, like the birth of Israel, was the result of God's guiding hand. Samson was dedicated to God, and God was with him, just as God was with the Israelites. Yet Samson forgot about his vows to God. He used his strength to take revenge on those who had personally hurt him. But God turned Samson's defeat into the beginning of the downfall of the Philistines. God again allowed the Israelites to be victorious against those who tried to defeat them.

Being strong is more than having physical strength. God makes us strong by sharing his life and love with us. What are some ways God does this in our lives?

## Rut vivió una vida de sacrificio.

El libro de Rut, uno de los más hermosos de la Biblia, muestra la presencia de Dios en los eventos de la vida diaria. La historia de Rut nos enseña que aun en tiempos difíciles la gente puede vivir la alianza fielmente. Pueden cumplir la voluntad de Dios.

La historia empieza durante un tiempo de escasez en Israel. Elimelec, su mujer Noemí y sus dos hijos necesitaban comida. Así que viajaron al este hacia Belén de Judá y cruzaron el Jordán y llegaron a Moab. Ahí la gente no creía en el único y verdadero Dios, pero Elimelec y su familia se quedaron porque ahí podían encontrar comida.

No mucho después Elimelec murió y cada uno de sus hijos se casó con mujeres moabitas. Luego los dos hijos también murieron. Esto dejó a Noemí y sus dos nueras, Orfa y Rut, tristes y con problemas económicos. Noemí no tenía parientes que le ayudaran en Maob.

Cuando decidió regresar a su tierra, Noemí dijo a sus nueras que ellas debían regresar a las casas de sus padres. Rut se negó a dejar a su suegra. Ella le dijo: "¡No me pidas que te deje y que me separe de ti! Iré a donde tú vayas, y viviré donde tú vivas. Tu pueblo será mi pueblo y tu Dios será mi Dios". ( Rut 1:16). La lealtad de Rut y su aceptación del Dios de Israel impresionó a Noemí. Las dos mujeres fueron juntas a Belén.

Cuando llegó el tiempo de la cosecha, Rut fue a un campo a recoger los granos que dejan de la cosecha. A los que no tenían dinero se les permitía eso. Booz, el dueño del campo, era pariente del ex esposo de Noemí y sabía de la devoción de Rut con Noemí. Por eso le dijo a sus sirvientes que ayudaran y protegieran a Rut.

Cuando Noemí escuchó eso quiso que Booz, como pariente político, podía reclamar una tierra que ella estaba vendiendo. Si hacía eso entonces por ley, Booz también tenía la responsabilidad de casarse con Rut.

Booz reclamó la tierra y se casó con Rut. Dios bendijo a Booz y a Rut con un hijo, a quien se le dio el nombre de Obed. "Este fue el padre de Isaí y abuelo de David" (Rut 4:17).

En la historia de Rut, el escritor bíblico nos muestra que la tristeza puede convertirse en gozo. Aprendemos que cuando llevamos el amor de Dios a otros, se cumple la voluntad de Dios por nuestras acciones. Igual que Noemí, Rut y Booz somos llamados a ser parte del plan de Dios viviendo con fidelidad y bondad.

### RESPONDEMOS

Dios es siempre fiel a nosotros. El nos pide que también seamos fieles. Imagina que se te ha pedido producir un CD sobre nuestra fidelidad a Dios. ¿Qué nombre darías a tu CD? ¿Qué canciones incluirías?

Título: _____

Canciones: _____

## Ruth lived a life of self-sacrifice.

The Book of Ruth, one of the Bible's most beautiful short stories, shows God's presence in the events of daily life. The story of Ruth teaches us that even in difficult times people can faithfully live out the covenant. They can follow God's will for them.

The story begins in a time of famine in Israel. An Israelite named Elimelech, his wife Naomi, and their two sons needed to find food. So they traveled eastward from Bethlehem of Judah and crossed the Jordan River into Moab. There people did not believe in the one true God, but Elimelech's family settled in Moab because they were able to find food.

Sometime after that, Elimelech died, and each of his sons married a Moabite woman. Then the two sons also died. This left Naomi and her daughters-in-law, Orpah and Ruth, sad and in financial trouble. Naomi had no relatives in Moab who could help them.

When she decided to go back to her homeland, Naomi told her daughters-in-law that they should go back to their own mothers' houses. But Ruth refused to leave her mother-in-law. She said, "Do not ask me to

abandon or forsake you! for wherever you go I will go, wherever you lodge I will lodge, your people shall be my people, and your God my God" (Ruth 1:16). Ruth's loyalty and her acceptance of the God of Israel impressed Naomi. The two women went together to Bethlehem.

When it was time for the harvest, Ruth went into a field to gather up grain left behind from the harvest. People without money were allowed to do this. Boaz, who owned the field, was a relative of Naomi's deceased husband, and he had been told about Ruth's devotion to Naomi. So Boaz told his servants to help and protect Ruth.

When Naomi heard this, she hoped that Boaz, as her relative by marriage, would claim some land that she was selling. If he did, then by the law of the Israelites, Boaz would also have the responsibility of taking Ruth as his wife.

Boaz did claim the land and married Ruth. God blessed Boaz and Ruth with a son, who was given the name Obed. "He was the father of Jesse, the father of David" (Ruth 4:17).

In the story of Ruth, the biblical writer shows us that sadness can be turned into joy. We learn that when we bring God's love to one another, God's will is accomplished by our actions. Like Naomi, Ruth, and Boaz, we are called to be part of God's plan by living lives of faithfulness and kindness.

## WE RESPOND

God is always faithful to us. He asks us to be faithful, too. Imagine that you have been asked to produce a music CD about our faithfulness to God. Write what you would name your CD. Discuss what songs you would include.

**Title:** _____

**Songs:** _____

## Capítulo 10

**Escribe V si es verdadero y F si es falso. Cambia lo falso en verdadero.**

1. _____ Los israelitas conquistaron la ciudad de Jericó con armas especiales.

_____

2. _____ La tierra de Canaán se distribuyó en las doce tribus de Israel echando suerte con monedas.

_____

3. _____ Dalila fue escogida por Dios para recordar a los israelitas mantener la alianza con Dios, resolver disputas legales y dar consejos a otros.

_____

4. _____ Durante el tiempo de los jueces, los israelitas se mantuvieron fieles al único y verdadero Dios.

_____

**Encierra en un círculo la letra al lado de la palabra que completa la oración.**

5. El libro de _____ enseña que en tiempos de dificultades el pueblo debe cumplir los mandamientos.
   **a.** Deborah     **b.** Noemí     **c.** Rut

6. Un _____ es una persona consagrada a Dios que ha prometido votos.
   **a.** nazareo     **b.** filisteo     **c.** maobita

7. El libro de _____ pone énfasis en el papel de Dios en la entrada del pueblo a la tierra prometida.
   **a.** Josué     **b.** Rut     **c.** Jueces

8. Dios bendijo a Sansón con gran _____.
   **a.** sabiduría     **b.** fuerza     **c.** cabellera

**Contesta.**

**9–10.** ¿Cómo la historia de Sansón simboliza a la nación de Israel en ese tiempo?

## Reflexiona y ora

¿Cómo puedes mostrar amor a Dios en tu vida diaria?

_____

Dios de amor, ayúdanos a mostrar nuestro amor por ti en lo que hacemos cada día. Amén.

## Chapter 10

**Write True or False for the following sentences.**
**Then change the false sentences to make them true.**

1. _____ The Israelites conquered the city of Jericho with special machines.

_____

2. _____ The land of Canaan was distributed to the twelve tribes of Israel by casting lots.

_____

3. _____ Delilah was chosen by God to remind the Israelites to keep God's covenant, settle legal disputes, and offer other advice.

_____

4. _____ During the times of the judges, the Israelites stayed faithful to the one true God.

_____

**Circle the letter of the correct answer.**

5. The book of _____ teaches that in difficult times people can live out the covenant.

   **a.** Deborah   **b.** Naomi   **c.** Ruth

6. A _____ was a person consecrated to God who promised vows.

   **a.** Nazirite   **b.** Philistine   **c.** Moabite

7. The book of _____ emphasizes God's role in the people's entry into the promised land.

   **a.** Joshua   **b.** Ruth   **c.** Judges

8. God blessed Samson with great _____.

   **a.** wisdom   **b.** strength   **c.** hair

**Write a paragraph to answer this question.**

**9–10.** How does the story of Samson symbolize the Israelite nation of his time?

## Reflect & Pray

How can you show love for God in your daily life?

_____

Dear God, help us to show our love for you in what we do each day. Amen.

## Compartiendo lo aprendido

Habla con tu familia sobre lo siguiente:

- Josué y la caída de Jericó
- Débora y el tiempo de los jueces
- Sansón y los filisteos
- Rut y Noemí.

## Recuerda

- El pueblo de Dios conquistó a Canaán.
- El pueblo de Dios se estableció en Canaán.
- Sansón fue el juez más famoso.
- Rut vivió una vida de sacrificio.

## Pregunta sobre el judaísmo

**P:** ¿Qué es un mezuzah?

**R:** Es una caja pegada en la puerta de las casas judías. En ella hay un pequeño rollo con pasajes de la Escritura.

## NUESTRA VIDA CATOLICA

### Santa Catalina de Siena

Nació en el 1347 en Siena, Italia. Desde muy pequeña vivió una vida de oración. Gradualmente la gente empezó a darse cuenta de que ella tenía el don de juzgar rectamente. La gente iba a verla cuando tenía desacuerdo con sus familiares o sus vecinos. La influencia de Catalina llegó a la Iglesia. Ella se preocupaba de los eventos sociales y políticos y trataba de ayudar a la Iglesia tanto como podía. Visitó reyes y reinas para pedir por el cese de la guerra y por la paz con la Iglesia. Sus escritos están entre los más brillantes de la Iglesia. Murió a la edad de treinta y tres años. Su fiesta se celebra el 29 de abril.

**Conexión con el Catecismo**
Para referencia vea el párrafo 1611.

# We Respond and Share the Faith

## Sharing What I Learned

Discuss the following with your family:

- Joshua and the fall of Jericho
- Deborah and the time of the judges
- Samson and the Philistines
- Ruth and Naomi.

## Remember

- God's people conquered Canaan.
- God's people settled in Canaan.
- Samson was the most famous judge.
- Ruth lived a life of self-sacrifice.

## Questions About Judaism

**Q:** What is a mezuzah?

**A:** A mezuzah is a case attached to the doorposts of Jewish homes. It contains a small scroll with passages of Scripture written on it.

## OUR CATHOLIC LIFE
### Saint Catherine of Siena

Catherine was born in 1347 in Siena, Italy. From a very young age she lived a life of prayer. Gradually, people began to realize that she had the gift of good judgment. People went to her when they had disputes within their families or among their neighbors. Catherine's influence spread throughout the Church. She was concerned about current events and politics, and she tried to help the Church as much as she could. She visited kings and queens and asked them to avoid war and to be at peace with the Church. Her writings are some of the most brilliant in the Church. She died at the age of thirty-three. Her feast day is April 29.

**Connect to the Catechism**
For adult background and reflection, see paragraph 1611.

Visit Sadlier's

**www.CREEMOSweb.com**

# Un pueblo real

## NOS CONGREGAMOS

✝ **Líder:** Jesús, eres el Buen Pastor. Ayúdanos a seguirte en todo lo que decimos y hacemos. Quédate con nosotros mientras rezamos.

**Lector 1:** "El Señor es mi pastor; nada me falta. Me hace descansar en verdes pastos, me guía a arroyos de tranquilas aguas, me da nuevas fuerzas y me lleva por caminos rectos, haciendo honor a su nombre".

**Todos:** Buen Pastor guíanos por caminos de paz.

**Lector 2:** "Aunque pase por el más oscuro de los valles, no temeré peligro alguno, porque tú, Señor, estás conmigo; tu vara y tu bastón me inspiran confianza".
(Salmo 23:1–4)

**Todos:** Jesús, Buen Pastor, aléjanos del mal y la oscuridad.

### 🎵 El Señor es mi pastor

El Señor es mi Pastor, nada me faltará.
Me conduce hacia fuentes tranquilas
   y repara mis fuerzas.
El me guía por senderos justos,
   por honor de su nombre.

☀ ¿Has sido llamado alguna vez para hacer algo? ¿Qué se te pidió?

## CREEMOS

### Dios llamó a Samuel para que le sirviera.

En la Biblia encontramos muchas formas literarias, o tipos de escritura, usadas para contar los eventos que nos ayudan a conocer y a entender a Dios. Escritos históricos cuentan los eventos históricos o períodos en la historia. El Primer y Segundo libros de Samuel, junto con algunos otros libros de la Biblia, son ejemplos de libros históricos.

Al inicio del primer libro de Samuel leemos sobre Ana y su oración por un niño. Ella prometió a Dios que si la bendecía con un hijo lo dedicaría a Dios. Ana tuvo un hijo a quien llamó Samuel y lo dedicó al servicio de Dios. Samuel creció en el santuario de Silo bajo la dirección de un anciano sacerdote llamado Elí.

# A Royal People

## WE GATHER

✝ **Leader:** Jesus, you are the Good Shepherd. Help us to follow you in all that we say and do. Be with us as we pray.

**Reader 1:** "The Lord is my shepherd;
there is nothing I lack.
In green pastures you let me graze;
to safe waters you lead me;
you restore my strength.
You guide me along the right path
for the sake of your name."

**All:** Jesus, Good Shepherd, lead us in paths of peace.

**Reader 2:** "Even when I walk through a dark valley,
I fear no harm for you are at my side;
your rod and staff give me courage."
(Psalm 23:1–4)

**All:** Jesus, Good Shepherd, show us your goodness and love!

🎵 **The King of Love My Shepherd Is**

The King of love my shepherd is,
Whose goodness fails me never;
I nothing lack if I am his,
And he is mine forever.

☀ Have you ever felt called to do something? What was it?

## WE BELIEVE
### God called Samuel to serve him.

The Bible contains many literary forms, or types of writing, used to retell events that help us know and encounter God. Historical writing gives an account of historical events or periods in history. The First and Second Books of Samuel, along with some other books in the Bible, represent Scripture's historical books.

As the First Book of Samuel opens, we read about Hannah and her prayer for a child. She promised God that if he blessed her with a son, she would dedicate the child to him. Hannah did have a son. She called him Samuel and dedicated him to God's service. Samuel grew up at the shrine of the Shiloh under the watchful eye of an old priest named Eli.

**139**

Siendo aún muy joven, Dios llamó a Samuel durante un sueño. Al principio Samuel pensó que Elí lo estaba llamando. Elí se dio cuenta que era Dios y le dijo: "Ve a acostarte; y si el Señor te llama, respóndele: Habla, que tu siervo escucha" (1 Samuel 3:9). Cuando Dios llamó una vez más, Samuel contestó. Entonces Dios le dijo lo que haría.

Dios estaba con Samuel y: "No dejó de cumplir ninguna de sus promesas. . . Y el Señor volvió a revelarse en Silo, pues allí era donde él daba a conocer a Samuel su mensaje; después Samuel se lo comunicaba a todo Israel" (1 Samuel 3:19–21). Samuel se convirtió en un profeta de Dios. Un **profeta** es alguien que habla en nombre de Dios, defiende la verdad y trabaja por la justicia.

**Tiempos de tribulación** Durante esta época mucha gente seguía alejándose de Dios. Los enemigos de Israel, los filisteos, se aprovecharon de la desunión de Israel amenazando su existencia. Los filisteos tomaron tanta tierra que algunos israelitas tenían que mudarse. Los filisteos tomaron el arca de la alianza y la tuvieron por un tiempo.

Además de tener enemigos, los israelitas estaban en un estado de caos y hasta empezó una guerra civil. Peor aún, parecía que Dios había abandonado a su pueblo.

Durante este tiempo Samuel fue llamado a tomar el liderazgo de Israel gradualmente. El regresó el arca a su lugar. Samuel ofreció sacrificios a Dios, rezó para que Israel venciera a los filisteos. Verdaderamente que Dios nunca abandona a su pueblo. Su amor por él nunca acaba.

🕸 Igual que Samuel, somos llamados a servir a Dios. ¿Qué crees que Dios quiere que hagas? Escribe alguna forma de contestar la llamada de Dios.

_____

_____

## Saúl se convierte en el primer rey de Israel.

Samuel creció, los israelitas pedían un rey. Ellos querían que alguien los guiara y los protegiera.

El único rey de Israel había sido el Señor. Ahora el pueblo quería ser como otras naciones. Quería una monarquía. Una **monarquía** es un reino o imperio gobernado por una persona, un rey o una reina.

Samuel no estaba contento porque él creía que sólo Dios podría ser rey de Israel. A pesar de que Dios tampoco estaba contento, le dijo a Samuel que dejaría que Israel tuviera un rey terreno y se convirtiera en una monarquía.

*profeta*

PROFETA

When Samuel was still very young, God called to him while he was sleeping. At first Samuel thought Eli was calling him. Eli realized though that it was God. Eli told Samuel, "Go to sleep, and if you are called, reply, 'Speak, LORD, for your servant is listening'" (1 Samuel 3:9). When God called once more, Samuel answered him. Then God told Samuel about the things that he, the Lord, would do.

God was with Samuel, and did not permit "any word of his to be without effect. . . . The LORD continued to appear at Shiloh; he manifested himself to Samuel at Shiloh through his word, and Samuel spoke to all Israel" (1 Samuel 3:19, 21). Samuel became God's prophet. A **prophet** is someone who speaks on behalf of God, defends the truth, and works for justice.

**Desperate Times** At this time many people continued to turn away from God. Israel's enemy, the Philistines, took advantage of Israel's disunity and threatened Israel's existence. The Philistines took so much land that some Israelites had to find a new home. The Philistines even captured the ark of the covenant and kept it for a time.

Besides having enemies, the Israelites were themselves in a state of chaos and a civil war even broke out. Worse yet, God himself seemed to have abandoned his people.

During this time Samuel was called to gradually take over the leadership of Israel. He brought the ark back to a proper resting place. And Samuel offered sacrifice to God, praying for Israel's victory over the Philistines. Indeed, God would never abandon his people. His love for them would never end.

Like Samuel we are called to love and serve God. What do you think God is calling you to do? Write one way you can answer God's call.

_____

_____

## Saul became Israel's first king.

As Samuel grew older, the Israelites cried out to him for a king. They wanted someone to lead and protect them.

Yet Israel's only king had always been the Lord. Now the people wanted to be like other nations. They wanted to be a monarchy. A **monarchy** is a kingdom or empire ruled by one person, either a king or a queen.

Samuel was displeased because he believed only God was Israel's king. Although God was also displeased, he told Samuel to let the people have an earthly king and become a monarchy.

prophet

PROPHET

**El primer rey.** Dios pidió a Samuel ungir a Saúl para ser el primer rey de Israel. Esta unción sería un símbolo de la consagración de Saúl al servicio de Dios. Samuel derramó aceite sobre la cabeza de Saúl y lo besó. Mientras lo ungía Samuel le dijo: "El Señor te consagra hoy gobernante de Israel" (1 Samuel 10:1).

Dios le habló a Saúl por medio de Samuel. Al principio Saúl siguió los consejos de Samuel para dirigir al pueblo. Como comandante de la armada de Israel, Saúl ganó batallas a los filisteos. Los israelitas estaban contentos de tener un rey.

Gradualmente, Saúl dejo de escuchar a Samuel. Estaba más afanado en sus propios intereses que en los intereses del pueblo. Saúl empezó a actuar por su propia cuenta. Una vez pidió a la armada dejar de pelear y su error, que dio tiempo a los filisteos a reorganizarse, hizo que Israel perdiera la batalla.

A consecuencia de sus acciones, Saúl dejó de gobernar con la bendición de Dios. Dios le dijo a Samuel: "Me pesa haber hecho rey a Saúl, porque se ha apartado de mí y no ha cumplido mis órdenes" (1 Samuel 15:11). Así que Dios escogió otro rey.

Imagina que vives durante los tiempos del reinado de Saúl. ¿Qué consejo le darías para que gobernara? Representa esta escena con un compañero.

## Como católicos...

En el Antiguo Testamento aprendemos que ser ungido con aceite santo aparta a una persona para servir a Dios como rey, sacerdote y profeta.

La unción es parte importante de la vida de la Iglesia hoy. Cada año antes del Triduo Pascual, el obispo de la diócesis bendice tres aceites en una misa especial llamada misa del Crisma. Estos aceites son distribuidos para ser usados en la celebración de algunos sacramentos durante el año. Estos son: aceite de los catecúmenos, usado durante el Rito de iniciación cristiana para adultos y antes de la celebración del Bautismo, el aceite de los enfermos, usado en la Unción de los Enfermos, crisma sagrado, usado en el Bautismo, la Confirmación y el Orden Sacerdotal.

**The First King** Samuel was told by God to anoint Saul to be the first king of Israel. This anointing would be a symbol of Saul's consecration to God's service. Samuel poured oil on Saul's head and kissed him. As he anointed Saul, Samuel said, "The LORD anoints you commander over his heritage" (1 Samuel 10:1).

God spoke to Saul through Samuel. At first Saul followed Samuel's advice in leading the people. As commander of the Israelite army, Saul won battles against the Philistines. The Israelites were happy that they had a king.

Gradually, Saul stopped listening to Samuel. He was more concerned with his own interests than those of God's people. Saul began to act on his own. Once Saul even told his army to stop fighting and this error, which allowed the Philistines time to regroup, caused Israel to lose the battle.

As a result of Saul's actions, he no longer ruled with God's blessing. God said to Samuel, "I regret having made Saul king, for he has turned from me and has not kept my command" (1 Samuel 15:11). Therefore God would choose another king.

## As Catholics...

Anointing is an important part of the life of the Church today. We learn from the Old Testament that being anointed with holy oil set a person apart to serve God as a king, a priest, or a prophet. Each year just before the Easter Triduum, the bishop of the diocese blesses three holy oils at a special Mass called the Chrism Mass. These oils are then distributed for use in the celebration of some of the sacraments during the coming year. The oils are: the oil of catechumens, used during the Rite of Christian Initiation of Adults and before the celebration of Baptism; the oil of the sick, used in the Anointing the Sick; and sacred chrism, used in Baptism, Confirmation, and Holy Orders.

Imagine that you are living during Saul's reign. What advice would you give him about being king? With a partner, role-play this scene.

## Dios escogió a David para dirigir a Israel.

Samuel siguió los consejos de Dios para elegir el segundo rey de Israel. Dios envió a Samuel a ofrecer un sacrificio en Belén. Después le pidió invitar a Isaí y su familia a la fiesta celebrada después del sacrificio.

Isaí y siete de sus hijos fueron a la fiesta. Samuel pensó que seguramente uno de esos hijos sería escogido para ser el nuevo rey. Pero ninguno fue aceptado por Dios. Dios le dijo a Samuel: "No se trata de lo que el hombre ve; pues el hombre se fija en las apariencias, pero yo me fijo en el corazón" (1 Samuel 16:7).

Entonces Samuel le preguntó a Isaí si no tenía otros hijos. Isaí le dijo que sí. David era el más pequeño y estaba en el campo cuidando las ovejas. Samuel le dijo a Isaí que lo llamara.

David se presentó ante Samuel: "En seguida Samuel tomó el frasco de aceite, y en presencia de sus hermanos consagró como rey al joven…a partir de aquel momento, el espíritu del Señor se apoderó de él" (1 Samuel 16:13). Dios escogió a David para eventualmente reemplazar a Saúl como rey de Israel.

**David y Goliat**   Los filisteos trataban superar a los israelitas. Su ejército se reunió en los alrededores de una montaña en Judá y el ejército de Israel estaba en otra cercana. Sin embargo, los israelitas tenían miedo de atacar porque el ejército filisteo era comandado por Goliat, un gigante mucho más alto que todos los demás. Su lanza y su escudo eran muy pesados para que alguien más pudiera llevarlos. Todos los días Goliat retaba a los israelitas a que fueran a pelear. Nadie aceptaba el reto de Goliat.

Un día Isaí envió a David a llevar provisiones a sus hermanos quienes estaban en el ejército de Israel. Al entrar al campo, Goliat empezó a gritar sus insultos. Los israelitas huyeron.

David preguntó: "¿Qué darán al hombre que mate a este filisteo y borre esta ofensa de Israel?" (1 Samuel 17:26).

Las palabras de David fueron llevadas a Saúl, quien lo mandó a buscar. David le aseguró al rey Saúl que él estaba preparado para pelear con Goliat. David le dijo que él había matado leones y osos mientras cuidaba de las ovejas de su padre. David dijo: "El Señor, que me ha librado de las garras del león y del oso, también me librará de las manos de este filisteo". (1 Samuel 17:37). Saúl estuvo de acuerdo en que David peleara con Goliat.

Cuando David contestó el reto de Goliat, este lo insultó. David, sin embargo, le dijo a Goliat que él iba en nombre del Dios de Israel. David tomo una piedra redonda, la puso en su honda y tiró la piedra hacia Goliat. La piedra le pegó en la frente y lo dejó inconsciente. Entonces David lo mató. Cuando los filisteos vieron eso salieron corriendo.

En grupo dramaticen un segmento de noticia para la TV en el que David, Goliat y Saúl sean entrevistados para la batalla entre David y Goliat.

## God chose David to lead Israel.

Samuel followed God's instruction in choosing Israel's second king. God first sent Samuel to offer sacrifice in Bethlehem. Then God had Samuel invite Jesse and his family to the feast that followed the sacrifice.

Jesse and seven of his sons entered the feast. Samuel thought that surely one of these sons would be the new king. But none of these were acceptable to God. God said to Samuel, "Not as man sees does God see, because man sees the appearance but the LORD looks into the heart" (1 Samuel 16:7).

Then Samuel asked Jesse whether he had any more sons. Jesse told him that he had one more son, David. David, his youngest son, was in the fields tending the sheep. Samuel told Jesse to send for David.

David came before Samuel. "Then Samuel, with the horn of oil in hand, anointed him in the midst of his brothers; and from that day on, the spirit of the LORD rushed upon David." (1 Samuel 16:13) God had chosen David to eventually replace Saul as Israel's king.

**David and Goliath**   The Philistines were again trying to overcome the Israelites. The Philistine army was gathered on a hill in Judah, and the Israelite army was on a neighboring hill. The Israelites, however, were afraid to attack because the Philistine army was led by a giant of a man named Goliath. Goliath was much taller than all the other men. His spear and shield were too heavy for most of them to lift. Every day Goliath challenged the Israelites to come and fight him. But no one accepted Goliath's challenge.

One day Jesse sent young David with supplies for his brothers who were in the Israelite army. As David entered the Israelite camp, Goliath began to shout his usual insults. The Israelites fled. David asked, "What will be done for the man who kills this Philistine and frees Israel of the disgrace?" (1 Samuel 17:26).

David's words were reported to Saul, who sent for David. David assured King Saul that he was prepared to fight Goliath. David told him that he had often killed a lion or bear when protecting his father's sheep. David said, "The LORD, who delivered me from the claws of the lion and the bear, will also keep me safe from the clutches of this Philistine" (1 Samuel 17:37). Saul then agreed to let David fight Goliath.

When David answered Goliath's challenge, Goliath cursed him. David, however, told Goliath that he came in the name of the God of Israel. David took a smooth stone, put it in his slingshot, and hurled the stone at Goliath. The stone hit Goliath in the forehead and knocked him down. Then David was able to kill Goliath. When the Philistines saw this, they ran away.

In groups dramatize a TV news segment in which David, Goliath, and Saul are interviewed about the upcoming battle between David and Goliath.

El valor de David vino de su confianza en Dios. Contrario a Saúl, David confió totalmente en el Señor. Dios salvó a David y a todo Israel.

## David es nombrado rey de Israel.

Alrededor del 1000 AC después de la muerte de Saúl, David fue proclamado rey de Israel.

Inmediatamente David se dispuso a resolver los problemas de Israel. Tan pronto como empezó su reinado empezó a planificar su ataque a los filisteos. David forzó a los filisteos a salir de Israel. También capturó territorio filisteo para Israel.

David tenía otra tarea importante: recobrar las tierras de Israel que estaban en manos de los cananeos. David capturó la mayoría de esas áreas y las otras simplemente se rindieron. Los israelitas tomaran a Caná y la nación de Israel fue unida.

Jerusalén fue una ciudad de Caná conquistada por David. La ciudad se convirtió en propiedad privada del rey porque la había tomado con sus soldados. Así en los escritos bíblicos Jerusalén se conoce como la ciudad de David.

**La ciudad de David**   David decidió hacer de Jerusalén la capital religiosa y política de Israel. Todas las tribus estuvieron de acuerdo con la decisión de David. David llevó el arca de la alianza a Jerusalén y : ". . . danzaba con todas sus fuerzas, y tanto él como todos los israelitas llevaban el cofre del Señor entre gritos de alegría y toque de trompetas" (2 Samuel 6:14-15).

David también instaló el gobierno en Jerusalén. Como líder, David probó ser brillante. Dios estaba con él y bajo la guía de David, Israel fue transformada de un grupo de tribus débiles y desunidas en un fuerte reino. En todo Dios estaba presente, en la vida de las personas y en la vida de la nación.

Durante su vida, David fue un pastor, un poeta, un músico, un narrador, un guerrero y un gran rey. También tuvo sus debilidades. Una de estas fue el amor por una hermosa mujer llamada Betsabé. David quería casarse con ella, pero ella era casada.

David mandó a matar en una batalla a Urías, el esposo de Betsabé. El profeta Natán le dijo a David que el asesinato de Urías había disgustado a Dios. David pidió perdón a Dios diciendo: "He pecado contra el Señor" (2 Samuel 12:13). David pidió perdón a Dios. Hizo penitencia ante el Señor y Dios lo perdonó.

Una vez que aprendemos sobre los eventos de Dios en la vida de las personas, conocemos la gran misericordia de Dios. Dios siempre perdona a los que se arrepienten.

## RESPONDEMOS

En grupos hablen de los dones y talentos que hicieron de Samuel, Saúl y David unos buenos líderes.

### Vocabulario

profeta (pp 350)
monarquía (pp 350)

146

David's courage came from trusting in God. Unlike Saul, David relied on the Lord completely. God had indeed saved David and the rest of Israel!

## David was declared the king of Israel.

Around 1000 B.C. after the death of Saul, David was declared king of Israel.

David immediately set out to solve Israel's problems. As soon as he became king, he began to plan his attack against the Philistines. David soon drove the Philistines from central Israel. In later battles David forced them out of the rest of the country.

David dealt with another important task: taking over the areas in Israel that were still under Canaanite control. David captured most of these areas and the others simply surrendered to him. As a result, the Israelite takeover of Canaan was finally completed. Israel became a nation united.

One of the Canaanite cities that David conquered was Jerusalem. The city became the king's private property because he had captured it with his own soldiers. Thus, in biblical writings Jerusalem became known as the City of David.

**The City of David** David decided to make Jerusalem the religious and political capital of all Israel. All the tribes agreed with David's choice. David brought the ark of the covenant to Jerusalem and "came dancing before the LORD with abandon, as he and all the Israelites were bringing up the ark of the LORD with shouts of joy and to the sound of the horn" (2 Samuel 6:14–15).

David also set up a government in Jerusalem. As a leader, David proved to be brilliant. God was with David, and under David's guidance Israel was transformed from a group of weak and disunited tribes into a strong kingdom. God was present in the lives of the people and in the life of the nation.

Throughout his years, David had been a shepherd, a storyteller, a poet, a musician, a warrior, and a great king. Yet he also had weaknesses. One was his love for a woman named Bathsheba. David wanted to marry Bathsheba, but she was already married.

David arranged to have Bathsheba's husband, Uriah, killed in battle. The prophet Nathan told David that Uriah's murder displeased God. David asked God's forgiveness saying, "I have sinned against the LORD" (2 Samuel 12:13). Then David prayed for God's forgiveness. He did penance before the Lord, and God forgave David.

Once again in learning about the events in the life of God's people, we learn of God's great mercy. God always forgives those who are sorry for their sins.

## WE RESPOND

In groups discuss the gifts and talents of Samuel, Saul, and David that made them good leaders of God's people.

Key Words

prophet (p. 352)
monarchy (p. 352)

## Capítulo 11

**Escribe en la raya la letra que mejor defina el término.**

1. _____ Saúl

2. _____ Samuel

3. _____ Ana

4. _____ David

**a.** Rezó para tener un hijo prometiendo dedicarlo a Dios.

**b.** Líder y profeta de Dios quien creyó que sólo Dios podía ser considerado rey de Israel.

**c.** El padre de David.

**d.** Primer rey ungido de Israel.

**e.** Rey de Israel quien unió y transformó la nación.

**Contesta.**

5. ¿Cómo los enemigos de Israel, los filisteos, se aprovecharon de la desunión de Israel?

_____

6. ¿Qué se usó para simbolizar la consagración de Saúl al servicio de Dios?

_____

7. ¿Cuál es la importancia de la historia de David y Goliat?

_____

8. ¿Qué sucedió en la nación de Israel durante el reinado del rey David?

_____

**Contesta.**

9–10. ¿Cuál es el significado de estas palabras en la historia de David?
"No se trata de lo que el hombre ve; pues el hombre se fija en las apariencias, pero yo me fijo en el corazón". (1 Samuel 16:7)

## Reflexiona y ora

David fue un gran rey. Quisiera imitarlo en mi vida.

_____

_____

## Chapter 11

**Write the letter that best identifies the biblical character.**

1. _____ Saul     **a.** prayed for a child whom she promised to dedicate to God

2. _____ Samuel     **b.** a leader and prophet of God who felt that only God should be considered Israel's king

    **c.** the father of David

3. _____ Hannah     **d.** the first anointed king of Israel

4. _____ David     **e.** the king of Israel who united and transformed the nation of Israel

**Short Answers**

5. How did Israel's enemy, the Philistines, take advantage of Israel's disunity?

_____

6. What was used to symbolize the consecration of Saul to God's service?

_____

7. What is the importance of the story of David and Goliath?

_____

8. What happened to the nation of Israel during King David's rule?

_____

**Write a paragraph to answer this question.**

9–10. What meaning do these words have in the story of David?
"Not as man sees does God see, because man sees the appearance but the LORD looks into the heart." (1 Samuel 16:7)

## Reflect & Pray

David was a great king. I would like to model my life on his life by

_____

_____

## Compartiendo lo aprendido

Habla con tu familia sobre lo siguiente:

- Samuel, el profeta de Dios
- la necesidad que los israelitas tenían de un rey
- Saúl, David y Goliat
- David, Rey de Israel.

## Recuerda

- Dios llamó a Samuel para que le sirviera.
- Saúl se convierte en el primer rey de Israel.
- Dios escogió a David para dirigir a Israel.
- David es nombrado rey de Israel.

## Pregunta sobre el judaísmo

**P:** ¿Qué es Rosh Hashaná y Yom Kipur?

**R:** Rosh Hashaná es la fiesta del año nuevo judío. Yom Kipur es un día para el arrepentimiento. Durante ese día se pide perdón por los pecados cometidos durante el año.

## NUESTRA VIDA CATOLICA
### Crecimiento espiritual

Ignacio de Loyola fue un valiente y aventurero soldado español que vivió durante el siglo XVI. Una de sus piernas fue gravemente herida en una batalla. Durante su restablecimiento el único libro que tenía para leer era uno sobre la vida de los santos. Ignacio se dio cuenta de que, como los santos, él podía ser valiente y aventurero por Cristo. Eventualmente se hizo sacerdote. Fundó la Sociedad de Jesús, conocida también como los Jesuitas, para ayudar a servir a Cristo y la Iglesia. Ignacio escribió un libro llamado *Ejercicios espirituales*. Es un manual de entrenamiento para el crecimiento espiritual que se ha usado en todo el mundo para acercarse más a Cristo.

**Conexión con el Catecismo**
Para referencia vea los párrafos 2578, 1150, 2579 y 695.

# We Respond and Share the Faith

## Sharing What I Learned

Discuss the following with your family:

- Samuel, God's prophet
- the Israelites' need for a king
- Saul, David, and Goliath
- David as king of Israel.

## Remember

- God called Samuel to serve him.
- Saul became Israel's first king.
- God chose David to lead Israel.
- David was declared the king of Israel.

## Questions about Judaism

**Q:** What are Rosh Hashanah and Yom Kippur?

**A:** Rosh Hashanah is commonly known as the Jewish New Year—Yom Kippur, the day of atonement. This is a day set aside to atone for the sins of the past year.

## OUR CATHOLIC LIFE
### Spiritual Growth

Ignatius Loyola was a courageous and adventurous Spanish soldier who lived during the sixteenth century. Once in a battle his leg was badly broken. During his long recovery the only book he had to read was one on the lives of the saints. Ignatius realized that, like the saints, he could be courageous and adventurous for Christ. He eventually became a priest. He founded the Society of Jesus, also known as Jesuits, to help serve Christ and the Church. Ignatius also wrote a book called *The Spiritual Exercises*. It is a training manual for spiritual growth, and people everywhere have used it to become more like Christ.

**Connect to the Catechism**
For adult background and reflection, see paragraphs 2578, 1150, 2579, and 695.

Visit Sadlier's

**www.CREEMOSweb.com**

# Un pueblo próspero

## NOS CONGREGAMOS

**Líder:** Jesús llamó al apóstol Santiago "Hijo del trueno" porque tenía un temperamento malo. Pero Santiago fue un hombre sabio y enseñó el significado de la sabiduría. Vamos a rezar pidiendo sabiduría en nuestras vidas y en las vidas de todo el mundo.

**Lector:** Por la sabiduría de ser amables y pacíficos con otros.

Por la sabiduría de cuidar de la tierra y sus criaturas.

Por la sabiduría de ser misericordiosos con los necesitados.

Por la sabiduría de ser sinceros con nuestros amigos.

Por la sabiduría de no excluir a los demás.

**Todos:** Te lo pedimos en el nombre de Jesucristo, nuestro Señor. Amén.

Describe como sería el mundo si todos trabajáramos por la paz.

## CREEMOS

### El reinado de Salomón fue un tiempo de paz y prosperidad.

Después de reinar por cuarenta años, David murió. Su hijo Salomón lo sucedió. Bajo el reinado de Salomón, Israel alcanzó una gran paz y prosperidad. La historia del reinado de Salomón, que duró aproximadamente cuarenta años, es contada en el Primer Libro de Reyes y el Segundo Libro de Crónicas.

Mientras su padre, David, se recuerda mayormente como un gran guerrero, Salomón fue un diplomático. El reinado de Salomón fue un tiempo de paz. Salomón no peleó ninguna guerra. El hizo tratos, acuerdos con otros reyes y reinas. Estas alianzas mantuvieron seguro a Israel contra ataques y le dieron la oportunidad de nuevos negocios.

# A Prosperous People

## 12

## WE GATHER

**Leader:** Jesus called the apostle James a "son of thunder" because of his quick temper! But James became a wise man, and taught the meaning of wisdom. Let us pray for wisdom in our lives and in the lives of all people.

**Reader:** For the wisdom to be gentle and peaceful with others,

For the wisdom to care for the earth and its creatures,

For the wisdom to be merciful toward those in need,

For the wisdom to be faithful and sincere with our friends,

For the wisdom to include and not exclude others,

**All:** We ask this in your name, Lord Jesus. Amen.

 Describe what the world would be like if everyone worked for peace.

## WE BELIEVE

### Solomon's reign was a time of peace and prosperity.

After forty years as king, David died. David's son Solomon succeeded him as king. Under Solomon's rule Israel achieved its greatest peace and prosperity. The story of Solomon's reign as king, which lasted for about forty years, is told in the First Book of Kings and the Second Book of Chronicles.

While his father, David, was remembered chiefly as a mighty warrior, Solomon was a diplomat. Solomon's reign was a time of peace. Solomon did not wage any wars. Rather, he made treaties, or agreements, with other kings and queens. These alliances kept Israel safe from attack and gave the country new business opportunities.

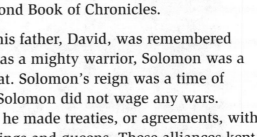

Salomón ayudó a Israel a prosperar con sus exitosos tratados con el extranjero. Durante su reinado, Israel se enriqueció. Por primera vez en la historia de Israel, la gente común, no sólo los poderosos, empezaron a gozar de una vida plena.

Para mostrar el poder y el éxito de Israel, Salomón empezó un gran programa de construcción. Este programa fue diseñado para fortalecer las defensas y embellecer sus cuidades, especialmente Jerusalén.

Lo más importante de este proyecto de construcción involucraba la construcción de un Templo en Jerusalén. Estos proyectos incluían un palacio para el rey.

Muchas formas de arte también empezaron a florecer en Israel. Entre las más importantes están el tallado del marfil, la carpintería, tallado de piedras y joyería.

La literatura también alcanzó grandes logros durante el reinado de Salomón. Los libros históricos de la Biblia se empezaron a escribir y a ser recopilados. También se escribieron salmos, proverbios y otro tipo de poesías. El primer paso hacia la organización de la Biblia tuvo lugar durante el reino de Salomón.

🏃 Salomón trabajó por la paz en Israel. Escribe algunas formas en que trabajarás por la paz.

_____

_____

_____

_____

_____

_____

Representación en el siglo XVI de la prosperidad de la época de Salomón: "Salomón y el tesoro del Templo", de Frans Francken II, Holanda (1581–1642).

*Desierto de Negeb*

Solomon helped Israel to prosper by his success in overseas trade. During Solomon's time as king, Israel was richer than it had ever been before. For the first time in Israel's history, some of the common people—not just the powerful—began to enjoy a life of plenty.

To showcase Israel's power and success, Solomon began a great building program. This program was designed to strengthen the country's defenses and to beautify its cities, especially Jerusalem.

The most important of these building projects involved the construction of the Temple in Jerusalem. There were other projects including a palace for the king.

Many forms of art also began to flourish in Israel. Among the most important were ivory carving, carpentry, stonework, and jewelry making.

Literature was also very important during Solomon's reign. The historical books of the Bible began to be written and compiled. Psalms, proverbs, and other kinds of poetry were also written. The first steps toward assembling the Bible were taken when Solomon was king.

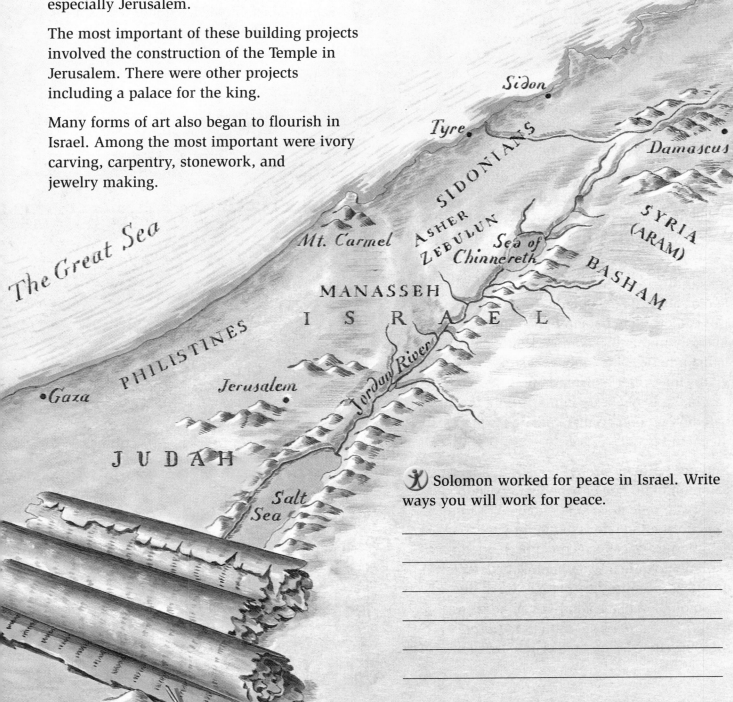

Solomon worked for peace in Israel. Write ways you will work for peace.

_____

_____

_____

_____

_____

_____

## Salomón fue famoso por su sabiduría.

Al principio de su reinado, Salomón pidió a Dios que lo guiara. Dios estaba tan complacido con la fidelidad de Salomón que decidió hacer algo especial por él. Dios se le apareció a Salomón en un sueño y le prometió que le daría lo que deseara.

Salomón respondió a Dios. "Soy un muchacho joven y sin experiencia. . .Dame, pues, un corazón atento para gobernar a tu pueblo, y para distinguir entre lo bueno y lo malo" (1 Reyes 3:7, 9).

Complacido con la respuesta de Salomón Dios le dijo: "Yo te concedo sabiduría e inteligencia como nadie las ha tenido antes que tú ni las tendrá después de ti" (1 Reyes 3:12).

Salomón quedó tan agradecido que fue a Jerusalén a pararse frente al arca de la alianza del Señor. Ahí ofreció sacrificio y ofrendas de paz. Después dio un banquete para sus sirvientes.

**La sabiduría de Salomón** Después que Dios le dio sabiduría a Salomón, esta fue probada. Dos mujeres que habían tenido un bebé cada una fueron donde Salomón. Uno de los bebés había muerto, pero ambas reclamaban el bebé vivo. Una mujer acusó a la otra de haber cambiado los bebés y empezaron a discutir. Salomón no podía saber cual de las dos estaba diciendo la verdad.

Entonces ordenó probar a las mujeres. Salomón pidió que el bebé fuera partido en dos y que se le diera una mitad a cada una. Cuando sólo una de las mujeres suplicó a Salomón no hacer eso con el bebé, él vio claramente quien era la madre. Todo Israel quedó sorprendido con la habilidad de Salomón para determinar la verdad en ese caso. De hecho, el pueblo vio la propia sabiduría de Dios en la decisión de Salomón.

La historia de Salomón nos ayuda a entender la importancia de la sabiduría. Sabiduría es un don de Dios. Sabiduría es el conocimiento y la habilidad de reconocer y seguir la voluntad de Dios en nuestras vidas. Nos ayuda a ver como Dios ve y a actuar como Dios quiere que actuemos. Necesitamos el don de la sabiduría de Dios para vivir una buena vida y ser fieles a nuestra alianza con Dios.

Sabiduría es uno de los dones del Espíritu Santo. Esta nos ayuda a ver y seguir el plan de Dios para nosotros. Identifica algunas situaciones en que el pueblo puede pedir sabiduría a Dios.

_____

_____

_____

## Solomon gained fame for his wisdom.

When he was a young king, Solomon prayed to God for guidance. God was so pleased with Solomon's faithfulness that he decided to do something special for him. God appeared to Solomon in a dream and promised that he could have anything he desired.

Solomon replied to God, "I am a mere youth, not knowing at all how to act. . . .Give your servant, therefore, an understanding heart to judge your people and to distinguish right from wrong" (1 Kings 3:7, 9).

Delighted by Solomon's reply, God said: "I give you a heart so wise and understanding that there has never been anyone like you up to now, and after you there will come no one to equal you" (1 Kings 3:12).

Solomon was so grateful that he went to Jerusalem and stood before the ark of the covenant of the Lord. There he offered sacrifice and peace offerings. Then he gave a banquet for all his servants.

**Solomon's Wisdom**   Soon after God granted Solomon wisdom, it was tested. Two women, each recently having had a child, came to Solomon. One of the babies had died and both women claimed to be the mother of the baby that was alive. One woman accused the other of switching the babies and both women began to argue. How would Solomon possibly determine which woman was telling the truth when there were no witnesses?

In order to test the women, Solomon ordered that the baby be cut in two and one half given to each woman. When only one of the women pleaded with Solomon not to kill the child, he saw that she was clearly the mother. All Israel was amazed by Solomon's ability to determine the truth in this case. In fact, they saw God's own wisdom behind Solomon's decision.

Solomon's story helps us understand the importance of wisdom. Wisdom is a gift from God. **Wisdom** is the knowledge and ability to recognize and follow God's will in our lives. It enables us to see as God sees and to act as God wants us to act. We need God's gift of wisdom to live a good life and to be faithful to our covenant with God.

Wisdom is one of the gifts of the Holy Spirit. It helps us to see and follow God's plan for us. Identify some situations in which people call upon God for wisdom.

_____

_____

_____

## El Templo fue construido en Jerusalén.

Para mostrar el amor a Dios y su deseo de ser fiel a la alianza, Salomón decidió construir un gran templo de piedra en Jerusalén. Este templo debía ser el centro de adoración al único y verdadero Dios. Debía unir al pueblo de Dios y a Israel.

El Templo mismo consistía de dos grandes cuartos: el santuario o lugar más santo y la nave. El santuario, el cual estaba en la parte central del Templo, era un pequeño cuarto elevado reservado exclusivamente para Dios. Sólo los sumos sacerdotes podían entrar a ese lugar. El santuario contenía el arca de la alianza donde se creía que moraba Dios invisible. Dos grandes estatuas de ángeles llamados querubines servían como símbolos de la presencia de Dios en el santuario.

La nave del Templo era un cuarto más grande en el frente del santuario. En él había un pequeño altar para quemar incienso. Un piso de peldaños y una puerta con una cortina conducían al santuario.

En tres de los lados del santuario y de la nave había pequeños cuartos usados para almacenar, o reservados para los sacerdotes. En frente del Templo había una corte de sacerdotes. Esta tenía un gran altar diseñado para la ofrenda y sacrificios de varios tipos.

Después de la corte de los sacerdotes había una serie de largas cortes con paredes que rodeaban todo el Templo. Una de estas cortes estaba reservada para los hombres de Israel, una estaba diseñada para las mujeres y otra para los visitantes que no eran israelitas. Una pared alta con elevadas puertas y entradas rodeaba todo la estructura del Templo y sus cortes.

La terminación del Templo fue considerada tan importante que los escritores del Primer libro de Reyes compararon el hecho con la fundación de la nación de Israel en el Monte Sinaí. El éxito de la terminación del Templo también simbolizó la permanente presencia

Una representación de un artista del Templo de Jerusalén.

de Dios con su pueblo escogido en la tierra prometida. Así la construcción del Templo de Jerusalén fue símbolo de gran éxito para Salomón.

Describe un lugar sagrado donde la gente pueda sentir la presencia de Dios en él.

### Como católicos...

El Espíritu Santo nos fortalece para vivir como discípulos de Cristo y compartir sus siete dones con nosotros. Los dones del Espíritu Santo son sabiduría, entendimiento, consejo, fortaleza, ciencia, piedad y temor de Dios. En el sacramento de la Confirmación recibimos los dones del Espíritu Santo en forma especial. Esos dones nos ayudan a seguir las enseñanzas de Cristo y a dar testimonio de nuestra fe.

¿Qué don del Espíritu Santo te gustaría pedir ahora?

An artist's representation of the Temple of Jersulem.

*nave* *sanctuary*

## The Temple was built in Jerusalem.

To show his love for God and his desire to be faithful to the covenant, Solomon decided to build a great stone Temple in Jerusalem. This Temple was meant to be the center of worship of the one true God. It was meant to bind all the people to God and to Israel.

The Temple itself consisted of two main rooms: the sanctuary, or holy of holies, and the nave. The sanctuary, which was the innermost part of the Temple, was a small

raised room reserved exclusively for God. Only the High Priest could enter the holy of holies. The sanctuary contained the ark of the covenant where God was believed to reside invisibly. Two huge statues of angels called cherubim served as symbols of God's presence in the sanctuary.

The nave of the Temple was a larger room in front of the sanctuary. It contained a small altar for burning incense. A flight of steps and a doorway with a curtain across it led from the nave to the sanctuary.

On three sides of the sanctuary and nave were smaller rooms used for storage or reserved for the priests. In front of the Temple stood the Court of the Priests. It contained a great altar designed for the offering of sacrifices of various kinds.

Beyond the Court of the Priests, was a series of larger walled courts that surrounded the entire Temple. One of the courts was reserved for male Israelites, one was designed for female Israelites, and one was for visitors who were not Israelites. A high retaining wall with elaborate gates and entranceways surrounded the whole structure of the Temple and its courts.

The completion of the Temple was considered so important that the writer of the First Book of Kings compared it to the founding of the Israelite nation on Mount Sinai. The successful completion of the Temple also symbolized God's permanent presence among his chosen people in the promised land. Thus, the building of the Temple in Jerusalem was Solomon's greatest achievement.

Describe a sacred, or holy, space in which people can feel God's presence.

## As Catholics...

The Holy Spirit strengthens us to live as Christ's disciples and shares seven spiritual gifts with us. The gifts of the Holy Spirit are wisdom, understanding, right judgment, courage, knowledge, reverence, and wonder and awe. In the sacrament of Confirmation we receive the gifts of the Holy Spirit in a special way. These gifts help us to follow Christ's teachings and to give witness to our faith.

What is one gift of the Holy Spirit that you would ask for right now?

## Los salmos nos enseñan como rezar.

Muchos sabios creen que las sesiones de la Biblia fueron completadas, o por lo menos empezaron a recopilarse, durante los reinos de David y Salomón. Los más importantes de estos libros son el Cantar de los Cantares y el libro de los Salmos.

El libro de los Salmos, también conocido como Salterio, es una gran colección de cantos religiosos hebreos. Un **salmo** es una oración poética diseñada para ser cantada. Se piensa que David escribió muchos de los salmos. Esto tiene sentido porque David era poeta y músico. Otros salmos pueden haber sido compuestos por Salomón. Y otros fueron escritos muchos siglos después.

Como judío, Jesús rezaba los salmos con frecuencia. Hoy los salmos son rezados por el pueblo judío y también son importantes en la liturgia de los cristianos. Ellos nos ayudan a rezar y fortalecen nuestra relación con Dios.

Los salmos se encuentran en la Liturgia de las Horas, parte de la oración oficial de la Iglesia y en otros libros de oración. Los salmos se encuentran en los misales o libros de canciones usados por la iglesia, y son rezados o cantados durante la celebración de la misa.

Hay muchas clases de salmos.
- *Salmos reales* fueron compuestos para celebrar varias ocasiones durante el dominio de un rey.

- *Himnos alabando a Dios y a Sión* estan centrados en el poder de Dios o en la gloria de Sión.

- *Lamentaciones* expresan tristeza, dolor o pesadumbre.
- *Poemas de sabiduría* enseñan mas que estimulan a rezar.

El Cantar de los cantares es otro libro importante del Antiguo Testamento. Es una colección de poemas de amor. En este libro, el Señor es un amante y los israelitas sus amores y la alianza entre ellos es descrita como un matrimonio. El Cantar de los cantares contiene los más hermosos de los poemas de amor jamás escritos.

¿Cuáles son algunos salmos que conoces?

## RESPONDEMOS

### Salmo 121: Qué alegría

Qué alegría cuando me dijeron: "Vamos a la casa del Señor".

Qué alegría cuando me dijeron: "Vamos a la casa del Señor". Y ahora en tus portales entramos ya, Jerusalén, entramos ya, Jerusalén.

**Vocabulario**

sabiduría (pp 350)
salmo (pp 350)

## The psalms teach us how to pray.

Many scholars believe that several sections of the Bible were completed, or at least begun, during the reigns of David and Solomon. The most important of these writings are the Book of Psalms and the Song of Songs.

The Book of Psalms, also known as the Psalter, is the great collection of Hebrew religious songs. A **psalm** is a poetic prayer designed to be sung or chanted. David is thought to have written many of the psalms. That would make sense because we know that David was a poet and a musician. Other psalms may have been composed by Solomon. And still others were written many centuries later.

As a Jew, Jesus prayed the psalms often. Today the psalms are still prayed by the Jewish people, and the psalms are also an important part of the liturgical life of all Christians. They help us to pray and to deepen our relationship with God.

The psalms are found in the Liturgy of the Hours, part of the official prayer of the Church, and in other prayer books. Psalms are found in the missals or song books that we use in church, and are prayed and sung during the celebration of Mass.

There are many kinds of psalms.
- *Royal Psalms* were composed to celebrate various occasions in the reign of a king.
- *Hymns praising God and Zion* focus on God's power or on the glory of Zion.
- *Laments* express sorrow, mourning, or regret.
- *Wisdom poems* teach rather than encourage prayer.

The Song of Songs is another important Old Testament book. It is a collection of love poems. In the Song of Songs, the Lord is the one who loves, the Israelites are his beloved, and the covenant between them is described as their marriage. The Song of Songs contains some of the most beautiful love poems ever written.

 What are some psalms that you know?

_____

_____

## WE RESPOND

**Psalm 121: Qué Alegría/I Rejoiced**

Refrain:
   I rejoiced when I heard them say,
   "Let us go to the house of the Lord.
   Let us go to the house of the Lord."

   I rejoiced when they said to me,
   "We will go to the house of the Lord."
   And now inside your gates we stand,
      Jerusalem,
   we stand, Jerusalem. (Refrain)

Key Words

wisdom (p. 352)
psalm (p. 352)

## Capítulo 12

**Subraya la respuesta correcta.**

1. Durante el gobierno de (**David / Salomón**) Israel alcanzó la mayor prosperidad y paz.

2. En un sueño, Salomón le pidió a Dios (**gloria / sabiduría**) para que le ayudara a gobernar a los israelitas.

3. Salomón construyó (**un templo / un palacio**) para mostrarle a Dios su amor y su deseo de cumplir la alianza.

4. El (**santuario / nave**) era donde estaba colocada el arca de la alianza.

**Escoge la palabra(s) en el cuadro que completa la oración.**

| Himnos a Dios y a Sión | Poemas de sabiduría | lamentaciones | reales |
| --- | --- | --- | --- |

5. Salmos_____ fueron compuestos para celebrar varias ocasiones en el gobierno de un rey.

6. _____ son salmos dedicados a enseñar en vez de promover la oración.

7. _____ son salmos que expresan tristeza, luto o arrepentimiento.

8. _____ son salmos que aclaman el poder de Dios o la gloria de Sión.

**Contesta con un corto párrafo**

**9–10.** ¿Cómo nos ayuda la historia de Salomón a entender la importancia de la sabiduría?

## Reflexiona y ora

¿Cuándo alabas a Dios? ¿Cuándo confías en Dios para que te ayude? ¿Cuándo pides su misericordia?

Señor, ayúdame a ir a ti cuando

_____

_____

## Chapter 12

**Underline the correct answer.**

1. Under the rule of (**David / Solomon**) Israel achieved its greatest prosperity and peace in ancient times.

2. In a dream, Solomon asked God for (**glory / wisdom**) to help him rule the Israelites.

3. Solomon built (**a temple / a palace**) to show his love of God and desire to be faithful to the covenant.

4. The (**sanctuary/nave**) of the Temple contained the ark of the covenant.

**Choose a word(s) from the box to complete each sentence.**

| Hymns of God and Zion | Wisdom poems | Laments | Royal |
| --- | --- | --- | --- |

5. _____ Psalms were composed to celebrate various occasions in the reign of a king.

6. _____ are psalms designed to teach rather than to encourage prayer.

7. _____ are psalms that express sorrow, mourning, or regret.

8. _____ are psalms that focus on God's power or on the glory of Zion.

**Write a paragraph to answer this question.**

9–10. How does the story of Solomon help us to understand the importance of wisdom?

## Reflect & Pray

What are some times you praise God? When do you rely on God for help? When do you call out for his mercy?

Lord, help me to turn to you when

_____

_____

# Respondemos y compartimos la fe

## Compartiendo lo aprendido

Habla con tu familia sobre lo siguiente:

- Salomón
- la paz y la prosperidad en Israel
- el Templo de Jerusalén
- tipos de salmos.

## Recuerda

- El reinado de Salomón fue un tiempo de paz y prosperidad.
- Salomón fue famoso por su sabiduría.
- El Templo fue construido en Jerusalén.
- Los salmos nos enseñan como rezar.

## Preguntas sobre el judaísmo

**P:** ¿Qué es una sinagoga?

**R.** Sinagoga es una palabra griega que significa "lugar de reunión". Una sinagoga es la institución centro de la vida de una comunidad judía. Es la casa de oración de los judíos, un lugar de estudio y de reunión de la comunidad.

## NUESTRA VIDA CATOLICA

### Casa de adoración

Toda iglesia, desde la parroquia más pequeña hasta la catedral más grande, es una casa de oración y un lugar santo. Mostramos nuestra reverencia por este espacio sagrado de muchas maneras. Admiramos el trabajo de los artistas que contribuyeron a su belleza. Damos gracias a Dios por todas las personas que se sacrificaron para construir el lugar. Agradecemos a los que cuidan del interior de la iglesia, la vestimenta y los floreros de los altares. Estamos unidos a todos los que aquí se reúnen a celebrar. Esta semana haz una oración especial por todos los que rezan y trabajan en tu parroquia.

Visita Sadlier en

**www.CREEMOSweb.com**

**Conexión con el Catecismo**
Para referencia vea los párrafos 1831, 2589 y 2586.

# We Respond and Share the Faith

## Sharing What I Learned

Discuss the following with your family:

- Solomon
- peace and prosperity for Israel
- the Temple of Jerusalem
- types of psalms.

## Remember

- Solomon's reign was a time of peace and prosperity.
- Solomon gained fame for his wisdom.
- The Temple was built in Jerusalem.
- The psalms teach us how to pray.

## Questions About Judaism

**P:** What is a synagogue?

**R:** *Synagogue* is a Greek word meaning "a place of gathering for people." A synagogue is a Jewish house of prayer, a place of study, and a place for community gathering.

## OUR CATHOLIC LIFE
### House of Prayer

Every church, from the smallest parish to the largest cathedral, is a house of prayer and a holy place. We show our reverence for this sacred space in many ways. We admire the work of artists and craftspeople who contributed to its beauty. We thank God for all the people who sacrificed in the past to build this house of prayer. We are grateful for those who take care of the interior of the church, the vestments, and altar vessels. We join with all those who celebrate together in this sacred place. This week say a special prayer for all those who have prayed and worked together in your parish Church.

**Connect to the Catechism**
For adult background and reflection, see paragraphs 1831, 2580, and 2586.

Visit Sadlier's
**www.CREEMOSweb.com**

**Durante el Adviento, la Iglesia se prepara para celebrar la Navidad.**

## NOS CONGREGAMOS

✝ *Jesús, tráenos paz mientras nos preparamos para celebrar tu nacimiento.*

¿Qué significa para ti la palabra *paz*? ¿Cómo describirías la paz en el mundo? ¿En tu vecindario? ¿En tu escuela?

## CREEMOS

El Tiempo de Adviento es tiempo de espera y esperanza. Nos preparamos, celebramos y anticipamos la venida de Cristo al mundo.

La palabra *adviento* significa "venida" y las cuatro semanas de Adviento son un tiempo especial de gozo y espera.

- Esperamos la venida futura de Cristo y nos preparamos para ser fieles a él y vivir en paz con los demás.

- Celebramos la presencia de Cristo en el mundo hoy. Jesús viene a nosotros todos los días en la celebración de la Eucaristía, en todos lo sacramentos y en el amor que nos tenemos. Su presencia nos da esperanza y nos fortalece para hacer de este un mundo más unido y pacífico.

- Esperamos con gozo para celebrar que el Hijo único de Dios primero vino al mundo hace dos mil años en Belén de Judá.

El color violeta es símbolo de espera gozosa. Nos recuerda también la necesidad de hacer penitencia. Durante el Adviento celebrar el sacramento de la Reconciliación es una manera importante de prepararnos para la venida de Cristo.

**El profeta Isaías** La voz poderosa de Isaías se escucha en muchas de nuestras lecturas durante el Tiempo de Adviento. Isaías expresa la espera del pueblo de Dios por el Salvador que Dios les había prometido. Isaías les asegura que el Mesías será del pueblo de Dios y que llamará al pueblo a escoger la paz, no la guerra. Los israelitas creían que el Mesías sería un rey como cualquier otro que les traería libertad y paz.

"Entonces el lobo y el cordero vivirán en paz,
el tigre y el cabrito descansarán juntos,
el becerro y el león crecerán uno al lado del otro,
y se dejarán guiar por un niño pequeño".

Isaías 11:6

# Advent

## 13

**During Advent, the Church prepares for the celebration of Christmas.**

## WE GATHER

✞ *Jesus, bring us peace as we prepare to celebrate your birth.*

What does the word peace mean to you? How would you describe peace in the world? in your neighborhood? in your school?

## WE BELIEVE

The season of Advent is a time of waiting and expectation. We are preparing, celebrating, and anticipating the coming of Christ into the world.

The word *Advent* means "coming," and the four weeks of Advent are a special time of joyous anticipation and preparation.

- We hope for Christ's coming in the future, and we prepare by being faithful to him and living in peace with one another.

- We celebrate Christ's presence in the world today. Jesus comes to us every day in the celebration of the Eucharist, in all the sacraments, and in the love we have for one another. His presence gives us hope and strengthens us to make the world a more just, peaceful place.

- We wait with joyful expectation to celebrate that the only Son of God first came into the world over two thousand years ago in the town of Bethlehem in Judea.

The color violet is a symbol of this waiting and joyful expectation. It also reminds us of the need for penance. During Advent the celebration of the sacrament of Reconciliation is an important way to prepare for the coming of Christ.

**The Prophet Isaiah** The powerful voice of Isaiah the prophet rings out in many of our readings during the season of Advent. Isaiah expresses the longings of God's people as they wait for the savior God has promised to send. Isaiah assures them that the Messiah will come from among God's own people and that he will call the people to choose peace, not war. The Israelites believe that the Messiah will be a just king who will bring them freedom and peace.

"Then the wolf shall be the guest of the lamb,
and the leopard shall lie down with the kid;
The calf and the young lion shall browse together,
with a little child to guide them."

(Isaiah 11:6)

Durante el Adviento y la Navidad escuchamos el título Emanuel. Este nombre también lo encontramos en las lecturas de Isaías, donde leemos sobre Emanuel, palabra hebrea que significa "Dios con nosotros". Isaías usa esta palabra como el nombre del salvador, y la describe de esta forma:

"Porque nos ha nacido un niño, Dios nos ha dado un hijo, al cual se le ha concedido el poder de gobernar. Y le darán estos nombres: Admirable en sus planes, Dios invencible, Padre eterno, Príncipe de la paz" (Isaías 9:6).

El Mesías del cual habla Isaías tendrá autoridad. El será sabio y prudente. El actuará como un soldado y defenderá al pueblo, como si fuera Dios mismo. Su reino será de paz.

Los cristianos creemos que el salvador prometido por Dios por medio del profeta Isaías, ya vino. Creemos que Jesucristo es el Mesías. El es nuestro Emanuel. El es el niño, hijo, que se hizo uno de nosotros. El cumplió la promesa de Dios. El nos trae un mensaje de amor y respeto para todos y nos muestra como hacer lo mismo.

Isaías usó imágenes para decir al pueblo que el Salvador vendría y le pediría convertir la violencia en paz. Algunas de esas imágenes son el lobo invitado por el cordero, una vaca y un oso de vecinos, un león comiendo heno con un toro y un bebé jugando con una cobra. En grupo hagan una lista de las imágenes que Isaías pudiera usar si viviera hoy para llevar el mismo mensaje. Después ilustra una.

**Juan el Bautista** En las primeras semanas de Adviento escuchamos las palabras de Juan el Bautista, llamado con frecuencia el profeta del Nuevo Testamento. Los escritores de los cuatro evangelios describen a Juan con palabras del profeta Isaías.

"Una voz grita en el desierto: Preparen el camino del Señor; ábranle un camino recto" (Marcos 1:3)

Juan cumple las palabras de Isaías. El prepara al pueblo para la venida del Mesías. El predica un mensaje de arrepentimiento y conversión. Señala que Jesús es el Mesías. El gozo más grande de Juan es proclamar que Jesús es el Mesías, el tan esperado salvador: "¡Miren, éste es el Cordero de Dios, que quita el pecado del mundo!" (Juan 1:29).

Rezamos estas palabras de Juan el Bautista en cada Eucaristía, antes de recibir el Cuerpo y la Sangre de Cristo en la comunión. Jesús, el Salvador del mundo, ya no es una esperanza. El es verdaderamente "Emanuel", verdaderamente Dios con nosotros.

**El árbol Isaí** es una forma simbólica de presentar la historia del amor de Dios y la acción en la vida de su pueblo a través del tiempo. El nombre se encuentra en la Escritura:

"De ese tronco que es Isaí, sale un retoño; un retoño brota de sus raíces" (Isaías 11:1).

El árbol de Isaí es un forma de conectar los tiempos de Adviento con la fidelidad de Dios a su pueblo por más de cuatro mil años. Dios promete a Israel que la gloria que tuvo durante el reinado de David volverá. Habrá otro rey de la familia de David. Jesús era de "la casa y la familia de David". El árbol Isaí es como un árbol genealógico que muestra a los antepasados de Jesús.

During Advent and Christmas we hear the title Emmanuel. This, too, comes from the prophet Isaiah. In the Book of Isaiah we read of *Immanuel,* which is a Hebrew word meaning, "With us is God." Isaiah used this word as a name for the savior, and he described Immanuel this way:

"For a child is born to us, a son is given us;
   upon his shoulder dominion rests.
They name him Wonder-Counselor,
     God-Hero,
   Father-Forever, Prince of Peace" (Isaiah 9:5).

The Messiah Isaiah speaks of will have authority. He will be wise and prudent. He will act as a warrior and defender of the people, like God himself. And his kingdom will be one of peace.

Christians believe that the savior, promised by God through his prophet Isaiah, has already come. We believe that Jesus Christ is the Messiah. He is our Emmanuel. He is the child and son born to us. Jesus Christ is God the Son who became one of us. He fulfills God's promises. He brings a message of love and respect for all of us, and he shows us how to do the same.

Isaiah used images to tell the people that the savior would come and call them to turn violence into peace. Some of those images are of a wolf as a guest of a lamb, a cow and a bear as neighbors, a lion eating hay like an ox, and a baby playing in safety by a cobra's den. In groups work to list some images that Isaiah might use today to get across this same message. Then illustrate one image.

**John the Baptist**   In the early weeks of Advent we hear the words of John the Baptist, often called a New Testament prophet. The writers of all four gospels describe John with words from the prophet Isaiah.

"A voice of one crying out in
   the desert:
   'Prepare the way of the Lord,
   make straight his paths'" (Mark 1:3).

John fulfills the words of Isaiah. He prepares the people for the coming of the Messiah. He preaches a message of repentance and conversion. He points out Jesus as the Messiah. John's greatest joy is proclaiming that Jesus is the Messiah, the hoped-for savior: "Behold, the Lamb of God, who takes away the sin of the world" (John 1:29).

We pray these words of John the Baptist at every Eucharist, before we receive the Body and Blood of Christ in Holy Communion. Jesus, the Savior of the world, is no longer a hope. He is truly "Emmanuel," truly God with us.

**The Jesse Tree**   The Jesse Tree is a symbolic way of presenting the story of God's love and action in the lives of his people throughout the centuries. The name comes from Scripture:

"But a shoot shall sprout from the
   stump of Jesse,
   and from his roots a bud shall
   blossom" (Isaiah 11:1).

The Jesse Tree is a way to connect the season of Advent to God's faithfulness to his people for over four thousand years. God promises Israel that the glory they had during King David's rule will be theirs again. There will be another king from David's family. Jesus was "of the house and family of David." The Jesse Tree is like a family tree that shows Jesus' ancestry.

Tradicionalmente un ornamento simbólico, para cada día de adviento, se coloca en el árbol. También se coloca uno para el día de Navidad. El cuadro que se presenta aquí tiene una lista de los nombres de algunas personas y eventos que son parte de nuestra historia de salvación.

### RESPONDEMOS

¿Cómo nuestra preparación durante el Adviento nos ayuda a recordar los temas y eventos en el árbol de Isaí?

Investiga más sobre las personas y eventos representados en el árbol Isaí.

## El árbol Isaí

| Persona | símbolo ornamental |
|---|---|
| Abraham | campo de estrellas |
| Moisés | zarza ardiendo |
| Samuel | corona |
| David | arpa o bastón |
| Isaías | lenguas de fuego con carbón caliente |
| Juan Bautista | caracol |
| María | lirio blanco |
| Isabel (madre de Juan Bautista) | madre y bebé |
| José | martillo o cuadrante |

## ✝ Respondemos en oración

**Líder:** Nuestra ayuda viene de Dios.

**Todos:** Quien hizo el cielo y la tierra.

**Líder:** En los cortos días y noches de Adviento, nos damos cuenta que estamos siempre esperando que Dios nos libere.

**Lector:** Lectura del libro del Profeta Jeremías.

"El Señor afirma: 'Llegará el día en que cumpliré las promesas de bendición que hice al pueblo de Israel y de Judá. Cuando llegue ese tiempo y ese día, haré que David tenga un descendiente legítimo, que establecerá la justicia y la rectitud en el país' ". (Jeremías 33:14–15)

Palabra de Dios.

**Todos:** Te alabamos, Señor.

**Líder:** Señor, nuestro Dios.
Te alabamos por tu Hijo, Jesucristo. Él es

Emanuel, la esperanza de los pueblos, él es la sabiduría que nos enseña y guía, él es el Salvador de todas las naciones. Ven, Señor Jesús.

**Todos:** Ven Señor, no tardes.

### 🎵 Cristianos venid (tradicional)

Cristianos, venid, cristianos, llegad,
y adorad al niño que
ha nacido ya,
y adorad al niño que ha
nacido ya.

Qué noche tan clara, qué clara que
está; un sol de los cielos brilla
en un portal.
El verbo humanado nos viene a salvar;
venid confiados, humildes, llegad.

## THE JESSE TREE

| People | Symbolic Ornament |
| --- | --- |
| Abraham | Field of stars |
| Moses | Burning bush |
| Samuel | Crown |
| David | Shepherd's crook |
| Isaiah | Fire tongs with hot coal |
| John the Baptist | Scallop shell |
| Mary | White lily |
| Elizabeth (mother of John the Baptist) | Mother and child |
| Joseph | Carpenter's square or hammer |

Traditionally a different symbolic ornament is placed on the Jesse Tree for each of the days of Advent. There is also one for Christmas Day. The chart here lists some people that are part of the history of our salvation.

## WE RESPOND

How does our preparation during Advent help us to remember these themes and events on the Jesse Tree?

Research to find more people and events represented on the Jesse Tree.

## ✝ We Respond in Prayer

**Leader:** Our help is in the name of the Lord.

**All:** Who made heaven and earth.

**Leader:** In the short days and long nights of Advent, we realize how we are always waiting for deliverance from our God.

**Reader:** A reading from the Book of the Prophet Jeremiah

"The days are coming, says the LORD, when I will fulfill the promise I made to the house of Israel and Judah. In those days, in that time, I will raise up for David a just shoot; he shall do what is right and just in the land." (Jeremiah 33:14–15)

The word of the Lord.

**All:** Thanks be to God.

**Leader:** Lord our God,
we praise you for your Son, Jesus Christ:
he is Emmanuel, the hope of the peoples,
he is the wisdom that teaches and guides us, he is the Savior of every nation.
Come, Lord Jesus.

**All:** Come quickly and do not delay.

 **Prepare the Way**

Echo each line
Prepare the way for the coming of God!
Make a straight path for the coming of God!
Ev'ry valley will be filled in,
all hills and mountains will be made low;
crooked roads will be straightened out,
all the rough land will be made smooth.
And all the people on the earth
shall see the saving pow'r of God.

# Respondemos y compartimos la fe

## Compartiendo lo aprendido

Habla con tu familia sobre lo siguiente:

- el tiempo de Adviento
- Isaías y Juan el Bautista
- el árbol Isaí.

## Alrededor de la mesa

Adviento es un tiempo de muchas ocupaciones. Hablen sobre estas preguntas. ¿Cómo podemos encontrar paz en medio de todas las cosas que nos mantienen ocupados? ¿Cuáles son las cosas importantes que necesitamos hacer cada día para prepararnos para recibir a Jesús?

## Oración en familia

En familia escojan una forma de rezar o trabajar por la paz durante el Adviento. He aquí algunas sugerencias.

- Si la familia tiene la tradición de adornar con una corona de adviento, añadan oraciones cortas como esta: "Ven Señor Jesús, tráenos paz", al encender las velas cada semana.

- Busquen la lista de los misterios gozosos. Usenla para rezar el rosario en familia durante el Adviento.

- Busquen formas en que la parroquia ayuda a los necesitados. Decidan como van a participar en esas actividades de la parroquia.

Visita Sadlier en

www.CREEMOSweb.com

**Conexión con el Catecismo**
Para reflexión vea el párrafo 524.

# We Respond and Share the Faith

## Sharing What I Learned

Discuss the following with your family:

- the season of Advent
- Isaiah and John the Baptist
- the Jesse Tree.

## Around the Table

Advent is a busy time for most families. Discuss these questions together:

How can we find peace in the midst of all the things that keep us so busy?

What are the important things we need to do every day to prepare for Jesus Christ?

## Family Prayers and Project

As a family, choose one way of praying or working for peace during Advent. Here are some suggestions:

- If your family keeps the tradition of an Advent wreath at home, add a short prayer like "Come Lord Jesus, bring us peace" to the lighting of the candles each week.

- Find out and list the Joyful Mysteries of the Rosary. Use your list to pray the rosary with your family during Advent.

- Find out ways your parish helps those in need. Decide how you will participate in these parish activities.

**Connect to the Catechism**
For adult background and reflection, see paragraph 524.

Visit Sadlier's

www.CREEMOSweb.com

# Navidad

**La Navidad es un tiempo para celebrar la encarnación.**

## NOS CONGREGAMOS

✝ *Señor, te damos gracias por tu constante presencia.*

¿Cómo muestras a otros que sabes que están en tu casa? ¿En tu escuela? ¿En tu parroquia? ¿En tu vida?

## CREEMOS

Lo que celebramos el día de Navidad, y durante todo el tiempo de Navidad, es un maravilloso regalo de Emanuel, Dios con nosotros. Celebramos que Dios está con nosotros hoy y siempre.

El tiempo de Navidad es tiempo de regocijo en la encarnación, la verdad de que el Hijo de Dios se hizo hombre. Celebramos la presencia de Cristo entre nosotros ahora, como hace dos mil años con su primera venida al mundo. Recordamos que Dios amó tanto al mundo que envió a su único Hijo para salvarnos.

El Tiempo de Navidad empieza el 25 de diciembre y termina con la fiesta del Bautismo del Señor. Esta fiesta generalmente se celebra en la segunda semana de enero. Durante la

Navidad tenemos varias fiestas que nos ayudan a celebrar la venida del Hijo de Dios al mundo y su presencia con nosotros todos los días. He aquí algunas de ellas:

**San Esteban** El 26 de diciembre celebramos a San Esteban, el primer mártir de la fe. Leemos sobre su vida en el Nuevo Testamento en Hechos de los apóstoles. El predicó la buena nueva de Cristo, el Hijo de Dios y Salvador. Esteban predicó en Jerusalén y muchas personas creyeron y se bautizaron. Esto enojó a los líderes de Jerusalén. Ellos sacaron a Esteban de la ciudad y lo mataron. El murió rezando por los que le quitaron la vida. La fe de Esteban en Jesús, así como su amor por sus enemigos, es un ejemplo para nosotros.

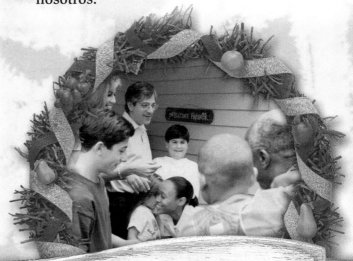

"Tu Palabra omnipotente Señor, descendió de los cielos desde tu trono real".

(Ritos Iniciales, II domingo después de Navidad, Misal Romano)

# Christmas

## 14

**The season of Christmas is a time to celebrate the Incarnation.**

## WE GATHER

✝ *Lord, we thank you for your constant presence.*

How do you show others that you know they are present in your home? in your school? in your parish? in your life?

## WE BELIEVE

What we celebrate on Christmas Day, and during the entire Christmas season, is the wonderful gift of Emmanuel, God-with-us. We celebrate that God is with us today and always.

The season of Christmas is a time to rejoice in the Incarnation, the truth that the Son of God became man. We celebrate Christ's presence among us now as well as his first coming into the world over two thousand years ago. We recall that God so loved the world that he sent his only Son to be our Savior.

The Christmas season begins on December 25 and ends with the feast of the Baptism of the Lord. This feast is usually celebrated around the second week of January. During the Christmas season we have several feasts that help us to celebrate the Son of God's coming into the world and his presence with us today. Here are a few of them.

**Saint Stephen**  On December 26 we remember Saint Stephen, the first martyr for the faith. We read about Stephen's life in the New Testament in the Acts of the Apostles. He spread the good news of Christ, the Son of God and Savior. Stephen preached in Jerusalem, and many people came to believe and were baptized. This angered the leaders in Jerusalem. They had Stephen taken out of the city and killed. He died praying for those who were about to take his life. Stephen's belief in Jesus, as well as his love for his enemies, is an example for all of us.

"Come, you nations, and adore the Lord. Today a great light has come upon the earth."

*Introductory Rites, Monday after Second Sunday after Christmas*

**San Juan**   El 27 de diciembre recordamos a San Juan, uno de los apóstoles de Cristo. A Juan se le acredita la escritura de uno de los evangelios. Su evangelio narra la vida y ministerio de Jesús desde el punto de vista de un amigo y discípulo. Juan proclamó que en el Hijo de Dios la Palabra se hizo carne para nuestra salvación. Durante la Navidad nos regocijamos de que la Palabra está entre nosotros, hoy y siempre. "La Palabra entre nosotros" y "la Palabra hecha carne" son títulos para Cristo, pero lo más importante es que ellos explican la encarnación. La palabra *encarnación* quiere decir "hecho carne".

**Santos inocentes**   El 28 de diciembre recordamos a los niños, llamados santos inocentes, asesinados por Herodes cuando nació Jesús.

Los reyes magos que vinieron del Este le dijeron al rey Herodes que le había nacido un rey a los judíos. Ellos habían viajado para ver a ese niño. Ellos encontraron al niño Jesús, lo adoraron y le ofrecieron regalos.

Herodes, con miedo de perder su poder, quiso matar al rey recién nacido. Para estar seguro de ello ordenó a sus soldados matar a todos los niños, menores de dos años de edad, en Belén y áreas vecinas. Pero un ángel del Señor le había avisado a José para que se marchara a Egipto con el bebé y María. Así se salvó Jesús.

**La Sagrada Familia**   El domingo después de Navidad, honramos a Jesús, María y José, la sagrada familia.

El domingo de la celebración de la Sagrada Familia rezamos por nuestras familias, y escuchamos lecturas en la misa que nos alientan a amar y obedecer nuestra propia vida familiar. La Iglesia enseña que nuestras familias deben aprender a ser como la sagrada familia y amarse y respetarse unos a otros. Todos los miembros, con su forma de vivir, contribuyen a la santidad de la familia.

**María, la Madre de Dios**.   Celebramos a María el 1 de enero. Decimos: "Ave María, tu hijo es el rey del cielo y la tierra". Celebramos el papel de María en la historia de la acción salvadora de Dios. Jesús es verdaderamente humano y divino. El es el Hijo de Dios, la segunda Persona de la Santísima Trinidad que se hizo hombre. María es la madre de Dios. El amor de María por su hijo se extiende a la Iglesia. Honramos a María como madre de la Iglesia.

**Epifanía**   El domingo entre el 2 de enero y el 8 enero celebramos la Epifanía. Celebramos que Dios Padre se reveló en su Hijo a todas las naciones. En ese día celebramos la epifanía de Jesús o que Jesús se muestra al mundo. Escuchamos en el Evangelio de Mateo que cuando Jesús nació en Belén los magos, hombres sabios, vinieron del Este a buscarlo. Llegaron a Jerusalén preguntando: "¿Dónde está el rey de los judíos que ha nacido? Pues vimos salir su estrella y hemos venido a adorarlo" (Mateo 2:2).

Durante el tiempo de Jesús muchas personas creían que una nueva estrella aparecía en el cielo cuando nacía un rey. Los magos vieron esta estrella desde tierras muy lejanas y vinieron a buscar al nuevo rey. Los magos no eran judíos, sino que querían honrar a Jesús con oro, incienso y mirra. El domingo de Epifanía celebramos que la venida de Jesús fue importante para todo el mundo. La buena nueva de Jesucristo es para todos.

**Saint John** On December 27 we remember Saint John, one of Christ's apostles. John is credited with writing one of the four gospels. His gospel records the life and ministry of Jesus from his very personal view as Jesus' friend and disciple. John proclaimed that in the Son of God the Word became flesh for our salvation. During the Christmas season we rejoice that the Word is among us, today and always. "The Word among us" and "the Word made flesh" are titles for Christ, but more importantly they are explanations for the Incarnation. In fact, the word *Incarnation* means "becoming flesh."

**Holy Innocents** On December 28 we remember the children, called the Holy Innocents, who lost their lives near the time of Jesus' birth. The wise men, or magi, from the East told King Herod about a newborn king of the Jews. Then they traveled on to find this child. They found the child Jesus, praised him, and offered him their gifts.

Herod, afraid that he would lose his power, wanted this newborn king killed. To be sure that this would happen Herod ordered his soldiers to kill all the baby boys in Bethlehem and the surrounding areas who were under two years of age. But the angel of the Lord had appeared to Joseph and told him to flee to Egypt with the newborn Jesus and Mary. So Jesus was saved.

**Feast of the Holy Family** On the Sunday after Christmas, we honor Jesus, Mary, and Joseph, the Holy Family. On Holy Family Sunday we pray for our own families, and hear readings at Mass that challenge us to be loving and obedient in our own family life. The Church teaches that our families should learn to be like the Holy Family and love and respect one another. All the members contribute to the holiness of the family by the way they live.

**Mary, Mother of God** On January 1 we celebrate one of Mary's feasts. We say "Hail, holy Mother! The child to whom you gave birth is the King of heaven and earth for ever." We celebrate Mary's role in God's saving action in history. Jesus was truly human and truly divine. He is God the Son, the second Person of the Blessed Trinity who became man. So Mary is the Mother of God. Mary's love for her son extends to his Church. We honor Mary as the mother of the Church, too.

**Epiphany**
On the Sunday between January 2 and January 8 we celebrate the feast of the Epiphany. We celebrate that God the Father revealed his Son to all nations. On this day we celebrate Jesus' epiphany, or the showing of Jesus, to the whole world. We hear in the Gospel of Matthew that when Jesus was born in Bethlehem, magi, or wise men, from the east traveled to find him. They arrived in Jerusalem asking, "Where is the newborn king of the Jews? We saw his star at its rising and have come to do him homage" (Matthew 2:2).

During the time of Jesus, many people believed that a new star appeared in the sky at the birth of a new ruler. The magi saw this star from lands far away and came in search of the new king. The magi themselves were not Jewish, but they still wanted to honor Jesus with gifts of gold, frankincense, and myrrh. On Epiphany Sunday we celebrate that Jesus' coming into the world was important to the whole world. The good news of Jesus Christ is meant for everyone.

**El Bautismo del Señor** El domingo después de la Epifanía celebramos el Bautismo del Señor por Juan el Bautista en el Río Jordán. Aun cuando Jesús no tenía pecado, le pidió a Juan que lo bautizara. Juan sabía que Jesús no necesitaba ese bautismo con agua. El sabía que Jesús era el Mesías. Sin embargo, Jesús lo convenció de que lo bautizara. Por su bautismo Jesús se identifica con todos los que luchan por cumplir la ley de Dios y los mandamientos. Jesús muestra que él entiende lo que significa ser humano.

Es después de su bautismo que se revela su divinidad. El Espíritu de Dios desciende sobre Jesús: "Este es mi Hijo amado, a quien he elegido" (Mateo 3:17).

El Tiempo de Navidad empieza con el nacimiento de Jesús y termina con su bautismo. Durante el Tiempo de Navidad, nacimiento y bautismo son conectados. Celebramos a Jesús, nuestro salvador, quien nació para nosotros en la tierra y celebramos la nueva vida nacida en nosotros por medio del sacramento del Bautismo.

### RESPONDEMOS

En grupos conversen sobre formas especiales en que pueden celebrar las fiestas de Navidad este año. En grupo compartan sus ideas. Después hagan una lista de las cinco más importantes y descubran formas de compartir sus ideas con otros en el grupo.

## ✝ Respondemos en oración

**Líder:** Gloria al Padre, y al Hijo y al Espíritu Santo.

**Todos:** Como era en el principio, ahora y siempre, por los siglos de los siglos. Amén.

**Lector:** Lectura de Hechos de los apóstoles:

"Ahora entiendo que de veras Dios no hace diferencia entre una persona y otra, sino que en cualquier nación acepta a los que lo reverencian y hacen lo bueno. Dios habló a los descendientes de Israel, anunciando el mensaje de paz por medio de Jesucristo, que es el Señor de todos. Ustedes bien saben lo que pasó en toda la tierra de los judíos, comenzando en Galilea, después que Juan proclamó que era necesario bautizarse. Saben que Dios llenó de poder y del Espíritu Santo a Jesús de Nazaret, y que Jesús anduvo haciendo bien y sanando a todos los que sufrían bajo el poder del diablo. Esto

pudo hacerlo porque Dios estaba con él (Hechos de los apóstoles 10:34–38).

Palabra de Dios.

**Todos:** Te alabamos, Señor.

**Lado 1:** "Aquí está mi siervo, a quien sostengo,

**Lado 2:** "Mi elegido, en quien me deleito. He puesto en él mi espíritu para que traiga la justicia a todas las naciones". (Isaías 42:1)

### 🎵 Los Confines de la Tierra

Respuesta

Los confines de la tierra
han contemplado
la victoria de nuestro Dios,
la victoria de nuestro Dios.

Canten al Señor un cántico nuevo,
porque ha hecho maravillas.
Su diestra le ha dado la victoria,
su santo brazo.

**Baptism of the Lord** On the Sunday after Epiphany we celebrate Jesus' baptism by John the Baptist at the Jordan River. Even though Jesus is without sin, he asks John to baptize him. John knows that Jesus does not need this baptism with water. He knows that Jesus is the Messiah. Yet Jesus convinces John to baptize him. By his baptism Jesus identifies himself with all of those who struggle to follow God's Law and live by the covenant. Jesus shows that he understands what it means to be human.

And it is after Jesus' baptism that his divinity is revealed. The Spirit of God descended on Jesus, "And a voice came from the heavens, saying, 'This is my beloved Son, with whom I am well pleased'" (Matthew 3:17).

The Christmas season begins with the birth of Jesus and ends with his baptism. During the Christmas season, birth and baptism are connected for us, too. We celebrate Jesus, our Savior, born to us on earth, and we celebrate his new life born in us through the sacrament of Baptism.

## WE RESPOND

In groups brainstorm some special ways that your class can celebrate the feasts of the Christmas season. As a class share your ideas. Then make a database of the top five and find a way to share your ideas with other classes.

## ✝ We Respond in Prayer

**Leader:** Glory to the Father, and to the Son, and to the Holy Spirit:

**All:** as it was in the beginning, is now, and will be for ever. Amen.

**Reader:** A reading from the Acts of the Apostles

"In truth, I see that God shows no partiality. Rather, in every nation whoever fears him and acts uprightly is acceptable to him. You know the word [that] he sent to the Israelites as he proclaimed peace through Jesus Christ, who is Lord of all, what has happened all over Judea, beginning in Galilee after the baptism that John preached, how God anointed Jesus of Nazareth with the holy Spirit and power. He went about doing good and healing all those oppressed . . . for God was with him."

(Acts of the Apostles 10:34–38)

The word of the Lord.

**All:** Thanks be to God.

**Side 1:** "Here is my servant whom I uphold,
    my chosen one with whom I am pleased,

**Side 2:** Upon whom I have put my spirit;
    he shall bring forth justice to the nations." (Isaiah 42:1)

🎵 **Psalm 98: All the Ends of the Earth**
Refrain
    All the ends of the earth have
    seen the saving pow'r of God.
    All the ends of the earth have seen
    the saving power of God.

    The Lord has made his salvation known:
    in the sight of the nations
    he has revealed his justice.
    He has remembered his kindness
    and his faithfulness
    toward the house of Israel. (Refrain)

179

# Respondemos y compartimos la fe

## Compartiendo lo aprendido

Habla con tu familia sobre lo siguiente:

- el Tiempo de Navidad
- la encarnación
- la Epifanía y el Bautismo del Señor.

## Alrededor de la mesa

Hablen sobre las formas en que la familia puede celebrar la Navidad durante todo el tiempo de Navidad. He aquí algunas ideas:

- Celebren los tradicionales "doce días de Navidad" (desde el 26 de diciembre hasta el 6 de enero) haciendo algo amable, todos los días, por cada uno de los miembros de la familia.

- Horneen un "biscocho real" para la fiesta de Epifanía. Decórenlo con blanco, morado y dorado (los colores reales). Pongan un caramelo en la masa antes de decorarlo. A la persona que le toque el pedazo del bizcocho con el caramelo es rey por un día.

## Oración en familia

Un miembro de la familia enciende una vela y empieza la acción de gracias.

**Líder:** Gloria a Dios en el cielo.

**Todos:** Y paz en la tierra a los hijos de Dios.

**Líder:** Señor Jesús, en la paz de este tiempo nuestros espíritus se llenan de gozo:
Con las bestias y los ángeles,
los pastores y las estrellas,
con María y José, cantamos gloria a Dios.

Que con tu venida los que tienen hambre sean saciados con buenas cosas y que nuestra mesa y nuestro hogar sean bendecidos.
Gloria a Dios en el cielo.

**Todos:** Y paz en la tierra a los hijos de Dios.

Visita Sadlier en
**www.CREEMOSweb.com**

**Conexión con el Catecismo**
Para reflexión vea el párrafo 461.

# We Respond and Share the Faith

## Sharing What I Learned

Discuss the following with your family:

- the season of Christmas
- the Incarnation
- the Epiphany and the Baptism of the Lord.

## Around the Table

Talk about ways your family can celebrate Christmas throughout the entire Christmas season. Here are a few ideas:

- Celebrate the traditional "twelve days of Christmas" (from December 26 to January 6) by doing something kind for your family members each day.

- Bake a "King Cake" for the feast of the Epiphany. Decorate it with white, purple, and gold (kingly colors!). Insert candy inside before you frost the cake. The person who gets the piece of cake with the candy is king for the day.

## A Family Prayer

A family member may light a Christmas candle as you begin this table grace:

**Leader:** Glory to God in the highest.

**All:** And peace to his people on earth.

**Leader:** Lord Jesus,
in the peace of this season
our spirits rejoice:
With the beasts and angels,
the shepherds and stars,
with Mary and Joseph
we sing God's praise.

By your coming
may the hungry be filled
with good things,
and may our table and home
be blessed.
Glory to God in the highest.

**All:** And peace to his people on earth.

**Connect to the Catechism**
For adult background and reflection, see paragraph 461.

Visit Sadlier's
**www.CREEMOSweb.com**

## NOS CONGREGAMOS

**Líder:** El Señor nos habla de diferentes formas y por medio de diferentes personas. He aquí como habló al profeta Elías.

**Lector:** "El Señor se dirigió a él, y le dijo: "¿Qué haces aquí, Elías?" El respondió: "He sentido mucho celo por ti, Señor, Dios todopoderoso, porque los israelitas han abandonado tu pacto y derrumbado tus altares, y a filo de espada han matado a tus profetas. Sólo yo he quedado, y me están buscando para quitarme la vida". Y el Señor le dijo: "Sal fuera y quédate de pie ante mí, sobre la montaña". En aquel momento pasó el Señor, y un viento fuerte y poderoso desgajó la montaña y partió las rocas ante el Señor; pero el Señor no estaba en el viento. Después del viento hubo un terremoto; pero el Señor tampoco estaba en el terremoto.... Pero después del fuego se oyó un sonido suave y delicado. Al escucharlo, Elías se cubrió la cara con su capa". (1 Reyes 19:9–13).

**Líder:** Con frecuencia Dios nos habla quedamente. Cuando estamos quietos podemos escuchar a Dios hablar en nuestros corazones. Vamos a hacer una pausa y quietos vamos a invitar al Señor a entrar en nuestros corazones y mentes. (*Pausa en silencio*)

Dios, ayúdanos a escuchar cuidadosamente tu voz en el "susurro" dentro de nuestros corazones y mentes.

**Todos:** Amén.

 ¿Cuándo te es fácil escuchar a alguien? ¿Cuándo te es difícil?

## CREEMOS

### El reino de Salomón se dividió.

Dios nos ama tanto que nos da la habilidad de amarnos y cuidarnos unos a otros. También nos da la libertad de elegir amar. Dios quiere que seamos felices y vivamos en paz. El quiere lo mejor para nosotros. Sin embargo, nuestras decisiones, algunas veces, pueden dirigirnos a vivir en forma que no es buena para nosotros.

Parece que eso fue lo que le pasó al rey Salomón, el hijo de David. Algunas de las decisiones de Salomón hirieron su relación con Dios y su corazón fue lentamente alejándose de Dios. Salomón gradualmente olvidó la alianza y siguió falsos dioses. Por eso Dios le dijo que le quitaría su reino y se lo daría a otra persona. Dios también le dijo: "Le dejaré una tribu, por consideración a tu padre y a Jerusalén, la ciudad que he escogido". (1 Reyes 11:13).

# A Divided People: Israel, the Northern Kingdom

## WE GATHER

✞ **Leader:** The Lord speaks to us in many different ways and through many people. Here is the way he spoke to the prophet Elijah.

**Reader:** Elijah "came to a cave, where he took shelter. But the word of the LORD came to him, 'Why are you here, Elijah?' He answered: 'I have been most zealous for the LORD . . . but the Israelites have forsaken your covenant, torn down your altars, and put your prophets to the sword. I alone am left, and they seek to take my life.' Then the LORD said, 'Go outside and stand on the mountain . . . the LORD will be passing by.' A strong and heavy wind was rending the mountains . . . but the LORD was not in the wind. After the wind there was an earthquake—but the LORD was not in the earthquake. After the earthquake there was fire—but the LORD was not in the fire. After the fire there was a tiny whispering sound. When he heard this, Elijah hid his face in his cloak" (1 Kings 19:9–13).

**Leader:** Often God speaks to us in stillness. When we are quiet, we can hear God speaking to us in our hearts. Let us pause now in stillness and quiet, and invite the Lord to enter our hearts and minds. *(Silent pause)*

God, help us to listen carefully to your voice in the "tiny whispering sound" within our hearts and minds.

**All:** Amen.

☀ When do you find it easy to listen to someone? When is it difficult?

## WE BELIEVE
### Solomon's kingdom was divided.

God loves us so much that he gives us the ability to love and care for one another. He also gives us the freedom to choose to love. God wants us to be happy and at peace. He wants what is best for us. However, our choices sometimes may lead us to live in ways that are not good for us.

It seems that this happened to King Solomon, the son of David. Some of Solomon's choices greatly hurt his friendship with God, and his heart was slowly turned away from God. Solomon gradually forgot the covenant and followed the ways of many false gods. Because of this God told Solomon that he would take the kingdom away from him and give it to someone else. But God also said, "Nor will I take away the whole kingdom. I will leave your son one tribe for the sake of my servant David and of Jerusalem, which I have chosen" (1 Kings 11:13).

**REINO DIVIDIDO (EN EL NORTE ISRAEL ▪. EN EL SUR JUDÁ ▫)** *(Las fechas son aproximadas)*

| 922 AC | 869 AC | 842 AC | 786 AC | 721 AC | 640 AC | 612 AC | 609 AC |
|---|---|---|---|---|---|---|---|

Muere Solomón

División del reino

Kingdom divides in two

Solomon dies

Adoración de falsos dioses

Worship of false gods

Jehú elimina falsos dioses

Jehú drives out worship of false gods

Jeroboam II (Edad de oro)

Jeroboam II: "golden age"

El profeta Amós

El profeta Oseas

Amos, the prophet

Hosea, the prophet

Asiria conquista Israel

Assyria conquers Israel

El profeta Miqueas

Prophet Micah

Isaía de Jerusalén

Isaiah of Jerusalem

Josías reforma las prácticas religiosas

Josiah: after workers find the "Book of the Law", reforms religious practices

Cae Nínive

Ninevah falls

Cae Judá

Judah becomes part of Babylonian empire

| 922 BC | 869 BC | 842 BC | 786 BC | 721 BC | 640 BC | 612 BC | 609 BC |
|---|---|---|---|---|---|---|---|

**THE DIVIDED KINGDOM (NORTHERN KINGDOM—ISRAEL ▪, SOUTHERN KINGDOM—JUDAH ▫)** *(All dates approximate)*

El rey Salomón gobernó y unió a Israel y terminó muchos proyectos incluyendo la construcción del Templo de Jerusalén. Sin embargo, él hizo que el pueblo pagara grandes impuestos y trabajara largas horas para terminar esos proyectos. Cuando Salomón murió en 922 A.C., los israelitas no estaban contentos.

Roboam, el hijo de Salomón, fue el siguiente rey y anunció que la carga del pueblo sería aún mayor. Cuando las diez tribus del norte escucharon eso se negaron a aceptarlo como rey. Entonces siguieron a Jeroboam. Las palabras del Señor a Salomón se cumplieron, y el imperio de Salomón fue dividido en dos reinos. El reino compuesto de las diez tribus del norte, con Jeroboam como rey, se conoció como Israel. El reino compuesto por las dos tribus del sur, con Roboam como rey, fue el reino de Judá.

Aunque Dios permitió a Jeroboam gobernar a Israel, Joroboam no cumplió los mandamientos de Dios. El no adoraba a Dios con todo su corazón. El llevó a Israel a olvidar su alianza con el único y verdadero Dios. Con sus obras, Jeroboam llevó al pueblo a la idolatría. **Idolatría** significa adorar a una criatura o cosa en vez de a Dios. La idolatría está prohibida por el primer mandamiento.

El primer mandamiento nos pide amar y honrar a Dios sobre todas las cosas. Honramos a Dios con nuestra fe en él. Adoramos a Dios con nuestras oraciones y alabanzas, dándole gracias y honor sólo a él. Este mandamiento también nos pide poner nuestra esperanza y confianza en Dios. Aun si olvidamos el amor y cuidado de Dios por nosotros, el amor eterno de Dios por nosotros se mantiene.

Desafortunadamente ninguno de los reyes le recordó esto al pueblo. En Judá, Roboam, permitió que el pueblo se olvidara de su promesa a la alianza. Ambos, Jeroboam y Roboam alejaron al pueblo de Dios. Los dos reinos luchaban entre sí constantemente y el reino dividido seguía decayendo.

Haz una lista de la cosas que pueden dividir a la gente hoy.

_____

_____

_____

_____

Ezequiel    Destrucción de Jerusalén    Historia de Job    Identidad judía    Acercamiento a la Ley    Isaías de Babilonia    Los judíos regresan a su tierra    Origen de Purim    Malaquias    Esdra    Isaías de Judá

Exilio en Babilonia

Reconstrucción del Templo

Israelites exiled to Babylon

Destruction of Jerusalem and Temple

The Temple is rebuilt

Ezekiel    The story of Job    Jewish identity    A new understanding of the covenant    Isaiah of Babylon    Cyrus lets Jews return to their homeland    Origin of Purim    Malachi    Ezra    Isaiah of Judah

593 BC     587 BC           538 BC    515 BC    485 BC

**BABYLONIAN CAPTIVITY**                  **RETURN TO THE HOMELAND**

King Solomon had ruled a united Israel and had completed many projects including the building of the Temple in Jerusalem. However, he had made the people pay heavy taxes and work long hours on these projects. Thus, by the time Solomon died in 922 B.C., the Israelites had grown discontent.

Solomon's son Rehoboam became the next king and announced that he would make the people's burdens even heavier. When the ten northern tribes heard this, they refused to accept Rehoboam as king. Instead they followed a man named Jeroboam. The words of the Lord to Solomon were fulfilled, and Solomon's empire was divided into two separate kingdoms. The kingdom made up of the ten northern tribes, with Jeroboam as king, was known as Israel. The kingdom made up of the two southern tribes, with Rehoboam as king, was known as Judah.

Though God had given Jeroboam rule over Israel, Jeroboam did not keep God's commandments. He did not worship God with all his heart. He led Israel to forget their covenant with the one true God. By his actions, Jeroboam led the people into idolatry. **Idolatry** means giving worship to a creature or thing instead of to God. Idolatry is forbidden by the first commandment.

The first commandment calls us to love and honor God above all else. We honor God by our belief in him. We adore God through prayer and worship, by giving thanks and praise to him alone. The commandment also calls us to place our hope and trust in God. Even if we forget God's love and care for us, God's everlasting love for us remains.

Unfortunately neither king reminded the people of this. In Judah, Rehoboam, too, allowed the people to turn away from their covenant promise. So, both Jeroboam and Rehoboam led the people away from God. Their northern and southern kingdoms constantly battled with each other, and the divided kingdom continued to decline.

List some things that divide people today.

_____

_____

_____

_____

_____

**ISRAEL ENTRE LAS NACIONES** *(Las fechas son aproximadas)*

| 175 AC | 167 AC | 140 AC | 140 AC | | 63 AC | 37 AC | |
| --- | --- | --- | --- | --- | --- | --- | --- |

El rey ordena aceptar la cultura griega

Los macabeos se rebelan y restauran la fe judía

Judas limpia el templo, origen de Januká

Simón gana independencia

Se escribe el libro de la Sabiduría

El Imperio Romano toma Judá

Roma da poder a Herodes el Grande

La anunciación

King orders acceptance of Greek culture and religion

The Maccabees lead rebellion to restore Jewish faith

Judas Maccabeus cleanses the Temple; origin of Hanukkah

Simon Maccabeus gains independence for Judah

Book of Wisdom is written

Roman empire takes over Judea

Rome gives power to Herod the Great

The Annunciation

| 175 BC | 167 BC | 140 BC | 140 BC | | 63 BC | 37 BC | |
| --- | --- | --- | --- | --- | --- | --- | --- |

**ISRAEL AMONG THE NATIONS** *(All dates approximate)*

## Elías y Eliseo proclaman fidelidad a Dios.

Después de la muerte de Jeroboam, el reino del norte siguió practicando la idolatría. Muchos de los reyes que siguieron a Jeroboam no estaban interesados en dirigir al pueblo hacia Dios. Uno de los peores reyes del norte fue Acab: "Su conducta fue reprobable a los ojos del Señor, e incluso peor que la de los reyes anteriores a él". (1 Reyes 16:30). Al inicio de su reinado, Acab se casó con una princesa extranjera llamada Jezabel. Ella adoraba a Baal, y el rey empezó a adorarlo también. Acab construyó un templo para Baal en Samaria. Acab también buscó falsos sacerdotes y profetas para que lo aconsejaran.

Jezabel trató de plantar sus creencias en el corazón del pueblo. Ella puso estatuas de su dios en todas partes. Eventualmente Acab permitió que Jezabel matara cientos de personas que creían en el único y verdadero Dios.

Dios trató de ayudar al pueblo a seguir fiel a él. El envió profetas a guiar al pueblo. El pueblo experimentó el amor y la presencia de Dios en sus vidas. Los profetas vieron claramente el mal que estaba teniendo lugar en las comunidades. Pidieron al pueblo parar y pensar en lo que estaba haciendo. Ellos llamaron al pueblo a ser fiel a Dios, así como Dios había sido grande con el.

Durante el reinado de Acab, el primer profeta que Dios envió al reino del norte fue Elías.

Elías significa "Yavé es mi Dios". Su llamaba al pueblo a tener fe en el único y verdadero Dios.

Elías ungió a Eliseo para que hiciera el trabajo de Dios. También puso una capa sobre Eliseo como signo de que había sido escogido para ser profeta. El Espíritu de Dios estaba sobre Eliseo, igual que con Elías. Ambos hablaron las palabras de Dios a muchos y advirtieron al pueblo que debía vivir con justicia y fidelidad.

Las obras de Elías y Eliseo se recuerdan en el primer y segundo libros de Reyes. Todas sus obras muestran que el poder de un profeta viene del verdadero Dios. Sus palabras y obras muestran que Dios es amoroso y fiel a su pueblo, aun cuando el pueblo no sea fiel.

Con un compañero nombra a alguien que pueda llamar a la gente a ser fiel a Dios hoy.

### Como católicos...

Por sus palabras y obras los profetas nos recuerdan que la justicia, la paz y el amor a nuestro prójimo, especialmente a los pobres y oprimidos, deben ser parte de nuestra vida cristiana. En nuestros tiempos modernos podemos citar como profetas a: la Madre Teresa, El Papa Juan Pablo II, Dorothy Day, César Chávez, Dr. Martín Luther King Jr., y a la hermana Thea Bowman. Escoge a uno de esas personas e investiga sobre su vida. Descubre por qué los llamamos profetas de hoy.

MINISTERIO DE JESUS

Año del Señor

Nacimiento de Jesús — La sagrada familia en Nazaret — Tensión entre Roma y los judíos — Tensión religiosa aumenta

Bautismo de Jesús — Jesús inicia su ministerio público

Jesus is born — The Holy Family in Nazareth — Relations between Rome and Jews are strained — Religious tensions increase

John baptizes Jesus — Jesus begins his public ministry

AD (The Year of Our Lord)

JESUS' EARTHLY MINISTRY

## Elijah and Elisha proclaimed God's faithfulness.

After Jeroboam died, the northern kingdom continued to practice idolatry. Many of the kings that followed Jeroboam were not interested in leading the people back to God. One of the worst northern kings was Ahab. He "did evil in the sight of the LORD more than any of his predecessors" (1 Kings 16:30). Early in his reign Ahab married a foreign princess named Jezebel. She worshiped a false god named Baal, and King Ahab began to worship Baal, too. Ahab built a temple to Baal in Samaria, the capital city of the Northern Kingdom. Ahab also used false priests and prophets as advisors.

Jezebel tried to plant her beliefs in the heart of the people of the northern kingdom. She set up statues of her gods everywhere. Eventually Ahab even allowed Jezebel to kill hundreds of people who believed in the one true God.

God tried to help the people of the kingdom of Israel to stay close to him. He sent prophets to guide the people in his ways. They experienced God's love and presence in their own lives. Because of this, the prophets clearly saw the wrongs that were taking place in their communities. The prophets told the people to stop and think about the way they were living. They called the people to be faithful to God just as God was faithful to them.

During the reign of King Ahab, the first prophet whom God sent to the northern kingdom was Elijah. The name Elijah means "Yahweh is my God." Elijah's message called the people to faith in the one true God.

Elijah eventually anointed Elisha to do God's work, too. Elijah threw his cloak over Elisha as a sign that he was called to the mission of a prophet. So Elisha had the spirit of God upon him, just as Elijah did.

These two prophets spoke God's words to many and urged the people to live in justice and faithfulness. The deeds of Elijah and Elisha are recorded in the First and Second Book of Kings. All of their works show that the power of a prophet comes from the one true God. Their words and actions show that God is loving and faithful to his people, even when they are not faithful to him.

With a partner name someone who calls people to be faithful to God today.

## As Catholics...

Through their words and actions, prophets remind us that justice, peace, and love of neighbor—especially those who are poor and oppressed—must be part of our Christian way of life. Such people in our modern times include Mother Teresa, Pope John Paul II, Dorothy Day, César Chávez, Dr. Martin Luther King, Jr., and Sister Thea Bowman. Choose one of these people to research. Discover why we call that person a prophet for today.

187

## Los sirios destruyeron el reino del norte.

En el 850 A.C. el rey Acab murió en una batalla. El había alejado al pueblo de Dios de su alianza con Dios. Acab fue sucedido primero por un hijo y luego por otro. Ambos trataron de llevar al reino del norte, Israel, a adorar al único y verdadero Dios. Sin embargo, tuvieron poco éxito porque su madre, Jezabel, tenía el poder.

En el 842 A.C., Jezabel y la mayoría de la familia de Acab fue asesinada por Jehú, un general. Jehú también destruyó los lugares donde se adoraban falsos dioses. Se proclamó como rey y liberó al reino del norte de la adoración a falsos dioses.

En el 801 A.C. Joacaz comenzó a reinar. Su reino empezó un período de poder y prosperidad. Bajo su hijo Jeroboam II, Israel empezó a ganar las tierras perdidas del norte y a establecer la paz con el reino del sur, Judá. Algunos israelitas se hicieron muy ricos, pero muchos otros eran pobres. La mayoría de los israelitas tenían una vida dura. Las diferencias económicas, inexistentes antes, ahora eran un problema. Muchos llegaron a ser avaros y actuaban mal.

**Vocabulario**

idolatría (pp 349)

Junto a esas injusticias sociales, había problemas religiosos. La fe del pueblo seguía influenciada por la adoración a falsos dioses. El verdadero significado de la alianza se había olvidado. Mucha gente no cumplía sus promesas a Dios.

Para nosotros es también importante mantener fuerte nuestra fe en Dios. Porque la fe es un don de Dios, necesitamos ir a Dios para fortalecer nuestra fe. Cuando seguimos el ejemplo de Cristo, y pedimos al Espíritu Santo nos ayude, nuestra fe crece. Rezar, leer la Escritura, celebrar los sacramentos y vivir como discípulos de Jesús, también fortalece nuestra relación con Dios.

Después que Jeroboam II murió en el 746 A.C. el poder y la prosperidad de Israel se desvanecieron debido al nuevo poder de Siria. En el 724 A.C. el rey de Siria atacó a Israel y tomó las tierras aledañas. Tomó el reino de Israel y ocupó toda la tierra excepto Samaria, la capital. Después en el 721 A.C. Samaria finalmente cayó bajo Asiria.

Un gran número de israelitas fueron deportados como esclavos. Los asirios llenaron el reino del norte con gente de otras tierras. Más de veintisiete mil israelitas fueron deportados y nunca más se supo de ellos. Ellos se conocieron como las diez tribus perdidas de Israel. Así el reino del norte fue parte del imperio asirio.

La experiencia del pueblo de Dios nos muestra que el pecado no lleva a la vida. La fidelidad a Dios y a los demás es necesaria para vivir como Dios quiere que vivamos.

Escribe algunas de las formas en que la comunidad parroquial puede mostrar fidelidad a Dios y los demás.

## The Assyrians destroyed the northern kingdom.

In 850 B.C. King Ahab died in battle. He had led God's people away from their covenant with God. Ahab was first succeeded by one of his sons and then by another. They both tried to get Israel, the northern kingdom, to worship the one true God. However, they had very little success because their mother, Jezebel, was still too powerful.

In 842 B.C., Jezebel and most of Ahab's family were killed by Jehu, a general. Jehu also destroyed the places where false gods were worshiped. Jehu established himself as king and freed the northern kingdom from the worship of false gods.

In 801 B.C. Jehoash became king. His reign seemed to begin a period of power and prosperity. Under Jehoash's son, Jeroboam II, Israel even regained lost land in the north and established peace with the southern kingdom of Judah. Some people in Israel became very wealthy, but many others were poor. Most Israelites lived a hard life. Economic differences, which had not previously existed, now became a problem. Many people grew greedier and acted in evil ways.

Along with these social injustices, there were also religious problems. The faith of the people was still influenced by the worship of false gods. The real meaning of the covenant was forgotten. Many people no longer fulfilled their promises to God.

It is important for us, too, to keep our faith in God strong. Because faith is a gift from God, we need to turn to God to strengthen our faith. When we follow the example of Christ, and ask the Holy Spirit for help, our faith can grow. Spending time in prayer, studying Scripture, celebrating the sacraments, and living together as Jesus' disciples all strengthen our relationship with God.

After Jeroboam II's death in 746 B.C., Israel's power and prosperity vanished due to a new power—the nation of Assyria. And in 724 B.C. the king of Assyria attacked Israel and took over the countryside. He took the king of Israel and occupied all the land except for Samaria, the capital city. Then in 721 B.C. Samaria finally fell to Assyria.

Great numbers of Israelites were sent away, or deported as slaves. The Assyrians filled the northern kingdom with people from other lands. Over twenty-seven thousand Israelites who were deported were never heard from again. They became known as the ten lost tribes of Israel. Thus, the northern kingdom of Israel became just another part of the Assyrian empire.

The experience of God's people shows us that sinfulness does not lead to life. Faithfulness to God and to one another is necessary for living as God calls us to live.

Write one way that your parish community can show faithfulness to God and one another.

_____

_____

idolatry (p. 351)

189

## Otros profetas llevaron el mensaje de Dios a Israel.

Algunos profetas del norte dejaron récord escritos de sus mensajes. El mensaje del profeta Amós puede encontrarse en el libro de Amós, uno de los libros proféticos del Antiguo Testamento.

Amós fue un pastor que vivió durante la mitad del reinado de Jeroboan II, que al parecer fue un tiempo de prosperidad. En realidad muchos problemas sociales y religiosos existían en el reino del norte. Amós habló de esos problemas con vehemencia.

El mensaje que Amós llevó a Israel era difícil pero necesario que el pueblo lo escuchara. Amós le dijo que eran duros de corazón, avaros y deshonestos. El los acusó de darle la espalda a Dios. Señaló que ellos habían olvidado a lo pobres y a los huérfanos, que hacían pagar a las viudas y a los campesinos impuestos injustos y que habían cometido crímenes e injusticias sociales.

Amós le dijo al pueblo que Dios no estaba impresionado con sus prácticas religiosas cuando él vio que no vivían justamente. El insistió que la única esperanza de salvación para Israel era actuar justamente. El llamó al pueblo de Israel a recordar que sus acciones debían mostrar lo que había en sus corazones. Amós proclamó:

"Busquen el bien y no el mal, y vivirán; así será verdad lo que ustedes dicen. Que el Señor, el Dios todopoderoso, está con ustedes" (Amós 5:14).

Desafortunadamente muchos ignoraron el mensaje de Amós. Amós no vio señal de que el pueblo de Israel cambiaría. El predijo que el reino sería destruido. Sus palabras se hicieron realidad cuando Siria tomó Israel.

También nosotros somos llamados a actuar justamente y luchar por lo que es justo y recto. Debemos trabajar por la justicia y la paz. La Iglesia llama a cada uno de nosotros a seguir el ejemplo de Cristo de fe en Dios, el Padre, y a trabajar por los oprimidos, los desamparados y los que están en necesidad. No podemos separar nuestro amor a Dios de nuestro amor al prójimo.

¿Cómo podemos seguir el mensaje de Amós hoy?

Otro profeta del reino del norte fue Oseas, quien vivió durante los tiempos de Amós. Oseas era casado con una mujer llamada Gomer. Gomer no le era fiel. Aun cuando Oseas estaba escandalizado de su infidelidad, la amaba tanto que no podía despedirla. Oseas le dijo al pueblo que Dios se sentía de la misma forma acerca de Israel: Dios se negaba a abandonar a Israel a pesar de que el pueblo le había sido infiel.

Para Oseas, la idolatría de Israel y sus injusticias contra los pobres mostraban falta de fe. Oseas le dijo que su promesa de fidelidad a Dios era vacía a menos que mostraran su amor de la forma en que vivían.

## RESPONDEMOS

Profetiza. Planifica un comercial corto que anime a la gente a ser fiel a Dios.

## Other prophets brought God's message to Israel.

A number of northern prophets left written records of their messages. The prophet Amos' message can be found in the Book of Amos, one of the prophetic books of the Old Testament.

Amos was a shepherd who lived during the middle of the reign of Jeroboam II, which seemed like a time of prosperity. In reality many social and religious problems existed in the northern kingdom. Amos addressed these problems fearlessly.

The message Amos delivered to Israel was difficult yet necessary for the people to hear. Amos told them that they were heartless, greedy, and dishonest. He accused them of turning their backs on God. He pointed out that they had forgotten those who were poor and orphaned, had unjustly taxed widows and farmers, and had committed crimes and other social injustices.

Amos told the people that God was not impressed by their religious practices when he saw that they were not living justly. He insisted that Israel's only hope of salvation was to act justly. He called the people of Israel to remember that their actions must show what was in their hearts. Amos proclaimed,

"Seek good and not evil,
   that you may live;
Then truly will the LORD, the God of hosts,
   be with you as you claim!" (Amos 5:14).

Unfortunately many people ignored Amos' message. Amos saw no clear sign that the people of Israel would change their ways. He predicted the kingdom's final destruction. His words later came true when Assyria took over Israel.

We, too, are called to act justly and stand up for what is fair and right. We all share in the

work of social justice. The Church calls each of us to follow Christ's example of faith in God the Father and outreach to those who are oppressed, neglected, or in need. We cannot separate love for God and love for neighbor.

How can we follow Amos' message today?

Hosea, another northern prophet, lived around the time of Amos. We can read his story in the Book of Hosea. Hosea was married to a woman named Gomer. Gomer was not faithful to him. Though Hosea was horrified by her unfaithfulness, Hosea loved Gomer so much that he could not give her up. Hosea told the people that God felt the same way about Israel: God refused to abandon Israel even though its people had been unfaithful to him.

For Hosea, Israel's idolatry and injustices against the poor showed their lack of faith. Hosea told them that their promise of faithfulness to God was empty unless they could show their love by the way they lived.

### WE RESPOND

Be a prophet! Plan a short commercial that encourages people to stay faithful to God.

## Capítulo 15

**Escribe el nombre del profeta descrito en la oración.**

| Jezebel | Eliseo | Oseas | Elías | Amós |
|---------|--------|-------|-------|------|

1. _____ predicó un mensaje sobre la infidelidad del pueblo de Israel.

2. _____ predicó un mensaje denunciando los problemas sociales y religiosos existentes en el reino del norte.

3. _____ fue el primer profeta que Dios envió al reino del norte para pedir al pueblo que tuviera fe en el único y verdadero Dios.

4. _____ fue ungido y se le puso una capa encima para mostrar que había sido llamado por Dios para ser profeta.

**Escribe V si es verdadero y F si es falso. Cambia lo falso en verdadero.**

5. _____ Dios envió profetas al pueblo de Israel para mantenerlo cerca de él y guiarlo.

_____

6. _____ Judá fue un reino de las tribus del norte donde reinó Jeroboam.

_____

7. _____ Siria fue el reino de dos tribus del sur donde Roboam reinó.

_____

8. _____ Dios se negó a abandonar a Israel aun cuando su pueblo le fuera infiel.

_____

**Contesta.**

**9–10.** ¿Qué es idolatría? ¿Por qué se prohibe en el primer mandamiento?

## Reflexiona y ora

Cuando vea injusticia, trataré de _____.

Querido Jesús, enséñanos a compartir la bondad de este mundo con los demás. Amén.

## Chapter 15

**Write the name of the prophet described.**

| Jezebel | Elisha | Hosea | Elijah | Amos |
| --- | --- | --- | --- | --- |

1. _____ preached a message about the people of Israel being unfaithful to God.

2. _____ preached a message to address the social and religious problems that existed in the northern kingdom.

3. _____ was the first prophet God sent to the northern kingdom to call the people to have faith in the one true God.

4. _____ was anointed and had a cloak thrown over him to show that he was called by God to the mission of a prophet

**Write True or False for the following sentences.**
**Then change the false sentences to make them true.**

5. _____ God sent Israel prophets to keep them close to him and to guide them.

_____

6. _____ Judah was the kingdom of the ten northern tribes where Jeroboam was king.

_____

7. _____ Assyria was the kingdom of the two southern tribes where Rehoboam was king.

_____

8. _____ God refused to abandon Israel even though its people were unfaithful to him.

_____

**Write a paragraph to answer these questions.**

**9–10.** What is idolatry? Why is it forbidden by the first commandment?

## Reflect & Pray

When I see injustice, I will try to _____

Dear Jesus, teach us to share the goods of this world with one another. Amen.

# Respondemos y compartimos la fe

## Compartiendo lo aprendido

Habla con tu familia sobre lo siguiente:

- la división del reino de Salomón
- los profetas Elías y Eliseo
- la vida en Israel
- los profetas Amós y Oseas.

## Recuerda

- El reino de Salomón se dividió.
- Elías y Eliseo proclaman fidelidad a Dios.
- Los sirios destruyeron el reino del norte.
- Otros profetas llevaron el mensaje de Dios a Israel.

## Comparte esta oración

Esta oración judía se hace antes de ir a dormir.

"Que el Señor te bendiga y te guarde. Que el Señor haga brillar su gloria sobre ti y sea bondadoso contigo. Que te llene de gloria y te dé paz".

## NUESTRA VIDA CATOLICA
### Caridades católicas

En 1943, los obispos de los Estados Unidos fundaron Catholic Relief Services (conocido como CARITAS) para ayudar a personas pobres y necesitadas fuera de los Estados Unidos. Caridades Católicas sigue el ejemplo de Jesucristo tratando de detener el sufrimiento y la pobreza humana, trabajando en países subdesarrollados en todo el mundo y abogando por la paz y la justicia. Esta organización ayuda a los que necesitan comida, salud, vivienda y educación. Ayuda a la gente a encontrar lugares seguros para vivir y a mejorar el lugar donde vive.

**Conexión con el Catecismo**
Para referencia vea los párrafos 709, 2583 y 2584.

# We Respond and Share the Faith

## Sharing What I Learned

Discuss the following with your family:

- the division of Solomon's kingdom
- the prophets Elijah and Elisha
- life in Israel
- the prophets Amos and Hosea.

## Remember

- Solomon's kingdom was divided.
- Elijah and Elisha proclaimed God's faithfulness.
- The Assyrians destroyed the northern kingdom.
- Other prophets brought God's message to Israel.

## Share a Prayer

The following Jewish prayer is said before going to sleep at night.

"May the Lord bless you and keep you.
May the Lord make His glory shine upon you and be kindly toward you.
May the Lord turn His glory unto You and grant you peace."

## OUR CATHOLIC LIFE

### Catholic Relief Services

In 1943, the bishops of the United States founded Catholic Relief Services (CRS) to assist people outside of the United States who are poor or in need. CRS follows the example of Jesus Christ by trying to stop suffering and poverty, by working for the development of people all over the world, and by encouraging peace and justice in the world. CRS aids those who are in need of food, health care, homes, and education. CRS helps people to make their communities safer and to find better places to live. CRS also educates Catholics in the United States about the responsibilities of caring for all members of the human family.

 **Connect to the Catechism**
For adult background and reflection,
see paragraphs 709, 2583, and 2584.

Visit Sadlier's
www.CREEMOSweb.com

## NOS CONGREGAMOS

✞ **Líder:** Como pueblo de Dios estamos llamados a tener fe en el único y verdadero Dios quien es siempre fiel.

**Lado 1:** "Naciones y pueblos todos, alaben al Señor".

**Lado 2:** "Pues su amor por nosotros es muy grande; ¡la fidelidad del Señor es eterna!"
(Salmo 117:1–2)

**Lado 1:** Gloria al Padre, y al Hijo y al Espíritu Santo.

**Lado 2:** Como era en el principio, ahora y siempre, por los siglos de los siglos. Amén.

🎵 **Profetiza**

Profetiza, pueblo mío, profetiza una vez más. Que tu voz sea el eco del clamor de los pueblos en la opresión.
Profetiza, pueblo mío, profetiza una vez más, anunciándole a los pobres una nueva sociedad.

¡Profeta te consagro, no haya duda y temor en tu andar por la historia; sé fiel a tu misión!

☀ Nombra a alguien a quien conoces y que ha hecho una diferencia en tu vida.

## CREEMOS

**Judá lucha para ser fiel a Dios.**

Toda persona que gobierne el pueblo de Dios tiene la responsabilidad de ayudarlo a acercarse a Dios. Sin embargo, Roboam, el rey de Judá y su sucesor permitieron la adoración de dioses falsos. Esto afectó grandemente al pueblo de Dios en Judá.

Asa, el siguiente rey, trabajó para liberar a Judá de las prácticas contra el único y verdadero Dios. El hijo de Asa, Josafat, también ayudó al pueblo a volver a ser fiel a Dios.

# A Divided People: Judah, the Southern Kingdom

## WE GATHER

✝ **Leader:** As God's people, we are called to faith in the one true God who is ever faithful.

**Side 1:** "Praise the LORD, all you nations! Give glory, all you peoples!

**Side 2:** The LORD's love for us is strong; the LORD is faithful forever."

(Psalm 117:1–2)

**Side 1:** Glory to the Father, and to the Son, and to the Holy Spirit:

**Side 2:** as it was in the beginning, is now, and will be for ever. Amen.

🎵 **Though the Mountains May Fall**

Though the mountains may fall
and the hills turn to dust,
yet the love of the Lord will stand
as a shelter for all who will call
 on his name.
Sing the praise and the glory of God.

☀ Name someone you know who has made a difference in your life.

## WE BELIEVE

### Judah struggled to remain faithful to God.

Each person who ruled God's people had the responsibility to help them stay close to God. However, Rehoboam, the king of Judah, and his successor permitted the worship of false gods. This greatly affected God's people in Judah.

Asa, the next king, worked to free Judah from practices against the one true God. And, Asa's son Jehoshaphat also brought the people back to faithfulness to God.

Desafortunadamente, debido a la esposa del siguiente rey, la adoración del falso dios Baal fue introducida en Jerusalén. A pesar de todo lo que tuvo lugar durante cada reinado, la fe del pueblo en Dios nunca se perdió.

Durante el reino del rey Acaz, Judá perdió su independencia a cambio de que Asiria la protegiera de Siria e Israel. Los asirios forzaron al pueblo de Judá a reconocer a sus falsos dioses y le colocaron un gran altar en el Templo de Jerusalén. Como resultado el pueblo practicó la idolatría nuevamente. Los asirios también hicieron que el pueblo de Judá pagara grandes impuestos. La pobreza, el sufrimiento y la injusticia empezaron a esparcirse en Judá igual que pasaba en el reino del norte de Israel.

Maltratado por los asirios, el pueblo de Judá dudó de Dios y su poder. Entonces Dios envió a un gran profeta para tranquilizar a su pueblo. Este fue el profeta Isaías de Jerusalén. Igual que Amós antes que él, Isaías habló en contra de todas las formas de idolatría e injusticia. Su mensaje lo encontramos en los capítulos 1–39 del libro de Isaías.

## Como católicos...

Como bautizados cristianos compartimos una vocación común. Somos llamados a crecer en santidad, a acercarnos más a Jesucristo y llevar la buena nueva de Jesús a otros.

Dios también llama a cada uno de nosotros a servirle en la vida de soltero, casado, religioso o como sacerdote. El Espíritu Santo nos guía, y nuestras familias amigos y maestros también nos ayudan a descubrir como Dios nos llama a servirle.

En grupo identifiquen la vocación de diferentes personas en sus vidas.

Isaías recordó al rey y al pueblo del amor de Dios. El les dijo como ser fieles a Dios. Isaías avisó al rey que el pueblo sufriría debido a los asirios. Pero Acaz y el pueblo seguían alejados de Dios. Isaías les dijo que Dios purificaría y de nuevo haría de Judá un pueblo fiel. El mensaje de Isaías fue de esperanza y aliento.

 Habla del por qué es importante para los líderes del mundo tomar decisiones justas para su pueblo y tratar a los países vecinos con respeto. Escribe una oración por los líderes del mundo.

_____

_____

Unfortunately, through the wife of the next king, the worship of the false god Baal was introduced into Jerusalem. Yet despite all that took place during each king's reign, the people's faith in God never completely failed.

During the reign of King Ahaz, Judah gave up its independence in exchange for Assyria's protection from Syria and Israel. Assyrians forced the people of Judah to recognize Assyria's false gods, and they even set up a huge altar in the Temple in Jerusalem. As a result, the people practiced idolatry once again. The Assyrians also made the people of Judah pay heavy taxes. Poverty, suffering, and injustice began to spread in Judah just as they had in the northern kingdom of Israel.

Mistreated by the Assyrians, the people of Judah questioned God's power and doubted him. So God sent a great prophet to reassure his people. We call this prophet Isaiah of Jerusalem. Like Amos before him, Isaiah spoke out against all forms of idolatry and injustice. His message is recorded in Chapters 1–39 of the Book of Isaiah.

Isaiah reminded the king and the people of God's love for them. He told them how to be faithful to God. Isaiah warned the king that the people would suffer because of the Assyrians. But Ahaz and the people still turned from God. Yet, Isaiah told them God would make Judah pure and faithful again. Isaiah's message was one of hope and comfort.

Talk about why it is important for world leaders to make just decisions for their people and to treat neighboring countries with respect. Write a prayer for world leaders.

_____

_____

## Los profetas llevan aliento y esperanza a Judá.

Isaías llamó a los reyes a ser justos con el pueblo de Dios. El rey Acaz no escuchó, pero el rey Ezequías, su sucesor, sí. El detuvo las prácticas en contra del único y verdadero Dios y sacó los ídolos del Templo.

Exequias también trató de ayudar a los pobres y los que sufrían por causa de las muchas injusticias en Judá. El trabajó para mantener al pueblo de Judá fiel para adorar al único y verdadero Dios. "Ezequías hizo esto en todo Judá. Sus acciones fueron buenas, rectas y sinceras ante el Señor su Dios. . . .lo hizo procurando buscar a Dios de todo corazón, y por eso tuvo éxito". (2 Crónicas 31:20–21)

Isaías dijo a Exequias que Dios no permitiría que el pueblo fuera destruido. Isaías señaló que aunque el pueblo se encontrara en momentos difíciles Dios estaría con él. Dios sacaría nueva vida de la muerte y la destrucción.

Para Isaías, la fe era una total confianza en el plan y la sabiduría de Dios. El le dijo al pueblo que en su misericordia, Dios salvaría un retazo del pueblo. Un *retazo* es un pequeño pedazo de tela. Este retazo o pequeño grupo del pueblo de Dios sobreviviría y viviría vidas justas y santas como una comunidad de fieles de Dios.

Miqueas fue otro profeta que predicó en Judá. Miqueas tenía un profundo entendimiento del pueblo y su alianza con Dios. Sus mensajes se encuentran en el libro de Miqueas. Miqueas habló en contra de los falsos profetas que trataban de hacerse populares diciendo al pueblo sólo lo que ellos querían escuchar. Desgraciadamente, el pueblo con frecuencia ignoraba el mensaje de Miqueas.

Miqueas estaba enojado por la avaricia, deshonestidad y corrupción del pueblo de Dios. El predicó que la bondad radica en la práctica de la justicia social y la fidelidad al único y verdadero Dios. Miqueas le dijo al pueblo lo que Dios quería.

"Que hagas justicia, que seas fiel y leal y que obedezcas humildemente a tu Dios" (Miqueas 6:8).

El profeta Miqueas vio los terribles efectos del pecado y advirtió al pueblo la eventual destrucción de los reinos. Miqueas aseguró al pueblo que Dios no lo abandonaría. Dios recibió de nuevo al pueblo y le perdonó sus pecados. La restauración sería por medio de la obra de un nuevo David.

Como cristianos creemos que esta promesa se cumplió en Jesucristo. Jesús hizo lo correcto, amó la bondad y fue humilde ante Dios, su Padre. Habló contra las injusticias y devolvió el pueblo a Dios.

Si Miqueas e Isaías vivieran hoy, ¿sobre que asuntos y preocupaciones hablarían? Como seguidores de Jesucristo hablen sobre como podemos resolver esos asuntos y preocupaciones.

**El mensaje de los profetas hoy**

_____

_____

_____

_____

_____

_____

## Prophets brought Judah hope and comfort.

Isaiah called kings to act justly on behalf of God's people. King Ahaz did not listen, but King Hezekiah, his successor, did. He stopped practices against the one true God and removed foreign idols from the Temple.

Hezekiah also tried to help the poor and those who were suffering because of the many injustices in Judah. He managed to keep the people of Judah faithful to the worship of the one true God. "This Hezekiah did in all Judah. He did what was good, upright and faithful before the LORD, his God. . . . He did this wholeheartedly, and he prospered."
(2 Chronicles 31:20–21)

Isaiah told Hezekiah that God would not allow his people to be destroyed. Isaiah pointed out that even if events went against his people, God would be with them. God would bring new life out of death and destruction.

For Isaiah, faith was complete trust in God's plan and wisdom. He told the people that in his mercy God would spare a remnant of the people. A *remnant* is a small piece left over from something larger. This remnant or small group of God's people would survive and live just and holy lives as God's faithful community.

Micah was another prophet who preached in Judah. Micah had a deep understanding of people and their covenant relationship with God. His messages are recorded in the Book of Micah. Micah spoke out against false prophets who tried to become popular by telling their listeners only what they wanted to hear. Unfortunately, people often ignored or rejected Micah's message.

Micah was angered by the greed, dishonesty, and corruption of God's people. Micah preached that goodness lies in the practice of social justice and in faithfulness to the one

true God. Micah told the people that God required them,

"Only to do the right and to love goodness,
   and to walk humbly with your God"
(Micah 6:8).

The prophet Micah saw the terrible effects of sin at work and warned of the eventual destruction of both the northern and southern kingdoms. But Micah assured the people that God would not abandon his chosen people. God would welcome his people back and forgive their sins. He would restore them through the work of a new David.

As Christians we believe that this promise of a new David has been fulfilled in Jesus Christ. Jesus did what was right, loved goodness, and was humble before God his Father. He spoke out against injustices and, in a way no one else could, brought the people back to God.

 If Micah or Isaiah were living today, what issues and concerns would they be preaching about? Discuss how followers of Jesus Christ can address their issues and concerns.

**The Prophet's Message Today**

_____

_____

_____

_____

_____

_____

## El fin del reino de Judá.

Cuando Josías se convirtió en rey en el 640 A.C., ayudó a que lentamente, Judá ganara su independencia. Más importante aún, cuando los trabajadores de Josías reparaban el Templo, encontraron una copia de "el libro de las leyes". Esta era probablemente una versión del Deuteronomio.

Josías se sorprendió al ver lo diferente que era la adoración en los tiempos de Moisés a la de su tiempo. Así que empezó a reformar las prácticas religiosas en Judá. Prohibió las prácticas falsas y llevó a los sacerdotes al Templo.

El profeta Sofonías, cuyo mensaje se encuentra en el libro Sofonías apareció al inicio del reinado de Josías. Sofonías condenó la adoración a los falsos dioses y dio la bienvenida a las reformas de Josías. El profeta pidió al pueblo volver a la fe de Moisés. Sofonías dijo que Dios, en su gran amor, permitiría que los fieles que quedaban tuvieran paz, prosperidad y justicia como lo prometía la alianza.

En el 609 A.C. Josías murió en un batalla contra el rey de Egipto. Judá ahora tenía que ser fiel a Egipto. Esto no duró mucho tiempo.

Leemos en el libro de Nahún que Asiria fue conquistada. El rey de Babilonia destruyó Nínive, la capital de Asiria y también derrotó a Egipto. Así que Judá se hizo parte del imperio de Babilonia. El rey de Judá no siguió siendo fiel a Dios y alentó la idolatría. Floreció la violencia y la injusticia social y mucha gente se alejó de Dios.

Cuando el rey de Judá se rebeló contra el rey de Babilonia, Babilonia invadió a Judá. El rey de Babilonia arruinó la cosecha y el pasto y capturó a Jerusalén. El forzó al nuevo rey de Judá, a los oficiales de la corte y a muchos otras personas, a salir de Judá y huir a Babilonia. Este fue el primer paso hacia el exilio, en su propia tierra, del pueblo de Dios.

El rey de Babilonia también se llevó mucha de la riqueza de Judá y dejó a Sedequias encargado de Judá. Más tarde este se rebeló contra el rey y este invadió a Judá por segunda vez. El rey deportó más personas a Babilonia y se llevó más de la riqueza de Judá. En el 587 A.C., el rey de Babilonia invadió a Judá por tercera vez. Destruyó Jerusalén, incluyendo el Templo y deportó más personas a Babilonia. El pueblo de Judá estaba exilado.

Este fue el fin de Judá, el reino del sur, y su orgullosa línea de reyes descendientes de David.

🏃 Piensa en el mensaje de Isaías, Miqueas y Sofonías. Después piensa que eres un profeta que está llamando al pueblo de Judá a regresar a Dios. ¿Cuál es tu mensaje para ellos? Escríbelo.

_____

_____

Háblenlo con el grupo.

## The kingdom of Judah came to an end.

When Josiah became king in 640 B.C., he helped Judah to slowly regain its independence. More importantly, while Josiah's workers were repairing the Temple, they found a copy of "the book of the law." This was probably an early version of the Book of Deuteronomy.

Josiah was surprised to discover how different the worship of his day was from that of the time of Moses. Thus, Josiah began a reform of religious practices in Judah. He banned all false practices. He closed local places of worship and brought all the priests to the Temple.

The prophet Zephaniah, whose message is in the Book of Zephaniah, appeared early in Josiah's reign. Zephaniah condemned the worship of false gods and welcomed Josiah's reforms. The prophet urged the people to return to the faith of Moses. Zephaniah said that God, in his great love, would allow a faithful remnant to at last enjoy the peace, prosperity, and justice that the covenant promised.

In 609 B.C., Josiah died in battle against the king of Egypt. Judah now had to pledge loyalty to Egypt. This did not last for long, however.

We read in the Book of Nahum that Assyria was eventually conquered. The king of Babylon destroyed Nineveh, the capital of Assyria and also defeated Egypt. So Judah became a part of the Babylonian empire. The king of Judah did not remain faithful to God, and he encouraged idolatry. Violence and social injustice flourished and many people turned their backs on God.

When the king of Judah was disloyal to the king of Babylon, Babylon invaded Judah. The king of Babylon ruined the crop and pasture lands and captured Jerusalem. He forced the new king of Judah, the court officials, and many other people to leave Judah and go to Babylon. This was the first step of the exile, or forced removal, of God's people from their own land.

The king of Babylon also carried off much of Judah's wealth, and he left Zedekiah in charge of Judah. Zedekiah later rebelled, and the king of Babylon invaded Judah a second time. He deported more of the people to Babylon and carried off more of Judah's wealth. In 587 B.C. the king of Babylon invaded Judah a third time. He destroyed Jerusalem, including the Temple, and deported even more people to Babylon. The people of Judah were in exile. This was the end of Judah, the southern kingdom, and its proud line of kings descended from David.

Think about the messages of Isaiah, Micah, and Zephaniah, calling the people of Judah to turn back to God. Then pretend you are a prophet. What is your message to them? Write it here.

_____

_____

In small groups deliver your speeches to one another.

## Los profetas llaman al pueblo a ser fiel.

Los profetas sirvieron a Dios llamando constantemente al pueblo a cambiar sus vidas. Uno de esos profetas fue Habacuc, quien surgió entre los años 605 y 597 AC. Su mensaje puede leerse en el libro de Habacuc. El profeta le preguntó a Dios:

"¿Por qué me haces ver tanta angustia y maldad?" (Habacuc 1:3).

Dios le dijo que Babilonia era un instrumento para purificar a Judá de sus pecados. Los fieles a él y los justos con su prójimo seguirían siendo amados por él.

Dios llama a cada uno de nosotros a limpiarnos de nuestros pecados. Es en el sacramento del Bautismo que por primera vez se nos libra del pecado. Algunas veces fallamos en cumplir las leyes de Dios y es en el sacramento de la Reconciliación que se nos perdonan nuestros pecados. Nuestra promesa de hacer penitencia muestra que estamos arrepentidos de habernos alejado de Dios y de no amar a los demás. Parte de la reconciliación es nuestro firme propósito de confiar en Dios y no volver a pecar.

Otro profeta de nombre Jeremías vivió desde 650 AC, hasta después de 593 AC. Estos tiempos problemáticos afectaron profundamente a Jeremías y provocaron una crisis con su vocación. Una **vocación** es el llamado de Dios a servirle de manera especial. En el caso de Jeremías, este fue un llamado a ser profeta de Dios.

Al principio, Jeremías se resistió al llamado de Dios diciendo:

"¡Ay, Señor! ¡Yo soy muy joven y no sé hablar!"

Dios le contestó:
"No tengas miedo . .
yo estaré contigo". . .
"Entonces el Señor extendió la mano, me tocó los labios y me dijo:
"Yo pongo mis palabras en tus labios"
(Jeremías 1: 6, 8, 9, 10).

Desde ese momento Jeremías se dedicó al servicio de Dios. Cuando Jeremías vio al pueblo haciendo ceremonias religiosas, sin tomar en cuenta la alianza y como esta los llamaba a vivir con justicia, lloró por su infidelidad.

Jeremías alertó al pueblo de Judá de que Dios dijo que nada quedaría, ni siquiera un retazo, a *menos* que empezaran a vivir de acuerdo a la alianza.

El pueblo no aceptó el mensaje de Jeremías y lo acusó de blasfemia. **Blasfemia** es un pensamiento, palabra y obra que falta el respeto y es irreverente a Dios. Jeremías fue rechazado, atacado y puesto en la cárcel. El rogó a Dios que le quitara su vocación. Pero Dios le pidió que siguiera siendo fiel, porque Dios estaría con él. Jeremías siguió hablando en contra del pecado de la nación.

El mensaje profético del libro de Baruc fue similar al de Jeremías. Este fue escrito para llevar alivio al pueblo que había perdido su tierra. Este pone énfasis en la fe y en el único y verdadero Dios, fidelidad a la ley de Moisés, el arrepentimiento y la esperanza.

## RESPONDEMOS

Los profetas, especialmente Jeremías, llamaron al pueblo a ser justo con su "prójimo". ¿Quién es nuestro prójimo? Con un compañero nombren algunas formas en que podemos trabajar por la justicia para todo el mundo.

**Vocabulario**

vocación (pp 350)
blasfemia (pp 349)

## Prophets called the people to faithfulness.

Prophets served God by constantly calling the people to change their ways. One of these prophets was Habakkuk, who appeared between 605 and 597 B.C. His message can still be read in the Book of Habakkuk. The prophet questioned God's ways saying,

"Why do you let me see ruin;
    why must I look at misery?"
(Habakkuk 1:3)

God told him that Babylon was an instrument for purifying Judah of its sins. Those who were faithful to him and just to their neighbors would continue to remain in his love.

God calls each of us to be cleansed of our sins. It is in the sacrament of Baptism that we are first freed from sin. We sometimes fail to follow God's laws, and then it is in the sacrament of Reconciliation that we are forgiven our sins. Our promise to perform a penance shows that we are sorry for turning away from God and not loving others. Part of reconciliation is our firm purpose to rely on God and not to sin again.

Another prophet named Jeremiah lived from around 650 B.C. until just after 583 B.C. These troubled times affected Jeremiah deeply and caused him to struggle with his vocation. A **vocation** is God's call to serve him. In Jeremiah's case, it was a call to be God's prophet.

At first Jeremiah resisted God's call, saying,

"I know not how to speak; I am too young."
But God replied,
"Have no fear. . .
    because I am with you."
Then God touched Jeremiah's mouth and said,
"See, I place my words in your mouth!"
(Jeremiah 1:6, 8, 9).

Thereafter, Jeremiah was dedicated to God's service. When Jeremiah saw that people were performing religious ceremonies without

understanding the covenant and how it called them to live justly, he wept at this unfaithfulness.

**Key Words**

vocation (p. 352)
blasphemy (p. 351)

Jeremiah warned the people of Judah that God said that nothing would remain, not even a remnant, *unless* they started to live according to the covenant.

The people did not accept Jeremiah's message and accused him of blasphemy. **Blasphemy** is a thought, word, or act that refers to God without respect or reverence. Jeremiah was rejected, attacked, and imprisoned. He begged God to let him abandon his vocation. But God told Jeremiah to remain faithful, for God would be with him. So, Jeremiah continued to speak out against the sins of the nation.

The prophetic writing in the Book of Baruch was similar to that of Jeremiah. It was written to bring comfort to people who had lost their homeland. It stressed belief in the one true God, faithfulness to the Law of Moses, repentance, and hope.

## WE RESPOND

The prophets, especially Jeremiah, called people to treat their "neighbors" justly. Who are our neighbors? With a partner name some ways that we can work for justice for all people.

205

## Capítulo 16

**Encierra en un círculo la letra al lado de la respuesta correcta.**

1. _____ empieza una reforma de prácticas religiosas en Judá, prohibiendo los dioses falsos.

   **a.** Acaz    **b.** Manase    **c.** Oseas

2. La vida del profeta _____ fue trágica y con frecuencia su mensaje no era aceptado, pero nunca perdió la esperanza. El sabía que Dios está siempre con su pueblo.

   **a.** Jeremías    **b.** Joacim    **c.** Oseas

3. _____ es un pensamiento, palabra u obra que falta el respeto o es irreverente a Dios.

   **a.** Blasfemia    **b.** Vocación    **c.** Retazo

4. Dios envió al profeta _____ para mantener al pueblo de Judá cerca de él. Su mensaje fue de esperanza y aliento para el pueblo.

   **a.** Acaz    **b.** Isaías    **c.** Sedequias

**Contesta.**

5. ¿Cuál era la vocación de Jeremías?

   _____

6. ¿Qué se predicaba en los escritos proféticos del Libro de Baruc?

   _____

7. ¿Qué pasó en Judá después que se convirtió en parte del imperio babilónico?

   _____

8. ¿Qué dijo Miqueas sobre la bondad?

   _____

**Contesta.**

9–10. ¿Qué dijo Isaías sobre el retazo del pueblo de Dios?

## Reflexiona y ora

Todos somos llamados para ser profetas de Dios para los que están a nuestro alrededor. Con la ayuda de Dios llevaré a cabo esta misión _____

_____.

Dios de amor, ayúdanos siempre a recordar que eres el centro de nuestras vidas. Amén.

## Chapter 16

**Circle the letter of the correct answer.**

1. _____ began a reform of religious practices in Judah, banning all false practices.

   **a.** Ahaz     **b.** Manasseh     **c.** Josiah

2. The life of the prophet _____ was tragic and his message was not often accepted, but he never lost hope. He knew that God was always with his people.

   **a.** Jeremiah     **b.** Jehoiakim     **c.** Josiah

3. _____ is a thought, word, or act that refers to God without respect or reverence.

   **a.** Blasphemy     **b.** Vocation     **c.** Remnant

4. God sent the prophet _____ to keep the people of Judah close to him. His message was one of hope and comfort to the people.

   **a.** Ahaz     **b.** Isaiah     **c.** Hezekiah

**Short Answers**

5. What was Jeremiah's vocation?

   _____

6. What was stressed in the prophetic writing in the Book of Baruch?

   _____

7. What happened to Judah after it became part of the Babylonian empire?

   _____

8. What did Micah say about goodness?

   _____

**Write a paragraph to answer this question.**

9–10. What did Isaiah say about a remnant of God's people?

## Reflect & Pray

All of us are called to be God's prophets to those around us. With God's help

I will carry out this mission by _____

_____

Dear God, help us always to remember that you are the center of our lives. Amen.

# Respondemos y compartimos la fe

## Compartiendo lo aprendido

Habla con tu familia sobre lo siguiente:

- la vida en Judá
- los profetas Isaías y Miqueas
- vocación
- el profeta Jeremías.

## Recuerda

- Judá lucha para ser fiel a Dios.
- Los profetas llevan aliento y esperanza a Judá.
- El fin del reino de Judá.
- Los profetas llaman al pueblo a la fidelidad.

## Comparte una oración

Esta oración judía se hace antes de las comidas.

"Bendito eres, Señor nuestro Dios, Rey de todo el universo, quien creaste todas las cosas, todas con sus propias necesidades y también creaste los medios para dar a cada uno su alimento y la vida".

# NUESTRA VIDA CATOLICA

## Encíclicas

Una forma de la Iglesia llevar a cabo la misión de los profetas es por medio de las encíclicas. Encíclicas son enseñanzas que los papas envían en forma de cartas a toda la Iglesia. Las encíclicas son enviadas primero a los obispos y después a todo el pueblo. Estas nos ayudan a entender lo que está pasando en el mundo y como podemos ayudar a la sociedad viviendo el evangelio. En 1963, el Papa Juan XXIII escribió una encíclica sobre el derecho de todos a vivir en paz y a tener libertad. En 1995, el Papa Juan Pablo II escribió una sobre el valor de la vida humana. Igual que los escritos de los profetas, estas cartas nos dan las palabras de sabiduría para nuestros tiempos. Nos llaman a vivir como fieles seguidores de Cristo.

Visita Sadlier en
www.CREEMOSweb.com

**Conexión con el Catecismo**
Para referencia vea los párrafos 716, 710 y 873.

208

# We Respond and Share the Faith

## Sharing What I Learned

Discuss the following with your family:

- life in Judah
- the prophets Isaiah and Micah
- vocation
- the prophet Jeremiah.

## Remember

- Judah struggled to remain faithful to God.
- Prophets brought Judah hope and comfort.
- The kingdom of Judah came to an end.
- Prophets called the people to faithfulness.

## Share a Prayer

The following Jewish prayer is said after eating a meal.

"Blessed are You, O Lord our God, King of all the world, Who created so many living things, all with their own needs, and also created the means of giving each his food and life."

## OUR CATHOLIC LIFE

### Encyclicals

One of the ways that the Church has carried on the mission of the prophets has been through encyclicals. Encyclicals are teachings that the popes have sent in letter form to the whole Church. Encyclicals are first addressed to the bishops of the Church, then to all people. Encyclicals help us to understand what is happening in the world, and how we can help society by living out the gospel. In 1963, Pope John XXIII wrote an encyclical about the right of all people to live in peace and freedom. In 1995, Pope John Paul II wrote an encyclical on the value of human life. Like the writings of the prophets, these letters give us words of wisdom for our times. They call us to live as faithful followers of Jesus Christ.

**Connect to the Catechism**
For adult background and reflection, see paragraphs 716, 710, and 873.

Visit Sadlier's

**www.CREEMOSweb.com**

# El exilio y el regreso a casa

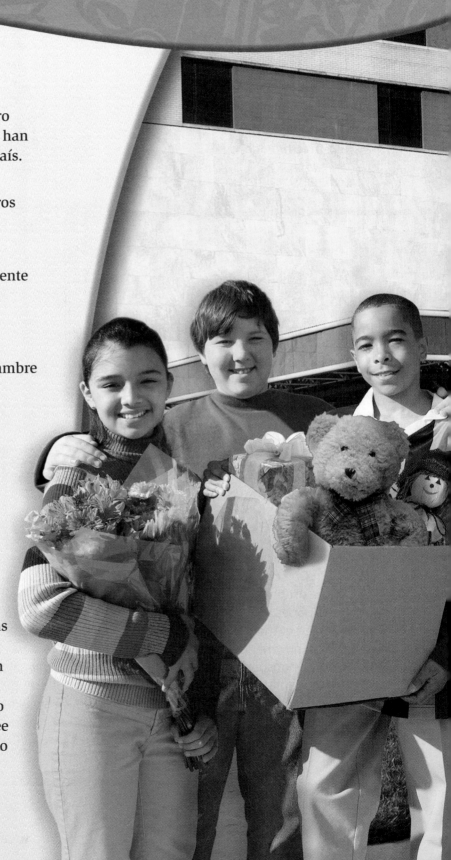

## NOS CONGREGAMOS

**Líder:** Hay muchas personas en nuestro mundo que viven en el exilio, quienes han sido enviados fuera de su hogar y su país. Vamos a rezar por ellos.

**Lector 1:** Por los desamparados en nuestros pueblos y ciudades, oremos.

**Todos**: Señor, ayúdanos a ayudarlos.

**Lector 2:** Por los encarcelados, especialmente los acusados injustamente y por sus familias, oremos.

**Todos:** Señor, ayúdanos a ayudarlos.

**Lector 3:** Por los refugiados de guerra, hambre y opresión, oremos.

**Todos:** Señor, ayúdanos a ayudarlos.

 ¿Has extrañado tu hogar alguna vez? ¿Cómo te sentiste?

## CREEMOS

**Los profetas siguieron compartiendo el mensaje de Dios.**

Después de la destrucción de Jerusalén, el pueblo de Dios lloró por su nación, su Templo y el pueblo perdido. El libro de las Lamentaciones expresa el sufrimiento y dolor del pueblo. Una **lamentación** es un dolor expresado en forma de poema. El libro de las Lamentaciones contiene cinco de esos poemas. El escritor bíblico, se cree que fue el profeta Jeremías, sabía que sólo la fe firme en el amor de Dios podría consolar al pueblo.

## WE GATHER

**Leader:** There are many people in our world who live in exile, who have been sent away from their home or country. Let us pray for them.

**Reader 1:** For those who are homeless in our towns and cities, let us pray.

**All:** Lord, help us to help them.

**Reader 2:** For those in prison, especially for those who are unjustly accused, and for their families, let us pray.

**All:** Lord, help us to help them.

**Reader 3:** For refugees from war, famine, and oppression, let us pray.

**All:** Lord, help us to help them.

 Have you ever been homesick? What was it like?

## WE BELIEVE

### Prophets continued to share God's message.

Following the destruction of Jerusalem, God's people mourned for their nation, their Temple, and the people who had been lost. The Book of Lamentations expresses the suffering and grief of the people. A **lamentation** is a sorrow that is expressed in the form of a poem. The Book of Lamentations contains five such poems. The biblical writer, most likely the prophet Jeremiah, knew that only firm faith in God's love could comfort the people.

El profeta Ezequiel tuvo un mensaje similar para el pueblo de Dios. Ezequiel, un sacerdote, fue llamado por Dios para profetizar en el 593 AC. Ezequiel llevó a cabo sus veinte años de ministerio entre los israelitas exiliados en Babilonia. EL mensaje de Ezequiel, que se encuentra en el libro de Ezequiel, llama al pueblo a regresar a Dios y condena las formas de injusticia social, la idolatría y la superstición. **Superstición** es la creencia falsa de que criaturas y cosas poseen poderes que no tienen. Las supersticiones alejan el honor que debemos sólo al omnisciente y todopoderoso Dios.

Ezequiel tuvo una visión en la que la gloria de Dios primero se alejó del lugar santo, después del Templo y finalmente de la ciudad de Jerusalén. Ezequiel declaró que de acuerdo a esa visión el pueblo había rechazado a Dios, y ahora Dios estaba saliendo de Jerusalén y del Templo, su morada.

La visión de Ezequiel se hizo realidad después de la destrucción final de Jerusalén en el 587 AC.

Después, durante el tiempo del exilio, Ezequiel empezó a ofrecer palabras de esperanza y aliento al pueblo. El le dijo que Dios había dicho: "Pondré en ustedes un corazón nuevo y un espíritu nuevo" (Ezequiel 36:26). Ezequiel dijo que Dios purificaría a los que siguieran confiando en él. El los guiaría triunfante de regreso a sus hogares en la tierra prometida. La prosperidad y la justicia prevalecerían bajo la guía del verdadero Dios. Dios de nuevo escoge a Jerusalén como su morada. El le daría un nuevo nombre a la ciudad. "El Señor está aquí". (Ezequiel 48:35).

Imagina que Ezequiel no ha dicho su mensaje, pero ha pintado un cuadro o hecho una escultura simbolizando el regreso a la tierra prometida. Dibújalo en una hoja de papel.

The prophet Ezekiel had a similar message for God's people. Ezekiel, a priest, was called to be God's prophet in 593 B.C. Ezekiel carried out his twenty-year ministry among the Israelites exiled in far-off Babylon. Ezekiel's message, found in the Book of Ezekiel, called the people back to God and condemned all forms of social injustice, idolatry, and superstition. **Superstition** is the false belief that living creatures or things possess powers that in fact they do not have. Superstitions take away from the honor we owe the all-knowing and all-powerful God.

Ezekiel had a vision in which the glory of God first left the holy of holies, then the Temple itself, and finally the city of Jerusalem. Ezekiel declared that according to this vision the people had rejected God, and now God was leaving Jerusalem and leaving the Temple, his dwelling place.

Ezekiel's vision became a reality after the final destruction of Jerusalem in 587 B.C.

Then, during the time of the exile, Ezekiel began to offer words of hope and comfort to the people. He told them that God had said, "I will give you a new heart and place a new spirit within you"(Ezekiel 36:26). Ezekiel said that God would purify those who remained true to him. He would shepherd them triumphantly back to their homes in the promised land. Prosperity and justice would prevail under the guidance of the one true God. God would again choose Jerusalem as his dwelling place. He would give the city a new name meaning "The LORD is here" (Ezekiel 48:35).

Imagine that Ezekiel had not spoken his message, but had painted a picture or made a sculpture to symbolize the return to the promised land. Draw it on a separate piece of paper.

## As Catholics...

At Jesus' baptism, the Father made it known that Jesus was his Son. The Holy Spirit came upon him, anointing him as priest, prophet, and king.

We call Jesus a priest because he offered the perfect sacrifice that no one else could. Jesus offered himself to save us. Jesus was a prophet because he delivered God's message of mercy and spoke out for truth and justice. Jesus showed himself to be a king by the care he gave to all his people.

As baptized members of the Church, we share in Jesus' role as priest, prophet, and king. How can we serve others by what we say and do?

## Se le da esperanza al pueblo de Dios en el exilio.

La experiencia del exilio en Babilonia ayudó al pueblo de Dios a crecer en su fe. Por primera vez los exilados se identificaron como judíos y llamaron *judaísmo* a su religión. Más importante aún, empezaron a darse cuenta de lo infieles que habían sido con Dios.

El pueblo judío empezó a ver que el nacer en la tierra prometida, o la ciudadanía en la independiente Judá, no hacía a una persona parte del pueblo de Dios, sino que ser parte del pueblo de Dios quería decir cumplir su voluntad, tener absoluta fe en él y hacer un compromiso personal de cumplir la alianza.

En Babilonia a los judíos se les permitió mantenerse en comunidad. Los babilonios les dieron tierra fértil para vivir y les permitieron caminar libremente. Como resultado, muchos de los exilados se enriquecieron y otros fueron nombrados en posiciones en la corte real. De esa forma Dios seguía protegiendo a su pueblo y organizando su plan para su futuro.

Otro profeta, Isaías de Babilonia, ofreció un mensaje de esperanza claro al pueblo de Israel. Su mensaje es el segundo mensaje profético en el libro de Isaías y se encuentra en los capítulos 40–55.

Isaías llamó al pueblo a ser fiel a Dios y a tener esperanza. Igual que la fe, la esperanza es un don de Dios. La **esperanza** nos ayuda a confiar en las promesas de Dios de que él estará siempre con nosotros. La esperanza nos ayuda a confiar en el amor y cuidado de Dios por nosotros.

Isaías le recuerda al pueblo que Dios es tan fiel y lo ama igual que cuando estaba en Egipto. Pero Isaías dice que la salvación sólo vendrá por medio del sufrimiento de un siervo del Señor, un siervo que no tendrá pecado.

Los escritores del Nuevo Testamento entendieron que estas palabras se cumplieron en Jesucristo. El es el siervo que nunca pecó y que "no vino para que le sirvan, sino para servir y para dar su vida como precio por la libertad de muchos (Mateo 20:28).

Como Cristianos creemos que Dios nos mostró su gran amor enviando a su único Hijo. En Jesucristo el amor de Dios se hace presente en nosotros, así nuestra esperanza está en Cristo. Nuestra esperanza nos ayuda a confiar no en nuestra fuerza sino en la de Dios Espíritu Santo, enviado a nosotros por el Padre y el Hijo.

Pretende que estás en Babilonia escuchando a Isaías predicar. En grupo escenifiquen la situación. Escojan una persona para ser Isaías para que dé el mensaje de Dios. Otros para que hagan preguntas a Isaías sobre su mensaje y sobre la forma en que Dios los salvará.

## El pueblo de Dios busca sabiduría.

Durante los años en Babilonia y a través de su larga historia, los judíos estuvieron atraídos especialmente por la tradición de escribir sobre la sabiduría. Algunos de esos escritos se encuentran en los libros de sabiduría del Antiguo Testamento. Esos libros ofrecen guía práctica sobre como vivir y proverbios para enseñar. Un **proverbio** es un dicho corto que ofrece un consejo sabio. Expresa un punto claro y fácil de recordar.

Babylonian ruins in the Middle East.

## God's people in exile were given hope.

The experience of exile in Babylon helped God's people to grow in their faith. For the first time the exiles identified themselves as Jews and called their religion *Judaism*. More importantly, they began to realize just how unfaithful they had been to God.

The Jewish people began to see that birth in the promised land or citizenship in an independent Judah did not make a person one of God's people. Rather, being one of God's people meant truly following his will, having absolute faith in him, and making a personal commitment to follow the covenant.

In Babylon the Jews were able to remain a community. The Babylonians gave them fertile land on which to live and allowed the exiles to go freely about their lives. As a result, many of the exiles became quite wealthy, and some were even appointed to important positions at the royal court. In these ways God continued to protect his people and to set his plan for their future in place.

Late in the exile another prophet, Isaiah of Babylon, offered a clear message of hope to the people of Israel. His message is the second prophetic message in the Book of Isaiah and is found in Chapters 40–55.

Isaiah called the people to be faithful to God and to have hope. Like faith, hope is a gift from God. Hope enables us to trust in God's promise to be with us always. Hope enables us to be confident in God's love and care for us.

Isaiah reminded the people that God remained as faithful and loving as he was when they were in Egypt. But Isaiah said that salvation would come only through the suffering of a servant of the Lord, a servant who would be without sin.

The writers of the New Testament understand these words to be fulfilled in Jesus Christ. He is the sinless servant who "did not come to be served but to serve and to give his life as a ransom for many" (Matthew 20:28).

As Christians we believe that God showed us his great love by sending his only Son to us. In Jesus Christ God's love is made present to us, so our hope is in Christ. Hope helps us to rely not on our own strength, but on the strength of God the Holy Spirit—sent to us by the Father and the Son.

Pretend that you are in Babylon listening to Isaiah preach. With a group role-play the situation. Have one person be Isaiah and deliver God's message. Have others ask Isaiah questions about this message and about the way God would save them.

## God's people searched for wisdom.

During the years in Babylon, and throughout their long history, the Jews were particularly attracted to the tradition of writing about wisdom. Some of this writing is contained in the wisdom books of the Old Testament. These books give practical guidance on how to live and some use proverbs to teach. A **proverb** is a brief saying that gives wise advice. It makes a clear point that can be easily remembered.

Uno de los ejemplos de literatura de sabiduría más famoso es el libro de Job. Es la historia de Job quien tenía una maravillosa esposa, una familia numerosa, muchos parientes y sirvientes y muchas posesiones. Job era un hombre de Dios justo y bueno. De repente perdió a sus hijos, sus posesiones y su salud. A pesar de todo su inexplicable sufrimiento, él permaneció fiel a Dios. Eventualmente el Señor recompensó la fidelidad de Job y le devolvió doblemente todo lo que había perdido.

Empiecen un libro de proverbios, en que trabaje todo el grupo, que sea un manual para vivir una vida buena y justa. ¿Cómo llamarán al libro? Escriban el título y varios proverbios aquí.

_____

_____

## El largo regreso a Judá sucedió en tres etapas.

Dios amaba a su pueblo, Israel. El planificó etapas para su regreso a la tierra prometida. En el 539 AC, los persas tomaron el imperio babilónico. Un año más tarde, Cirio, el rey de Persia, decidió dejar que los judíos exiliados regresaran a su tierra. Aun cuando Judá seguía perteneciendo a Persia y tenía un gobernador persa, los judíos podrían gobernarse en lo referente a gobiernos locales y religión. Esta noticia fue recibida con júbilo.

En el 538 AC, Ciro nombró un prominente descendiente de David para dirigir el regreso a Judá de un grupo de judíos. Este grupo empezó a reconstruir la nación de Israel. Entonces Ciro murió inesperadamente en una batalla y todo el trabajo se detuvo. Pero los judíos estaban en su tierra.

### Los libros de sabiduría en el Antiguo Testamento

| | |
|---|---|
| **Job** | nos recuerda que sufrir es parte de la vida de todos. |
| **Salmos** | es una colección de oraciones poéticas y canciones. |
| **Proverbios** | ofrece consejos sobre como vivir. |
| **Eclesiastés** | nos enseña que la felicidad que da la riqueza, el placer y algunas veces la sabiduría, es momentánea. |
| **Cantar de los cantares** | es una colección de poemas de amor que usa un lenguaje simbólico que nos ayuda a entender el amor de Dios. |
| **Sabiduría** | anima a la gente a vivir vidas buenas y santas. |
| **Eclesiástico** | enseña como podemos crecer en la fe. |

One of the most famous examples of wisdom literature is the Book of Job. It is the story of Job, who had a wonderful wife, a large family, many relatives and servants, and a great number of possessions. Job was a good and just man of God. Yet suddenly, he lost his children, his possessions, and even his own health. However, throughout his unexplainable suffering, he remained faithful to God. And eventually the Lord rewarded Job's faithfulness and gave Job back in a double measure everything that Job had lost.

As a class start a book of proverbs that is a how-to manual for living a good and just life. Write the title and a proverb here.

_____

_____

## The long return to Judah happened in three stages.

God loved his people, Israel. He planned the stages of their return to the land that he had promised them. In 539 B.C. the Persians took over the Babylonian empire. A year later Cyrus, the Persian king, decided to let the Jews in exile return to their homeland. Though Judah would still belong to Persia and have a Persian governor, the Jews would be allowed to govern themselves in local and religious matters. This news was greeted with joyous celebrations.

In 538 B.C. Cyrus appointed a prominent descendant of David to lead a group of Jews back to Judah. This group began the rebuilding of the Jewish nation. Then Cyrus unexpectedly died in battle and all work was stopped. Still, the Jews were again in their homeland.

### Books of Wisdom in the Old Testament

| | |
|---|---|
| **Job** | reminds us that suffering is a part of life. |
| **Psalms** | is a collection of poetic prayers and songs. |
| **Proverbs** | gives advice on how to live. |
| **Ecclesiastes** | teaches us that riches, pleasure, and even wisdom only bring happiness for a while. |
| **Song of Songs** | is a collection of love poems that use symbolic language to help us understand God's love. |
| **Wisdom** | is designed to urge people to live a good and holy life. |
| **Sirach** | or Ecclesiasticus teaches that we can grow in faith by living a good and holy life. |

Aproximadamente en el 520 AC, se escucharon las voces de dos nuevos profetas, Hageo y Zacarías. Ellos empezaron a decir a los que habían regresado que dejaran de pensar sólo en su propio interés y que reconstruyeran el Templo. Sus argumentos están en los libros de Hageo y Zacarías.

Después, el nuevo y poderoso gobernador del imperio persa nombró dos importantes líderes judíos para dirigir una gran expedición de judíos de regreso a Judá. Este grupo tuvo éxito en la reconstrucción del Templo y se asentaron en una gran porción de tierra. Esta primera etapa del plan de Dios para reestablecer al exilado pueblo judío en su tierra estaba completa: los judíos ocuparon la tierra y el Templo fue reconstruido.

Cerca de setenta años después de la reconstrucción del Templo, el territorio judío en el sur y sureste fue invadido. Nehemías fue enviado a construir murallas para proteger a Jerusalén de los ataques. Así, como leemos en el libro de Nehemías, Dios completó la segunda etapa del regreso: Judá fue liberada de los ataques extranjeros.

Otro judío, Esdras, dirigió el regreso a Judá de un grupo de judíos exilados. Esdras reformó las prácticas religiosas y sociales de Judá. Su trabajo se recuerda en el Libro de Esdras.

En una dramática escena en el Templo, Esdras llora públicamente y le recuerda al pueblo sus pecados contra Dios. El pueblo estaba tan conmovido que se arrepintió y estuvo de acuerdo en cumplir la ley de Dios. Estas leyes se encuentran en el Tora, palabra hebrea para los cinco primeros libros del Antiguo Testamento. Así Dios finaliza la última etapa del regreso a Judá, el pueblo se rinde totalmente a Dios.

## RESPONDEMOS

Junto con un compañero hablen sobre diferentes formas en que, como miembros de la Iglesia, podemos decir y hacer cosas que Jesucristo nos enseñó a hacer.

**lamentación** (pp 349)

**superstición** (pp 350)

**esperanza** (pp 349)

**proverbio** (pp 350)

**Tora** (pp 350)

Around 520 B.C. the voices of two new prophets, Haggai and Zechariah, were heard. They cried out to those who had returned to stop concentrating only on their own interest and to rebuild the Temple. Their stirring arguments are in the Book of Haggai and in the Book of Zechariah.

Then a strong new ruler of the Persian empire appointed two prominent Jews to lead a large Jewish expedition back to Judah. This group succeeded in rebuilding the Temple and resettling a large part of the land. The first stage of God's plan to reestablish the exiled Jews in their homeland was now completed: Jews occupied the land, and the Temple was restored.

About seventy years after the Temple was rebuilt, Jewish territory in the south and southeast was invaded. Nehemiah was sent to rebuild the walls of Jerusalem and protect the city from these attacks. Thus as we can read in the Book of Nehemiah, God completed the second stage of the return: Judah was freed from foreign attack.

Another Jew, Ezra, led a group of Jewish exiles back to Judah. Ezra reformed the religious and social practices in Judah. His work is recorded in the Book of Ezra.

In a dramatic scene in the Temple, Ezra wept publicly and recalled the people's sins against God. The people were so moved that they repented and agreed to follow God's law. This law was found in the Torah, the Hebrew name for the first five books of the Old Testament. In this way God accomplished the last stage of the return to Judah: The people submitted fully to God's law.

## WE RESPOND

With a partner, brainstorm different ways that we, as members of the Church, can say and do the things that Jesus Christ taught us to do.

---

### Key Words

lamentation (p. 351)

superstition (p. 352)

hope (p. 351)

proverb (p. 352)

Torah (p. 352)

## Capítulo 17

# Repaso

**Escribe en la raya la letra que mejor define el término.**

1. _____ esperanza

2. _____ lamentación

3. _____ proverbio

4. _____ superstición

**a.** creencia falsa de que las criaturas o las cosas poseen poderes que no tienen.

**b.** nombre hebreo para los primeros cinco libros del Antiguo Testamento.

**c.** don de Dios que nos ayuda a confiar en la promesa de que Dios está siempre con nosotros.

**d.** dolor expresado en la forma de un poema

**e.** dicho corto que ofrece un consejo sabio.

**Contesta.**

5. ¿En qué se parecen los mensajes de los profetas Ezequiel y Jeremías?

_____

6. Nombra algunos cambios importantes que tuvieron lugar mientras el pueblo de Dios estaba en el exilio en Babilonia.

_____

7. ¿Cuál fue el resultado de las tres etapas del plan de Dios para el regreso del exilado pueblo a Judá.

_____

8. Nombra tres libros de sabiduría del Antiguo Testamento que ofrecen consejos prácticos sobre como vivir.

_____

**Contesta.**

9–10. De acuerdo a Isaías de Babilonia, ¿cómo Dios salvaría a su pueblo?

## Reflexiona y ora

La Iglesia tiene una misa especial para los refugiados y los exilados en la que rezamos:

Señor, nadie es extranjero para ti y nadie está lejos de tus amorosos cuidados. Amén.

Rezaré por los refugiados en el mundo durante esta semana.

## Chapter 17

**Write the letter that best defines each term. There is an extra answer.**

1. _____ hope

2. _____ lamentation

3. _____ proverb

4. _____ superstition

**a.** false belief that living creatures or things possess powers that in fact they do not have

**b.** the Hebrew name for the first five books of the Old Testament

**c.** a gift from God that enables us to trust in God's promise to be with us always

**d.** a sorrow expressed in the form of a poem

**e.** a brief saying that gives wise advice

**Short Answers**

5. How are the messages of the prophets Ezekiel and Jeremiah similar?

_____

6. Name some important changes that took place while God's people were exiled in Babylon.

_____

7. What was the outcome of each of the stages in God's plan for the return of the exiled people to Judah?

_____

8. Name three wisdom books of the Old Testament that give practical guidance on how to live.

_____

**Write a paragraph to answer this question.**

9–10. According to Isaiah of Babylon, how will God save his people?

## Reflect & Pray

The Church has a special Mass for Refugees and Exiles at which we pray:

Lord, no one is a stranger to you and no one is ever far from your loving care. Amen.

I will keep the refugees of the world in my prayers this week.

# Respondemos y compartimos la fe

## Compartiendo lo aprendido

Habla con tu familia sobre lo siguiente:

- viviendo en el exilio
- los profetas Ezequiel e Isaac
- los libros de la sabiduría
- el regreso a Judá.

## Recuerda

- Los profetas siguieron compartiendo el mensaje de Dios.
- Se le da esperanza al pueblo de Dios en el exilio.
- El pueblo de Dios busca sabiduría.
- El largo regreso a Judá sucedió en tres etapas.

## Comparte esta oración

Esta bendición del pueblo judío al ver por primera vez un océano o un mar.

"Bendito eres Señor y
nuestro Dios.
Rey de todo el mundo, que creaste
el gran mar".

## NUESTRA VIDA CATOLICA

### San Buenaventura

San Buenaventura nació en 1221 en Toscana, Italia. Desde muy temprana edad se unió a la orden de los Franciscanos. Buenaventura se mudó de Italia a Paris, Francia. Ahí estudió en la universidad. Fue un maravilloso maestro y escritor. Escribió sobre Dios y llegó a conocerse por su gran amor a Dios. El tenía un crucifijo grande en su escritorio y decía que todas las cosas hermosas que había escrito sobre Dios venían de Jesús, su único maestro. Escribió una biografía de San Francisco de Asís. Sus libros lo hicieron famoso, pero él era muy humilde. En 1273 fue nombrado cardenal. Murió en 1274. Su fiesta se celebra el 15 de julio.

**Conexión con el Catecismo**
Para referencia vea los párrafos 711, 713 y 1831.

# We Respond and Share the Faith

## Sharing What I Learned

Discuss the following with your family:

- living in exile
- the prophets Ezekiel and Isaiah
- the wisdom books
- the return to Judah.

## Remember

- Prophets continued to share God's message.
- God's people in exile were given hope.
- God's people searched for wisdom.
- The long return to Judah happened in three stages.

## Share a Prayer

The following Jewish blessing is prayed at first sight of an ocean or sea:

"Blessed are You,
O Lord our God,
King of all the world,
Who made the great sea."

## OUR CATHOLIC LIFE
### Saint Bonaventure

Saint Bonaventure was born in 1221 in Tuscany, Italy. At a young age he joined the Franciscan order. Bonaventure moved from Italy to Paris, France, where he studied at the university. He became a scholar and writer. He wrote about God and became known for his great love of God. He kept a large crucifix of Jesus on his desk, and he said that all the beautiful things he wrote about God came from Jesus, his only teacher. He wrote a biography of Saint Francis of Assisi. Bonaventure's books made him famous, but he remained humble. In 1273 Bonaventure was named a cardinal. He died in 1274. His feast day is July 15.

**Connect to the Catechism**
For adult background and reflection, see paragraphs 711, 713, and 1831.

Visit Sadlier's
**www.CREEMOSweb.com**

# Un pueblo fuerte

## NOS CONGREGAMOS

✝ **Líder:** Los sabios caminan por las sendas del Señor.
Vamos a escuchar algunos mensajes que Dios nos ha enviado.
Vamos a escuchar algunas palabras de la sabiduría de la Escritura.

**Lector 1:** "El que nada debe, nada teme; el que mal anda, mal acaba". (Proverbios 10:9)

**Todos:** Señor, danos sabiduría para hablar y actuar honestamente.

**Lector 2:** "El odio provoca peleas, pero el amor perdona todas las faltas". (Proverbios 10:12).

**Todos:** Señor, danos sabiduría para amar a todo el mundo.

☀ Piensa en un libro, un programa de televisión o una película que tenga un importante mensaje para la gente. ¿Cuál es el mensaje? ¿Cómo comunica el mensaje?

## CREEMOS

### Los judíos vivían y adoraban juntos.

Como hemos visto, cada uno de los profetas tenía un mensaje de Dios. Uno de esos profetas fue Isaías de Judá. Su mensaje, el tercer mensaje profético en el Libro de Isaías, puede leerse en los capítulos 56–66 de ese libro.

Isaías no sólo se centró en la verdadera adoración sino que también hizo una relación entre adorar y dar un tratamiento justo a los demás. El asoció la alabanza a Dios con la justicia social. Alabar, decía, debe llevar al pueblo a actuar con justicia, especialmente hacia los que sufren.

En el libro de Malaquías encontramos otro llamado a adorar a Dios y a ser justos. Malaquías significa "mi mensajero" y el profeta habla de un mensajero que preparará el camino del arrepentimiento y verdadera adoración. Leemos sobre ese mensajero en el Evangelio de Mateo cuando Juan el Bautista aparece en Judea:

"Una voz grita en el desierto: 'Preparen el camino del Señor; ábranle un camino recto'". (Mateo 3:3)

# A Strong People

## WE GATHER

✝ **Leader:** The wise walk in the ways of the Lord. They listen to the messages that God sends them.

Let us listen to these words of wisdom from Scripture.

**Reader 1:** "He who walks honestly walks securely,
but he whose ways are crooked will fare badly."
(Proverbs 10:9)

**All:** Lord, give us wisdom to speak and act with honesty.

**Reader 2:** "Hatred stirs up disputes,
but love covers all offenses."
(Proverbs 10:12)

**All:** Lord, give us wisdom to grow in love for all people.

☀ Think of a book, television show, or movie that contains an important message for people. What is the message? How is it communicated?

## WE BELIEVE

### The Jews lived and worshiped together.

As we have seen, each of the prophets had a message for God's people. One of these prophets was known as Isaiah of Judah. His message, the third prophetic message in the Book of Isaiah, can still be read in Chapters 56–66 of that book. Isaiah not only focused on true worship, but also made a connection between worship and the fair and just treatment of others. He linked praising God and social justice. Worship, he said, must lead people to act with justice, especially toward those who suffer.

In the Book of Malachi we find another call to worship God and to be just. Malachi, meaning "my messenger," tells of a messenger who would prepare the way for repentance and true worship. We read about such a messenger in the Gospel of Matthew when John the Baptist appears in Judea:

"A voice of one crying out in the desert,
'Prepare the way of the Lord,
make straight his paths.'"
(Matthew 3:3)

El Libro de Abdías fue escrito cuando el pueblo judío tenía problemas con el pueblo de Edom. Durante el regreso a Babilonia de los judíos, los idumeos empezaron a asentarse en el sur de Judea. El Libro de Abdías nos recuerda que Dios es justo. Presenta la esperanza por la supervivencia del pueblo judío y el regreso al reino empezado por David.

El libro de Joel usa imágenes para mostrar al pueblo la necesidad de un arrepentimiento verdadero: "¡Vuélvanse ustedes al Señor su Dios, y desgárrense el corazón en vez de desgarrarse la ropa!" (Joel 2:13) insistía el profeta. El dijo al pueblo que sólo de esa manera Dios volvería a favorecer a Israel.

El libro de Daniel ofrece información sobre los muchos años de exilio en Babilonia y el dominio persa. Historias sobre Daniel y sus compañeros expresan esperanzas y hablan de la importancia de un comportamiento que agrade a Dios. Muestra que el pueblo de Dios debe ser fiel a sus tradiciones religiosas aun estando en tierras extranjeras.

El libro de Ester, igual que el libro de Daniel, es una historia romántica agradable. Es una mezcla de ficción y realidad diseñada para ofrecer esperanza e instrucción a un pueblo derrotado. Ester fue una virtuosa judía casada con el rey de Persia. Ella detuvo un complot en el que el rey estaba de acuerdo con la matanza de judíos. El día del terrible evento sería decidido al azar, en hebreo *purim*.

Los judíos siguen recordando ese día, cuando con la ayuda de Dios Ester salvó al pueblo de Dios. Ellos celebran este día como la fiesta de purim.

A través de la historia Dios ha estado trabajando en su pueblo. ¿Cuáles son algunas formas en que Dios trabaja en su pueblo?

## Dios siguió trabajando en su pueblo.

Contar historias es una forma importante usada por los escritores bíblicos para ayudar al pueblo a entender su relación con Dios. Las historias en la Biblia son algunas veces partes de libros históricos o proféticos. Otras veces la historia es narrada en un libro específico de la Biblia, muchas veces titulado con el nombre del personaje de la historia. De cualquier manera las historias contienen personajes simbólicos interesantes quienes tratan los asuntos de la providencia de Dios. Providencia de Dios es el constante cuidado y protección de Dios por su pueblo.

**La historia de Tobit**  El libro de Tobit es sobre un rico judío que vivía en Nínive, Asiria. Cuando se quedó ciego, Tobit envió a su hijo Tobias a Persia donde conoció a una mujer llamada Sara. Ahí Dios envió al ángel Rafael a ayudar a Tobit, entonces Tobias y Sara resuelven todos sus problemas.

Tobit entonces cantó un hermoso himno de alabanza a Dios por su providencia. Empieza así: "Alabado sea Dios, que vive y reina por siempre" (Tobit 13:1).

The Book of Obadiah was written at a time when the Jewish people were having problems with the people in Edom. During the Jewish return from Babylon, the Edomites started to settle in southern Judah. The Book of Obadiah reminds us that God is just. It presents the hope for the survival of the Jewish people and the return of the kingdom begun by David.

The Book of Joel uses images to show the people the need for true repentance. "Rend your hearts, not your garments, /and return to the LORD, your God" (Joel 2:13), the prophet insists. He tells the people that only in this way will Israel be restored to God's favor.

The Book of Daniel gives insight into the long years of Babylonian exile and Persian domination. Stories about Daniel and his companions express hope and tell of the importance of behavior that is acceptable to the Lord. They show that God's people are able to be faithful to their religious traditions even in a foreign land.

The Book of Esther, like the Book of Daniel, is a kind of historical romance. It is a mixture of fact and fiction designed to offer hope and instruction to a defeated people. Esther was a virtuous Jewish girl married to the king of Persia. She stopped a terrible plot in which the king agreed that the Jews should be killed. The day of this terrible event would be decided by casting lots, or in Hebrew, *purim.*

Jews everywhere still mark this day when through God's help Esther saved God's people. They celebrate it as the feast of Purim.

 Throughout history God has worked through his people. What are some ways that God works through people?

_____

_____

## God continued to work through his people.

Storytelling is an important way that the biblical writers help people to understand their relationship with God. The stories in the Bible are sometimes a part of historical or prophetic books. Other times the story is recorded in a specific book of the Bible— often bearing the name of a character in the story. Either way the stories contain symbolic, interesting characters who deal with the issue of God's providence. Providence is God's constant care for and protection of his people.

**The Story of Tobit** The Book of Tobit is about a wealthy Jew living in Nineveh, Assyria. When he became blind, Tobit sent his son Tobiah to Persia where he met a woman named Sarah. There God sent the angel Raphael in disguise to help Tobit, Tobiah, and Sarah solve all their problems.

Tobit then sang a beautiful hymn praising God for his providence. It began,
"Blessed be God who lives forever,
    because his kingdom lasts for all ages" (Tobit 13:1).

Esther appeals to the king of Persia. A page from the Megillat—The Book of Esther, 18th century.

**La historia de Judit**   La providencia es también el tema principal en el libro de Judit. Al iniciarse la historia, los judíos se negaban a ayudar a Asiria a luchar contra sus enemigos. Entonces Asiria iba a castigar al pueblo judío.

La historia describe a Judit como una gran heroína cuyas valientes acciones rescataron a los judíos. Por su valor, Dios salvó a su pueblo de sus enemigos.

**La historia de Jonás**   Uno de los escritos más interesantes de esos tiempos es la corta historia contenida en el libro de Jonás. Es también conocido como una parábola. Una **parábola** es una historia corta que tiene un mensaje. Una parábola es usualmente sobre algo conocido usado para poner énfasis sobre algo diferente.

En la historia, Jonás fue llamado a ser un profeta de Dios. El se negó a llevar el mensaje de Dios a la pecadora ciudad de Nínive. Por el contrario, Jonás se fue en un barco que fue azotado por las olas, Jonás fue tragado por un enorme pez y después de tres días fue devuelto sano y salvo a tierra firme. Entonces Dios lo envió de nuevo a Nínive a completar su misión.

Como cristianos, esta simbólica historia nos recuerda nuestra resurreción. Tal como lo quería Dios, que Jonás llevara el mensaje, Dios envió a Jesucristo a traer su vida y amor a todos los pueblos. Tal como Jonás que pasó tres días en el vientre de un pez, Jesucristo resucitó de la muerte después de tres días en la tumba.

Cuando Jonás fue a Nínive el pueblo escuchó, se arrepintió y fue salvado. Jonás se quejó a Dios de que ese pueblo malvado debía ser castigado. Dios le recordó a Jonás que esa gente era también criatura de Dios.

Esta historia lleva un mensaje: Dios extiende su misericordia a todo el que verdaderamente se arrepiente. Esto nos recuerda que no debemos tener una mala actitud hacia otras personas.

Piensa en el significado de una de las historias de los libros de Tobit, Judit y Jonás. Escribe un resumen explicando la importancia de la historia hoy.

_____

_____

## Como católicos...

Jesús usaba parábolas en sus enseñanzas. También usaba ejemplos de la naturaleza, las cosechas, las fiestas y todo trabajo para describir el reino de Dios, el poder del amor de Dios en el mundo y en nuestras vidas. Jesús también contó parábolas para ayudar a sus discípulos a entender la misericordia y la justicia de Dios.

Lee con tu familia y conversen sobre una parábola del capítulo 13 del Evangelio de Mateo.

**The Story of Judith** Providence is also the principal theme of the Book of Judith. As her story opens, the Jews had refused to help Assyria fight against its enemies. Thus, Assyria was about to punish the Jewish people.

The story goes on to portray Judith as a great heroine whose brave actions rescued the Jews. Through her courage, God saved his people from their enemies.

**The Story of Jonah** One of the most interesting writings of the time is the short story that makes up the Book of Jonah. It is also known as a parable. A **parable** is a short story that has a message. A parable is usually about something familiar, but it is told to make a point about something else.

In the story Jonah was called to be one of God's prophets. But he refused to carry God's message of doom to the sinful city of Nineveh. Instead Jonah sailed off on a ship, was thrown overboard, swallowed by a huge fish, and after three days, was thrown safe and sound onto dry land. Then he was sent back to Nineveh by God to complete his mission.

Detail of *Judith*, by Giorgione (1476–1510)

## As Catholics...

Jesus often used parables in his teaching. Jesus used examples from nature, farming, feasts, and everyday work to describe the Kingdom of God—the power of God's love coming into the world and into our lives. Jesus also told parables to help his disciples understand God's mercy and God's justice.

With your family read and discuss one parable from Chapter 13 of the Gospel of Matthew.

As Christians, this symbolic story reminds us of the Resurrection. Just as God wanted Jonah to deliver a message, God sent Jesus Christ to bring his life and love to all people. And just as Jonah spent three days in the belly of the fish, Jesus Christ rose from the dead after three days in the tomb.

When Jonah went to Nineveh the people listened, repented, and were spared. Jonah complained to God that these wicked people should have been punished. God reminded Jonah that these people were also God's creation.

This story conveys a message: God extends his mercy to all who truly repent. It reminds us not to be narrow-minded but to have a tolerant attitude toward all people.

Think about the meaning of one of the stories from the Books of Tobit, Judith, and Jonah. Write a caption to explain the importance of the story today.

_____

_____

## Los macabeos defendieron la fe judía.

En el año 323 AC, Judá, que era parte de Palestina, cayó bajo el gobierno sirio-mesopotámico. Sin embargo, ninguno de los tradicionales arreglos políticos y religiosos cambiaron.

En el 175 AC se le avisó al rey sirio-mesopotámico que el imperio romano estaba tratando de adueñarse de sus tierras. El rey decidió unir más a su reino. Así que decidió pedir a todos que aceptaran la cultura y religión griegas.

Esta política dividió la comunidad judía de Palestina. Algunos judíos estuvieron a favor de la cultura griega; fueron llamados helenitas, o del partido griego. Otros no estaban de acuerdo, fueron llamados hasídicos, del partido pío. Cuando el rey supo que su ley había sido rechazada empezó a perseguir a los hasídicos. El también capturó Jerusalén, canceló a su sumo sacerdote y dañó el templo.

Esto causó una rebelión en el 167 AC. Los eventos de esta rebelión fueron recopilados en el primer y segundo libro de los Macabeos. En el 166 AC, Judas Macabeo se encargó de la revuelta. Los hasídicos se unieron a Judas en la rebelión y ganaron muchas batallas. Judas y sus seguidores recuperaron a Jerusalén.

En el 164 AC, Judas limpió el Templo y lo dedicó de nuevo a la adoración de Dios. La menorá (lámpara) del Templo fue encendida de nuevo. Judas pidió al pueblo recordar ese evento con un festival. El festival se llamó "fiesta de las luces" porque el contenido de aceite de un día de la menorá duró ocho. Este fue el origen del festival Januká celebrado por los judíos aún hoy. Celebran las obras del pueblo de Dios que rechazó negar su fe.

Cuando Judas murió en una batalla en el 160 AC, su hermano Jonatan dirigió al pueblo. Durante diez y siete años ellos vencieron en sus luchas contra Siria. Cuando Jonatan murió, su hermano Simón lo sucedió.

Simón se aprovechó de la debilidad de Siria y negoció la independencia para Judá. Simón, fue el primer rey judío desde el año 587 AC. Simón fue también un sumo sacerdote. Judá fue fortalecida porque Simón tenía autoridad civil y religiosa.

Los escritores de los libros de los Macabeos nos muestran que la providencia de Dios, el heroísmo y la diplomacia de muchos hombres y mujeres ayudaron a salvar el pueblo de Dios.

Durante el tiempo de los macabeos ¿cómo se manifestó la providencia de Dios para su pueblo? Ilustra las formas en que Dios provee para su pueblo hoy.

_____

_____

## Judea perdió su independencia por el gobierno romano.

En el año 134 A.C., Simón Macabeo fue asesinado y su hijo Juan pasó a ser rey. Juan adquirió gran cantidad de tierra en el sur. Como también él era un sumo sacerdote, insistió que el pueblo adorara al único y verdadero Dios y dejara sus falsas prácticas religiosas.

## The Maccabees defended the Jewish faith.

In 323 B.C. Judah, which was part of Palestine, came under Syrian-Mesopotamian rule. However, none of Judah's traditional political and religious arrangements changed.

In 175 B.C., the king of Syria-Mesopotamia was warned about the Roman empire trying to take over his land. He decided that his kingdom should be more united. So he required everyone to accept the Greek culture and religion.

This policy split the Jewish community in Palestine. Some Jews favored the introduction of Greek culture; they were called Hellenists, or the Greek party. Others disagreed; they were the Hasidim, or the Pious party. When the king saw that his policy was being resisted, he began to persecute the Hasidim. He also captured Jerusalem, removed the high priest, and damaged the Temple.

This caused a rebellion in 167 B.C. The events of this rebellion were recorded in the First and Second Books of Maccabees. In 166 B.C. Judas Maccabeus took charge of the revolt. The Hasidim joined Judas in rebellion and won many battles. Judas and his followers recaptured Jerusalem.

In 164 B.C. Judas cleansed the Temple and rededicated it to the worship of God. The Temple menorah, or lamp stand, was lit once again. Judas asked the people to remember this event with a festival. The festival was called the "the feast of lights" because a one-day's supply of oil in the menorah lasted for eight days. This was the origin of the festival of Hanukkah, which Jews still celebrate today. They celebrate the deeds of the people of God who refused to give up their faith.

When Judas died in battle in 160 B.C., his brother Jonathan led the people. For seventeen years they were successful in their struggle against Syria. Then Jonathan died, and his brother Simon took his place.

Simon took advantage of Syrian weakness and negotiated independence for Judah. Simon became the country's first Jewish king since 587 B.C. Simon was also the high priest. Judah was strengthened because Simon had both civil and religious authority.

The writers of the Books of Maccabees have shown us that God's providence and the heroism and diplomacy of many men and women helped save God's people.

 During the time of the Maccabees how did God provide for his people? Write two ways God provides for people today.

_____

_____

## Judea lost its independence to Roman rule.

In 134 B.C. Simon Maccabeus was killed and his son, John Hyrcanus, became king. John acquired a great deal of land in the south. Because he was also the high priest, he insisted that the people living there worship the one true God and give up their false religious practices.

Durante el reinado de Juan hubo desunión y pelea entre el partido de los píos y los hasídicos. Ellos cuestionaron el derecho de Juan a ser sumo sacerdote. Diferentes grupos se formaron dentro de los hasídicos. Esos grupos fueron los esenios, los fariseos y los saduceos. Sólo los saduceos se unieron con la comunidad de judíos y siguieron adorando en el Templo de Jerusalén.

Cuando murió Juan, su hijo menor, Alejandro, lo sucedió. El expandió su reino tomando Galilea y Samaria. Alejandro empezó a perseguir a los fariseos porque ellos se oponían a sus políticas. Aun así, cuando murió dejo atrás una Judea más fuerte. Judea era la traducción de Judá, la tierra donde los judíos se habían asentado.

Cuando Alejando murió, se inició una guerra civil debido a problemas entre sus dos hijos. Roma notó el problema en Judea y decidió intervenir.

En el año 63 A.C. el senado, cuerpo gubernamental romano, envió a Pompeyo el Grande a arreglar los problemas en el Este. Pompeyo hizo de lo que quedaba de Siria-Mesopotamia una provincia de Roma. La llenó de tropas romanas. Pompeyo invadió Judea, capturó Jerusalén y puso el reino de Judea bajo el imperio romano. Esto marcó el fin del reino y la independencia judía durante más de dos mil años. Los próximos treinta y tres años estuvieron llenos de confusión y lucha por el poder, no sólo de Judea sino también de Roma. Durante estos conflictos, muchos judíos y romanos, incluyendo a Pompeyo, fueron asesinados.

Cuando retornó la paz en el 30 AC., Judea se encontraba bajo el gobierno de Roma. El poder de Judea lo tenía un extranjero, Herodes el Grande. Herodes era descendiente de una de las familias del sur de las tierras que habían sido forzadas por Juan a aceptar al único y verdadero Dios. Por es razón muchos judíos dudaban si Herodes era judío.

La principal preocupación de Herodes era sobrevivir en un mundo en peligro. Así que trató de complacer a Roma todopoderosa, ahora gobernada por el emperador César Augusto. Para ello Herodes impidió todo intento local para liberar a Judea del control romano. El cambió la oficina del sumo sacerdote de un puesto heredado a un puesto designado. También mandó a matar a todo el que se opusiera a su autoridad. Así se ganó el odio de muchos judíos y la admiración de muchos romanos. De hecho, los romanos estaban tan contentos con su forma de gobernar que lo hicieron rey de Judea.

### RESPONDEMOS

¿Qué pueden hacer los líderes para mostrar respeto por la religión y creencias de sus ciudadanos? Conversen sobre formas en que puedes mostrar respeto por la religión y fe de otros.

**Vocabulario**

parábola (pp 350)

**Key Word**

parable (p. 352)

During John's reign there was disunity and fighting among the Pious party, the Hasidim. They questioned whether John had the right to the office of high priest. So different groups within the Hasidim formed. These groups were the Essenes, the Pharisees, and the Sadducees. Only the Sadducees recognized John's title and worked closely with him. Yet the Pharisees and the Sadducees joined with the community of Jews and continued to worship in the Temple in Jerusalem.

When John died, his younger son, Alexander Jannaeus, became king. He expanded his kingdom acquiring Galilee and Samaria. Alexander began to persecute the Pharisees because they opposed his policies. Still, when he died, he left behind him a much stronger Judea. Judea was a translation for Judah, the land where the Jews had resettled.

After Alexander Jannaeus died, a civil war broke out because of problems between his two sons. Rome sensed the trouble in Judea and decided to get involved.

In 63 B.C. the Senate, the governing body in Rome, sent Pompey the Great to settle matters in the East. Pompey made what remained of Syria-Mesopotamia a Roman province. He filled it with Roman troops. Pompey invaded Judea, captured Jerusalem, and brought the kingdom of Judea under Roman rule. This marked the end of the kingdom, as well as the end of Jewish independence for over two thousand years.

The next thirty-three years or so saw a confused struggle for power, not only in Judea but also in Rome. During these conflicts, many Jews and many Romans, including Pompey himself, were killed.

When peace returned in 30 B.C., Judea found itself under Roman rule. Power in Judea was given to a complete outsider, Herod the Great. Herod was a descendant of one of the families from the southern lands that had been forced by John Hyrcanus to accept the one true God. For that reason many Jews doubted whether Herod was a Jew at all.

Herod's main concern was to survive in a dangerous world. So Herod tried to please the all-powerful Rome, now governed by the emperor Caesar Augustus. To do this Herod stopped all local attempts to free Judea from Rome's control. He changed the office of the high priesthood from one of inheritance to one of appointment. Herod also put to death all who challenged his authority. Thus he was hated by many Jews and admired by most Romans. In fact, the Romans were so happy with the way Herod was ruling that they made him king of Judea.

## WE RESPOND

What can leaders do to show respect for the religious beliefs of their citizens? Discuss ways you can show respect for the religious beliefs of others.

## Capítulo 18

**Subraya la respuesta correcta.**

1. El profeta **(Isaías/Malaquías)** vio un día cuando Dios vendría a juzgar a su pueblo y mencionó un mensajero que prepararía el camino para el arrepentimiento y la verdadera adoración.

2. El libro de **(Abadía/Daniel)** contiene historias que expresan esperanza y cuenta la importancia de un comportamiento aceptable a Dios.

3. El libro de **(Tobit/Judit)** describe como en una ocasión Dios rescató a los judíos de sus enemigos por medio del valor de una persona.

4. Los escritores de los libros **(Macabeos/Romanos)** nos muestran que la providencia de Dios salvó a su pueblo y permitió que de nuevo siguieran su fe.

**Contesta.**

5. ¿Qué celebran los judíos en la fiesta de Purim?

_____

6. ¿Qué es la providencia de Dios?

_____

7. ¿Por qué la historia de Jonás es considerada símbolo de Resurrección?

_____

8. ¿Qué celebran los judíos en la fiesta de Januká?

_____

**Contesta.**

9–10. ¿Cómo perdió Judea su independencia bajo el gobierno romano?

## Reflexiona y ora

Dios envió grandes profetas a guiar al pueblo en tiempo de problemas y angustia. Ellos le recordaron que necesitaba ser fiel a Dios.

Esta semana demostraré mi fidelidad a Dios _____.

Dios, ayúdame a _____

## Chapter 18

**Underline the correct answer.**

1. The prophet (**Isaiah/Malachi**) foresaw a day when God would come to judge his people, and mentioned a messenger who would prepare the way for repentance and true worship.

2. The book of (**Obadiah/Daniel**) contains stories that express hope and tell of the importance of behavior that is acceptable to the Lord.

3. The book of (**Tobit/Judith**) describes how on one occasion God rescued the Jews from their enemies through one person's courage.

4. The writers of the books of the (**Maccabees/Romans**) show us that God's providence saved his people, and allowed them to again follow their faith.

**Short Answers**

5. What does the Jewish feast of Purim celebrate?

_____

6. What is God's providence?

_____

7. Why is the story of Jonah considered to be symbolic of the Resurrection?

_____

8. What does the Jewish feast of Hanukkah celebrate?

_____

**Write a paragraph to answer this question.**

9–10. How did Judea lose its independence to Roman rule?

## Reflect & Pray

God raised up great prophets to guide the people in times of trouble and distress. They reminded the people that they needed to be faithful to God.

This week I will demonstrate my faithfulness to God by _____

God, help me _____.

## Compartiendo lo aprendido

Habla con tu familia sobre lo siguiente:

- los profetas Isaías y Malaquías
- las historias de Daniel, Tobit, Judit y Jonás
- las fiestas judías de Purim y Januká
- Judea bajo el gobierno romano.

## Recuerda

- Los judíos vivían y adoraban juntos.
- Dios siguió trabajando en su pueblo.
- Los macabeos defendieron la fe judía.
- Judea perdió su independencia por el gobierno romano.

## Comparte una oración

Esta bendición judía se reza cuando se ve un arco iris en el cielo.

"Bendito seas tú, oh Señor, nuestro Dios, Rey de todo el mundo, quien siempre recuerdas la promesa hecha cuando Noé vio un arco iris y siempre mantendrás tu promesa".

# NUESTRA VIDA CATOLICA

## Santa Genoveva

Genoveva vivió en el siglo V en un pequeño pueblo no lejos de París. A los quince años decidió dedicar su vida a Dios. Después de la muerte de sus padres se fue a vivir con su abuela en París. Ahí rezaba todos los días y trabajaba mucho cuidando de los necesitados. Se acercó mucho a Jesús y quiso compartir su bondad con otros. Una leyenda dice que ella dirigió una expedición para buscar alimentos en una época de hambre en Paris. Se dio a conocer por su valor, su fe y su justicia. Una vez convenció a la gente de París para que confiara en Dios y se quedara en la ciudad cuando temieran un ataque enemigo. Pidió rezar y ayunar para mostrar su fe. París fue salvada. Su fiesta se celebra el 3 de enero.

**Conexión con el Catecismo**
Para referencia vea los párrafos 715, 584 y 423.

# We Respond and Share the Faith

## Sharing What I Learned

Discuss the following with your family

- the prophets Isaiah and Malachi
- the stories of Daniel, Tobit, Judith, and Jonah
- the Jewish feasts of Purim and Hanukkah
- Judea under Roman rule.

## Remember

- The Jews lived and worshiped together.
- God continued to work through his people.
- The Maccabees defended the Jewish faith.
- Judea lost its independence to Roman rule.

## Share a Prayer

The following Jewish blessing is prayed when looking at a rainbow in the sky.

"Blessed are You, O Lord our God, King of all the world, Who always remembers the promise made when Noah saw the rainbow, and will always keep that promise."

## OUR CATHOLIC LIFE
### Saint Genevieve

Genevieve was born in the fifth century in a small village not far from Paris. When she was fifteen she dedicated her life to God. After the death of her parents, she lived with her godmother in Paris. There she prayed every day, and she worked very hard to care for those in need. She grew closer to Jesus and wanted to share his goodness with others. Legend has it that once when the people of Paris were starving she successfully led an expedition in search of food. She became well-known for her courage, her faith, and her just ways. Once she convinced the people of Paris to trust in God and remain in the city when an enemy attack was feared. She had them pray and fast to show their faith. Paris was spared! Her feast day is January 3.

**Connect to the Catechism**
For adult background and reflection, see paragraphs 715, 584, and 423.

Visit Sadlier's
**www.CREEMOS web.com**

# Dios cumple su promesa

## NOS CONGREGAMOS

 **El Señor es mi luz**

El Señor es mi luz y mi salvación.
El Señor es la defensa de mi vida.
Si el Señor es mi luz,
¿a quién temeré?
¿Quién me hará temblar?

**Lector:** Las palabras de Isaías, el profeta, se repiten cuando San Marcos escribe sobre la misión de Juan el Bautista.

Lectura del santo Evangelio según San Marcos

**Todos:** Gloria a ti, Señor.

**Lector:** Leer Marcos 1:2–3
Palabra del Señor.

**Todos:** Gloria a ti, Señor Jesús.

 ¿Qué cosa importante te ha pasado? ¿Por qué es importante?

## CREEMOS

### María fue bendecida por Dios.

Durante los dos últimos años del reinado de Herodes en Judea, sucedieron los eventos más importantes de la historia de la salvación. En un pueblo de Nazaret en Galilea, un ángel de Dios dio un mensaje a una joven llamada María. María estaba comprometida con José, un descendiente del rey David. El ángel le dijo a María: : "¡Te saludo, favorecida de Dios! El Señor está contigo" (Lucas 1:28). El ángel continuó: "María, no tengas miedo, pues tú gozas del favor de Dios. Ahora vas a quedar encinta: tendrás un hijo, y le pondrás por nombre Jesús. Será un gran hombre, al que llamarán Hijo del Dios altísimo, y Dios el Señor lo hará rey, como a su antepasado David, para que reine por siempre en la nación de Israel. Su reinado no tendrá fin". (Lucas 1:30–33).

María no entendió como podía pasarle eso. Ella no estaba casada. Pero el ángel le explicó: "El Espíritu Santo vendrá sobre ti, y el poder del Dios altísimo descansará sobre ti como una nube. Por eso, el niño que va a nacer será llamado Santo e Hijo de Dios" (Lucas 1:35).

# God Fulfills His Promise

## WE GATHER

 **Christ, Be Our Light**

Christ, be our light!
Shine in our hearts.
Shine through the darkness.
Christ, be our light!
Shine in your church gathered today.

**Reader:** The words of Isaiah the Prophet are repeated as Saint Mark writes about the mission of John the Baptist.

A reading from the holy Gospel according to Mark

**All:** Glory to you, Lord.

**Reader:** (Read Mark 1:2–3.)
The Gospel of the Lord

**All:** Praise to you, Lord Jesus Christ.

 What is one important thing that has happened to you? Why is it important?

## WE BELIEVE
### Mary is blessed by God.

During the last year or two of King Herod's reign over Judea, the most important event in the history of salvation took place. In the town of Nazareth in Galilee, an angel of God gave a message to a young girl named Mary. Mary was engaged to Joseph, a descendant of King David.

The angel said to Mary, "Hail, favored one! The Lord is with you" (Luke 1:28). The angel continued, "Do not be afraid, Mary, for you have found favor with God. Behold, you will conceive in your womb and bear a son, and you shall name him Jesus. He will be great and will be called Son of the Most High, and the Lord God will give him the throne of David his father, and he will rule over the house of Jacob forever, and of his kingdom there will be no end" (Luke 1:30–33).

Mary did not understand how all of this would happen to her. She was not even married yet. But the angel explained, "The holy Spirit will come upon you, and the power of the Most High will overshadow you. Therefore the child to be born will be called holy, the Son of God" (Luke 1:35).

*La Anunciación.* **María Pía Marrella, 1995.**

José no estaba enterado de que eso era parte del plan de Dios. Así que decidió dejar a María. Entonces un ángel del Señor vino a José en sueños. El ángel le dijo: "José, descendiente de David, no tengas miedo de tomar a María por esposa, porque el hijo que va a tener es del Espíritu Santo. María tendrá un hijo, y le pondrás por nombre Jesús. Se llamará así porque salvará a su pueblo de sus pecados". (Mateo 1:20–21).

Igual que María, José hizo lo que el Señor le pidió.

Imagina como se sintieron María y José.

Imagina que se te pide anunciar la venida del Hijo de Dios. Hablen de como lo harías y como creen que reaccionará la gente.

El ángel también le dijo que su prima Isabel, quien era ya anciana, había concebido un hijo. El ángel le dijo que nada era imposible para Dios.

María le dijo al ángel:
"Yo soy esclava del Señor, que Dios haga conmigo como me has dicho" (Lucas 1:38). Las palabras de María muestran su fe total en Dios y su decisión de aceptar y seguir el plan de Dios.

El cumplimiento de todo lo que Dios había prometido por medio de los profetas empezaba. El tan esperado Mesías, el Salvador del pueblo, pronto vendría al mundo. El niño que María concibió fue el Hijo de Dios. Por medio de María, el Hijo de Dios, la Segunda Persona de la Santísima Trinidad, se hizo uno de nosotros.

## Como católicos...

Durante toda su vida María amó y obedeció a Dios. Ella confió plenamente en Dios. María amó y cuidó de Jesús y junto con José, le enseñó a ser fiel a la alianza y a cumplir con las leyes y costumbres judías. María estuvo junto a Jesús cuando moría en la cruz. Su fe en su hijo no se debilitó en tiempos de sufrimiento o pérdida. Junto con los seguidores de Jesús, María esperó en oración y con esperanza la venida del Espíritu Santo. María fue el discípulo más importante de Jesús y es la mayor entre los santos. Ella es modelo para todos nosotros.

¿En qué forma puedes mostrar que eres discípulo de Jesús?

The angel also told Mary that her relative Elizabeth, who was very old, would conceive a child. The angel said that nothing was impossible with God.

Mary spoke to the angel saying, "Behold, I am the handmaid of the Lord. May it be done to me according to your word" (Luke 1:38). Mary's words showed her complete faith in God and her choice to accept and follow God's plan.

The fulfillment of all that God had promised through the prophets had now begun. The long-awaited Messiah, the Savior of all people, would soon come into the world. The child that Mary had conceived was the Son of God. Through Mary, God the Son, the second Person of the Blessed Trinity, would become one of us.

Joseph was unaware that this was all part of God's plan. So Joseph was going to leave Mary quietly. Then an angel of the Lord came to Joseph in a dream. The angel said, "Joseph, son of David, do not be afraid to take Mary your wife into your home. For it is through the holy Spirit that this child has been conceived in her. She will bear a son and you are to name him Jesus, because he will save his people from their sins" (Matthew 1:20–21).

Like Mary, Joseph did what the Lord asked of him.

Take a moment to imagine how Joseph and Mary must have felt.

Imagine that you have been asked to announce the coming of God's Son. Discuss how you would do it and how you think people would react to the news.

## María e Isabel tenían un papel especial en el plan de Dios.

A través de la historia del pueblo judío, Dios llamó a muchas mujeres para que ayudaran a su pueblo a crecer fuerte y fiel. Dios llamó a María y a Isabel para que participaran en su plan de salvación.

Después que el ángel visitó a María, ella fue a ver a sus parientes Isabel y Zacarías. También a Zacarías lo había visitado un ángel. El ángel le dijo que su esposa, Isabel, iba a tener un hijo y que se llamaría Juan. Zacarías se quedó mudo por no creer que eso pudiera pasar. El ángel le dijo que no hablaría hasta que naciera su hijo.

Cuando María llegó y saludó a Isabel, el niño se movió en el vientre de Isabel. Ella se llenó del Espíritu Santo y dijo: "¡Dios te ha bendecido más que a todas las mujeres, y ha bendecido a tu hijo! ¿Quién soy yo, para que venga a visitarme la madre de mi Señor? Pues tan pronto como oí tu saludo, mi hijo se movió de alegría en mi vientre. ¡Dichosa tú por haber creído que han de cumplirse las cosas que el Señor te ha dicho!" (Lucas 1:42–45).

En respuesta al saludo lleno de gozo de Isabel, María alabó a Dios en un canto. El canto de María, es conocido como el Magníficat. He aquí una parte:

"Mi alma alaba la grandeza del Señor;
mi espíritu se alegra en Dios mi Salvador.
Porque Dios ha puesto sus ojos en mí, su humilde esclava, y desde ahora siempre me llamarán dichosa; porque el Todopoderoso ha hecho en mí grandes cosas. ¡Santo es su nombre!" (Lucas 1:46–49)

María se quedó con Isabel y Zacarías casi tres meses. Después volvió a su casa. Isabel tuvo a su hijo. Todos creían que lo llamaría Zacarías. Pero su padre escribió en una tabla "Su nombre es Juan" (Lucas 1:63). Entonces Zacarías pudo hablar. Todos sus parientes y vecinos se preguntaban: "'¿Qué llegará a ser este niño?'

Porque ciertamente el Señor mostraba su poder en favor de él" (Lucas 1:66).

Después Zacarías, lleno del Espíritu Santo, habló. La profecía de Zacarías se llama el Cántico de Zacarías. Esta es una parte del canto:

"¡Bendito sea el Señor, Dios de Israel, porque ha venido a salvar a su pueblo!. . . En cuanto a ti, hijito mío, serás llamado profeta del Dios altísimo, porque irás delante del Señor preparando sus caminos, para hacer saber a su pueblo que Dios les perdona sus pecados. . . para dirigir nuestros pasos por el camino de la paz". (Lucas 1:68, 76–77, 79).

Juan tendría una parte importante en el cumplimiento de la promesa de Dios a su pueblo. Igual que los profetas anteriores a él, Juan prepararía el camino para la venida del Mesías.

 ¿Cuáles son algunas formas en que podemos alabar a Dios por las cosas que ha hecho por nosotros?

## Mary and Elizabeth had special roles in God's plan.

Throughout the history of the Jewish people, God had called many women to help his people to grow strong and faithful. God called Mary and Elizabeth to take their roles in his plan of salvation.

After the angel's visit to her, Mary traveled to see her relatives Elizabeth and Zechariah. Zechariah had been visited by an angel, too. The angel told Zechariah that his wife, Elizabeth, would have a child and the child should be named John. Because Zechariah did not believe that this could happen, he lost his ability to speak. The angel told him that he would not speak again until his son was born.

When Mary arrived and greeted Elizabeth the child that Elizabeth was carrying moved within her. Filled with the Holy Spirit, Elizabeth said, "Most blessed are you among women, and blessed is the fruit of your womb. And how does this happen to me, that the mother of my Lord should come to me? For at the moment the sound of your greeting reached my ears, the infant in my womb leaped for joy. Blessed are you who believed that what was spoken to you by the Lord would be fulfilled" (Luke 1:42–45).

In response to Elizabeth's joyful words, Mary praised God in a song. Mary's song, or canticle, is also known as the Magnificat.

"My soul proclaims the greatness of the Lord;
  my spirit rejoices in God my savior.
For he has looked upon his handmaid's
    lowliness;
  behold, from now on will all ages call me
    blessed.
The Mighty One has done great things for
    me, and holy is his name." (Luke 1:46–49)

Mary stayed with Elizabeth and Zechariah for about three months. Then she traveled home again. Elizabeth gave birth to her son. Everyone thought that he would be called Zechariah. But his father wrote on a tablet, "John is his name" (Luke 1:63). It was then that Zechariah was able to speak again. All his relatives and neighbors wondered, "'What, then, will this child be?' For surely the hand of the Lord was with him" (Luke 1:66).

Then Zechariah, filled with the Holy Spirit, spoke. Zechariah's prophesy is called The Canticle of Zechariah.

"Blessed be the Lord, the God of Israel,
for he has visited and brought redemption
    to his people. . . .
And you, child, will be called prophet of
    the Most High,
for you will go before the Lord to prepare
    his ways,
to give his people knowledge of salvation
  through the forgiveness of their sins. . . .
    to guide our feet into the path of peace."
(Luke 1:68, 76–77, 79)

John would have an important part in the fulfillment of God's promise to his people. Like the prophets before him, John would prepare the way for the coming of the Messiah.

What are some ways we can praise God for the things he has done for us?

## El Hijo de Dios se hizo hombre.

María y José vivían en Nazaret, un pueblo de Galilea. Se preparaban para la llegada de su hijo y la vida que compartirían con él. Dios les había hablado. Sin embargo, el evento que iba a tener lugar estaba más allá de su comprensión. El hijo que María iba a tener era el Hijo de Dios. El niño, concebido por el poder del Espíritu Santo, salvaría a todos.

En ese tiempo se estaba llevando a cabo un censo, un conteo de la gente de Judá. José y María tenían que ir a Belén de Judá, la ciudad donde nació el rey David. Todo hombre tenía que inscribir a su familia en la ciudad de sus antepasados y José era descendiente de David. María, también era de la casa de David.

Fue en Belén donde María dio a luz a su hijo. Así se cumplieron las palabras del profeta Miqueas: Belén es el lugar de nacimiento de un "gobernante de Israel" (Miqueas 5:2).

Siguiendo las indicaciones del ángel en el sueño de José, llamaron al niño Jesús. Este nombre significa "Dios salva". Dios Hijo se hizo uno de nosotros. "La Palabra se hizo hombre y vivió entre nosotros". (Juan 1:14)

Este misterio es llamado la encarnación. **Encarnación** es la verdad de que el Hijo de Dios, la segunda Persona de la Santísima Trinidad se hizo hombre.

María y José cumplieron las leyes de su fe judía y viajaron a Jerusalén a presentar a Jesús en el Templo. Ahí se encontraron con un santo hombre llamado Simeón y una profetiza llamada Ana. Ambos reconocieron que en el niño Jesús se cumplía la promesa de Dios de salvar a su pueblo.

En Nazaret, Jesús creció junto a María y José y muchos amigos y familiares. Jesús escuchó sobre sus antepasados judíos y celebró las fiestas judías. La familia viajaba al Templo de Jerusalén para celebrar algunas fiestas.

Lucas 2:41–52

Cada año María y José iban a Jerusalén a celebrar la fiesta de Pascua. Cuando Jesús tenía doce años, él fue con ellos. Cuando llegó el tiempo de regresar a Nazaret, Jesús se quedó en Jerusalén. Ni María ni José se dieron cuenta. Pensaron que iba con alguno de sus parientes. Cuando no pudieron encontrarlo regresaron a Jerusalén para buscarlo.

Tres días más tarde lo encontraron escuchando y haciendo preguntas a los maestros. María y José estaban sorprendidos. Jesús les dijo que debían saber que él debía estar en la casa de su Padre. "Pero ellos no entendieron lo que les decía. Entonces volvió con ellos a Nazaret, donde vivió obedeciéndoles en todo. Su madre guardaba todo esto en su corazón. Y Jesús seguía creciendo en cuerpo y mente, y gozaba del favor de Dios y de los hombres". (Lucas 2:50–52)

Este es uno de los pocos recuentos de los primeros años de Jesús. Sabemos por esto que Jesús fue un niño judío fiel y obediente. También vemos que tenía un profundo conocimiento de Dios.

Escenifiquen la historia de María, José y Jesús durante su visita a Jerusalén para celebrar la Pascua, según la narra Lucas 2:41–52.

## God the Son became man.

Mary and Joseph began their life together in Nazareth, a town in Galilee. They prepared for the birth of the child and for the life that they would share with him. God had spoken to each of them. However, the event that was about to take place was beyond Mary and Joseph's understanding. The child who was about to be born of Mary was the Son of God. This child, conceived by the power of the Holy Spirit, would save all people.

At this time in Judea, a census, or count of the people, was being taken. Joseph and Mary went to Bethlehem of Judea, the city of King David's birth. All men had to enroll their families in the city of their ancestors, and Joseph was a descendant of David. Mary, too, was of the house of David.

It was in Bethlehem that Mary gave birth to her son. Thus, the words of the prophet Micah were fulfilled. Bethlehem is the birthplace of the "one who is to be ruler in Israel" (Micah 5:1).

Following the instructions of the angel in Joseph's dream, Mary and Joseph named the child Jesus. This name means "God saves." God the Son became one of us.
"And the Word became flesh
and made his dwelling among us." (John 1:14)

This mystery is called the Incarnation. The **Incarnation** is the truth that the Son of God, the second Person of the Blessed Trinity, became man.

Mary and Joseph followed the laws of their Jewish faith, and so they traveled to Jerusalem to present Jesus in the Temple. There they met a holy man named Simeon and a prophetess named Anna. They recognized the child Jesus as the fulfillment of God's promise to save his people.

In Nazareth, Jesus grew up with Mary and Joseph and many relatives and friends. Jesus heard about his Jewish ancestors and celebrated the Jewish feasts. On certain feasts his family traveled to the Temple in Jerusalem.

Luke 2:41–52

Each year Mary and Joseph went to Jerusalem to celebrate the feast of Passover. When Jesus was twelve years old, he went with them. When the time came to return to Nazareth, Jesus remained in Jerusalem. But Mary and Joseph did not know this. They thought he was travelling with their relatives. When they could not find him, they went back to Jerusalem.

They found him three days later, listening and questioning the teachers. Mary and Joseph were astounded. Jesus told them that they should have known that he was in his Father's house. "But they did not understand what he said to them. He went down with them and came to Nazareth, and was obedient to them; and his mother kept all these things in her heart. And Jesus advanced [in] wisdom and age and favor before God and man" (Luke 2:50–52).

This is one of the few accounts of Jesus' early years. We learn from it that Jesus was a faithful, obedient Jewish child.

Role-play the story of Mary, Joseph, and Jesus during their visit to Jerusalem to celebrate Passover as found in Luke 2:41–52.

## Juan prepara el camino para Jesús.

En los evangelios no sabemos mucho de la vida de Jesús hasta que llega a los treinta años. Durante esos años "ocultos", como se llaman, las cosas cambiaron en Judá.

Cuando murió Herodes el Grande, rey de Judá, sus familiares no se pusieron de acuerdo en quien lo sucedería. Así que César Augusto de Roma usó la oportunidad para debilitar a Judá y dividir los territorios de Herodes entre sus hijos Arquelao, Filipo y Herodes Antipas.

Arquelao fue un líder tan malo que César Augusto lo desterró. Para gobernar esta parte del reino de Herodes, César Augusto nombró un procurador, un tipo de vicegobernador. Roma lentamente tomaba total control de Judea, llama Palestina por los romanos.

Judea era un país dividido. Algunas regiones eran gobernadas directamente por Roma y otras por príncipes judíos que reportaban a los romanos. Por consiguiente, las relaciones entre Roma y los judíos era muy tensas.

Las tensiones religiosas también eran un problema. Los judíos temían que los romanos interfirieran con su adoración y observación de la ley de Dios. Aumentaron las divisiones religiosas e injusticias sociales. Fue durante esos tiempos difíciles que "Dios habló en el desierto a Juan, el hijo de Zacarías" (Lucas 3:2).

Juan, primo de Jesús, empezó a profetizar y a pedir al pueblo que se arrepintiera. El le pidió que se preparara para la venida del Mesías, el Ungido, el que habían anunciado los profetas.

Como la gente empezó a dejarse bautizar por él en el Río Jordán, él se conoce como Juan el Bautista. Este bautismo de Juan mostraba la voluntad del pueblo de cambiar sus vidas. Juan le dijo a la gente: "Los bautizo con agua; pero viene uno que los bautizará con el Espíritu Santo y con fuego" (Lucas 3:16).

Fue por esa época que Jesús salió de Nazaret y fue al Río Jordán para escuchar a Juan y bautizarse. "Cuando Juan los estaba bautizando a todos, también Jesús fue bautizado; y mientras oraba, el cielo se abrió y el Espíritu Santo bajó sobre él en forma visible, como una paloma, y se oyó una voz del cielo, que decía: Tú eres mi Hijo amado, a quien he elegido" (Lucas 3:21–22).

Igual que Juan, podemos también preparar a la gente para recibir a Jesús. Por el Bautismo todos estamos llamados a vivir como un discípulo de Jesús. Cuando hacemos lo correcto y tratamos a los demás con justicia, estamos mostrando lo que significa seguir a Jesús.

## RESPONDEMOS

¿Puedes preparar el camino a Jesús? ¿Qué dirías? ¿Qué harías?

**Vocabulario**

Encarnación (pp 349)

## John prepared the way for Jesus.

From the gospels we do not learn much about Jesus' life until he was about thirty years old. During these "hidden" years, as they are called, things changed in Judea.

When Herod the Great, king of Judea, died, his relatives could not agree on his successor. So Caesar Augustus in Rome used this opportunity to weaken Judea by dividing Herod's territories among his sons Archelaus, Philip, and Herod Antipas.

Archelaus was a terrible leader, so Augustus removed him. To rule this part of Herod's old kingdom, Caesar Augustus set up a procurator, a kind of deputy governor. Rome was slowly taking over complete control of Judea, which the Romans called Palestine.

Judea was a divided country. Some regions were ruled directly by Rome, and others were governed by Jewish princes who were reporting to the Romans. Therefore, relations between Rome and the Jews were very strained.

Religious tensions were also a problem. The Jews feared that the Romans would interfere with their worship and observance of the covenant with God. Religious divisions and social injustices were widespread. It was in these troubled times that "the word of God came to John the son of Zechariah in the desert" (Luke 3:2).

John, the cousin of Jesus, began to prophesy and to urge people to repent. He encouraged them to get ready for the coming of the Messiah, the Anointed One, the one foretold by the prophets.

Since people came to be baptized by him in the Jordan River, he was known as John the Baptist. This baptism by John showed people's willingness to change their lives.

John told the people, "I am baptizing you with water, but one mightier than I is coming . . . He will baptize you with the holy Spirit and fire" (Luke 3:16).

It was about this time that Jesus left Nazareth and went to the Jordan River to hear John preach and to be baptized by him. "After all the people had been baptized and Jesus also had been baptized and was praying, heaven was opened and the holy Spirit descended upon him in bodily form like a dove. And a voice came from heaven, 'You are my beloved Son; with you I am well pleased.'" (Luke 3:21–22)

Like John, we can prepare the way for people to welcome Jesus, too. By Baptism, each of us is called to live as one of Jesus' disciples. When we do what is right and treat others fairly and with justice, we are showing what it is to be a follower of Jesus.

**Key Word**

Incarnation (p. 351)

Jesus' Baptism from the TV mini series, *Jesus of Nazareth* (1977).

## WE RESPOND

Can you prepare the way for Jesus today? What will you say? What will you do?

## Capítulo 19

**Encierra en un círculo la letra al lado de la palabra que completa la oración.**

1. _____ dijo a María que su prima Isabel iba a tener un hijo.

   **a.** Ana    **b.** Un ángel    **c.** Zacarías

2. _____ nació para preparar el camino del Mesías

   **a.** Elías    **b.** Zacarías    **c.** Juan

3. Zacarías se quedó mudo porque él _____.

   **a.** era viejo    **b.** estaba enfermo
   **c.** no creyó

4. _____ era descendiente del rey David.

   **a.** José    **b.** Simeón    **c.** Zacarías

**Contesta.**

5. ¿Qué papel jugaron los ángeles en la llegada del Mesías?

   _____

6. ¿Por qué Jesús nació en Belén?

   _____

7. ¿Qué es la encarnación?

   _____

8. ¿Cuál es la importancia de la historia sobre Jesús perdido en el Templo?

   _____

**Escribe un corto párrafo para contestar esta pregunta.**

9–10. ¿Cómo fue María bendecida por Dios?

## Reflexiona y ora

Dios te salve María, llena eres de gracia, el Señor es contigo.

Santa María, ruega por nosotros.

Ayúdame a _____

Review

## Chapter 19

**Circle the letter of the correct answer.**

1. _____ told Mary that her cousin Elizabeth was with child.

   **a.** Anna   **b.** An angel   **c.** Zechariah

2. _____ was born to prepare the people for the Messiah.

   **a.** Elijah   **b.** Zechariah   **c.** John

3. Zechariah lost his ability to speak because he was _____.

   **a.** old   **b.** sick   **c.** unbelieving

4. _____ was a descendant of King David.

   **a.** Joseph   **b.** Simeon   **c.** Zechariah

**Short Answers**

5. What role did angels play in the coming of the Messiah?

   _____

6. Why was Jesus born in Bethlehem?

   _____

7. What is the Incarnation?

   _____

8. Why is the story of the finding of Jesus in the Temple important?

   _____

**Write a paragraph to answer this question.**

9–10. How was Mary blessed by God?

Reflect & Pray

Hail Mary, full of grace, the Lord is with you!

Holy Mary, pray for us. Help me to _____

_____

# Respondemos y compartimos la fe

## Compartiendo lo aprendido

Habla con tu familia sobre lo siguiente:

- el papel de María y José en el plan de Dios
- la historia de Isabel y Zacarías
- el nacimiento y la niñez de Jesús
- Juan prepara el camino a Jesús.

## Recuerda

- María fue bendecida por Dios.
- María e Isabel tenían un papel especial en el plan de Dios.
- El Hijo de Dios se hizo hombre.
- Juan prepara el camino para Jesús.

## Compartir una oración

Esta oración judía se conoce como el Shema, es rezada para mostrar fe en el único y verdadero Dios.

"Oye, Israel: El Señor nuestro Dios es el único Señor. "Ama al Señor tu Dios con todo tu corazón, con toda tu alma y con todas tus fuerzas".

(Deuteronomio 6:4–5)

## NUESTRA VIDA CATOLICA

### Liturgia de las Horas

Todos los días, el pueblo de Dios, la Iglesia, reza la Liturgia de las Horas. La Liturgia de las Horas es parte de la oración oficial y pública de la Iglesia. Esta oración nos ayuda a alabar a Dios durante todo el día. Esas oraciones nos recuerdan que Dios está siempre activo y presente en nuestras vidas. La Liturgia de la Horas se celebra varias veces al día y está basada en los salmos, lecturas de la Escritura, enseñanzas de la Iglesia, oraciones e himnos. Las dos más importantes son la oración de la mañana y la oración de la tarde.

Visita Sadlier en

www.CREEMOSweb.com

**Conexión con el Catecismo**
Para referencia vea los párrafos 484, 495, 534 y 535.

# We Respond and Share the Faith

## Sharing What I Learned

Discuss the following with your family:

- the roles of Mary and Joseph in God's plan
- the story of Elizabeth and Zechariah
- the birth and early life of Jesus
- John as preparing the way for Jesus.

## Remember

- Mary is blessed by God.
- Mary and Elizabeth had special roles in God's plan.
- God the Son became man.
- John prepared the way for Jesus.

## Share a Prayer

The following Jewish prayer, known as the Shema, is prayed to show faith in the one true God.

"Hear, O Israel! The LORD is our God, the LORD alone! Therefore, you shall love the LORD, your God, with all your heart, and with all your soul, and with all your strength."

(Deuteronomy 6:4–5)

## OUR CATHOLIC LIFE

### Liturgy of the Hours

The Liturgy of the Hours is part of the official public prayer of the Church. The Liturgy of the Hours helps us to praise God. These prayers remind us that God is always active and present in our lives. The Liturgy of the Hours is celebrated at various times during the day, and is made up of psalms, readings from Scripture and Church teachings, prayers, and hymns. Morning Prayer and Evening Prayer are the two most important prayers of the Liturgy of the Hours.

**Connect to the Catechism**
For adult background and reflection, see paragraphs 484, 495, 534, and 535.

Visit Sadlier's
**www.CREEMOSweb.com**

**El tiempo de Cuaresma es un período de preparación para la Pascua.**

## NOS CONGREGAMOS

✝ *Jesús, ayúdanos a seguir tu camino.*

¿Has estado viajando lejos de tu casa? ¿Dónde fuiste? ¿Fue un viaje de vacaciones u otra razón? ¿Qué aprendiste durante tu viaje?

## CREEMOS

Todo el tiempo de Cuaresma es un peregrinaje. Una peregrinación es un viaje a un santuario o a algún lugar sagrado. Para los cristianos, una peregrinación es un camino de oración que nos ayuda a seguir a Cristo y acercarnos a él. Durante la Cuaresma nos centramos en seguir a Cristo y pensar en la relación que empezamos con él con nuestro bautismo. En el Bautismo nos unimos a Cristo y a otros bautizados. Por medio del agua del Bautismo morimos con Cristo para resucitar a nueva vida con él.

La Cuaresma es un peregrinaje mediante el cual nos preparamos para celebrar la muerte y resurrección de Cristo en la Pascua. Toda la Iglesia participa en esta preparación con nuestra adoración y con la forma en que vivimos. Este tiempo es la etapa final de los que se están preparando para la celebración de los sacramentos de iniciación cristiana, durante la Vigilia Pascual. Estos tres sacramentos, Bautismo, Confirmación y Eucaristía, son llamados sacramentos de pascua. Los que los reciben compartirán la muerte y la resurrección de Cristo y tendrán una nueva vida en Cristo. Rezamos por ellos, los apoyamos y les damos la bienvenida a la Iglesia.

La Cuaresma empieza el Miércoles de Ceniza y termina el Jueves Santo, unas semanas después. La ausencia y la simplicidad describen este tiempo. Hay signos de ausencia en nuestras iglesias y en la liturgia. El agua bendita se retira de la fuente bautismal como preparación a los sacramentos de pascua. Durante la liturgia no se canta ni se reza el aleluya, tampoco se tocan campanas. Se usa un morado oscuro en los ritos, las plantas y las flores se retiran de la iglesia. Todo esos cambios nos recuerdan nuestra necesidad de comprometernos con Cristo y la Iglesia.

Nuestra esperanza está en el Dios de misericordia y perdón.

## The season of Lent is a period of preparation for Easter.

### WE GATHER

✝ *Jesus, help us to follow in your way.*

Have you ever been on a trip away from home? Where did you go? Was this a vacation trip or was it taken for another reason? What did you learn from your travels?

### WE BELIEVE

The entire season of Lent is like a pilgrimage. A pilgrimage is a trip taken to a shrine or sacred place. As Christians, a pilgrimage is a prayer journey that helps us follow Christ more closely. During Lent we focus on following Christ and thinking about the relationship that we began with him at Baptism. In Baptism we are united to Christ and to all others who are baptized. Through the waters of Baptism we die with Christ only to rise to new life with him.

Lent is a journey during which we prepare to celebrate at Easter Christ's dying and rising to new life. The entire Church takes part in this preparation through our worship and by the way we live. This season is the final time of preparation for those who will celebrate the sacraments of Christian initiation at Easter.

These three sacraments—Baptism, Confirmation, and the Eucharist—are called the Easter sacraments. Those who receive them will share in Jesus' death and Resurrection and have new life in Christ. We pray for them, support them, and welcome them into our parish.

The season of Lent begins on Ash Wednesday and ends many weeks later on Holy Thursday evening. Absence and simplicity describe the season of Lent. There are signs of this absence in our churches and in our liturgy. Water is usually removed from the holy water and baptismal fonts as preparation for the Easter sacraments. During the liturgy, the alleluia is not said or sung nor are bells rung. Dark purple is the color used in worship, and green plants and flowers may be removed from the churches. All of these changes remind us of our need to recommit ourselves to Christ and to the Church.

*Our hope is the God of mercy and forgiveness.*

253

## Oración

Durante la Cuaresma nos centramos en la misericordia y el perdón de Dios. Pedimos a Dios que nos recuerde y fortalezca para vivir de acuerdo a sus leyes. La Cuaresma es un buen momento para pasar tiempo extra conversando con Dios. Podemos dedicar más tiempo a la oración personal y a la oración en comunidad con nuestra parroquia.

La Iglesia reza especialmente por los que se están preparando para recibir los sacramentos de iniciación. Muchas parroquias se reúnen para rezar el vía crucis y tener celebraciones especiales del sacramento de la Reconciliación.

## Ayuno

Ayunar es una forma de limpiar nuestro cuerpos de cosas dañinas y nuestros corazones y mentes de cosas que nos mantienen alejados de Dios y de los demás. Ayunar es también una forma de hacer penitencia. Hacer penitencia nos ayuda a volvernos a Dios y centrarnos en las cosas que son importantes en nuestras vidas cristianas. Hacer penitencia es una forma de mostrar que estamos arrepentidos de nuestros pecados.

Una forma de ayunar es evitar hacer cosas que nos gustan, como no comer nuestra comida favorita. Los católicos mayores de 14 años son invitados a ayunar el Miércoles de Ceniza y el Viernes Santo. También se les pide no comer carne esos días ni los viernes de Cuaresma.

## Dar limosna

Durante la Cuaresma también mostramos especial interés en los necesitados. Seguimos el ejemplo de Jesús de dar comida a los que tienen hambre y cuidar de los enfermos. Tratamos de ayudar a otros a obtener las cosas que les hacen falta y asegurarnos de que tienen lo que les corresponde.

Muchas parroquias recolectan comida y ropa durante la Cuaresma. Las familias pueden participar en estas actividades, pueden ofrecerse como voluntarios en cocinas populares, visitar a los enfermos o practicar cualquier otra obra de misericordia.

---

Nos ayudan a preparar para renovar nuestras promesas bautismales en la Pascua y a celebrar la nueva vida que Cristo ha ganado para nosotros con su cruz y resurrección.

La forma en que vivimos durante este tiempo es también signo de ausencia y simplicidad. Se nos llama a seguir las costumbres cuaresmales de oración, ayuno, abstinencia y dar limosna o práctica de obras compasivas. La palabra *limosna* viene del griego y significa "compasión". Dar limosna puede ser dar de nuestro tiempo, dinero o cosas que otros necesiten. Rezar, ayunar y dar limosnas son parte de la vida cristiana. Sin embargo, durante la Cuaresma tienen un significado especial al prepararnos para renovar nuestro bautismo.

**Vía crucis**   Durante la Cuaresma, como siempre, estamos caminando hacia la felicidad de vivir con Dios por siempre. Tenemos muchas oportunidades de seguir los pasos de Jesús. Uno de los lugares más famosos para seguir a Jesús son aquellos por donde un día él caminó, la Tierra Santa. Por siglos, los cristianos han peregrinado a la Tierra Santa. Ellos han caminado por donde Jesús caminó en su ruta al calvario. Como no todo el mundo podía ir a la Tierra Santa, el vía crucis empezó a rezarse en las iglesias. De esa forma todos podían seguir el camino de la muerte y resurrección de Jesús. Todos podían ser peregrinos.

## Prayer

During Lent we focus on God's mercy and forgiveness. We call out to God to remember us and strengthen us to live by his laws. Lent is a good time to spend extra time in conversation with God. We may devote more time to personal prayer and to prayer with our parish community.

The Church prays especially for those who are preparing to receive the sacraments of Christian initiation. Many parishes gather for the stations of the cross and have special celebrations of the sacrament of Reconciliation.

## Fasting

Fasting is a way to cleanse our bodies of harmful things and our hearts and minds of things that keep us from loving God and others. Fasting is also a form of penance. Doing penance helps us to turn to God and to focus on the things that are important in our lives as Christians. Doing penance is a way to show that we are sorry for our sins.

One way to fast is to give up things we enjoy, like a favorite food or activity. Catholics of a certain age are called to fast from food on Ash Wednesday and Good Friday. They are also called to give up meat on these days and on all the Fridays during Lent.

## Almsgiving

During Lent we also show special concern for those in need. We follow Jesus' example of providing for the hungry and caring for the sick. We try to help other people to get the things they need and make sure that people have what is rightfully theirs.

Many parishes have food and clothing drives during this time of year. Families may participate in these drives and also volunteer at soup kitchens, visit those who are sick, and practice other works of mercy.

They help us to prepare to renew our baptismal promises at Easter and to celebrate the new life Christ has won for us by his cross and Resurrection.

The way we live during this season is also a sign of absence and simplicity. We are called to follow the Lenten practices of prayer, fasting, and almsgiving, or practicing works of compassion. The word *alms* comes from a Greek word meaning "compassion." Almsgiving can be the giving of time, money, or goods to those in need. Prayer, fasting, and almsgiving are always part of Christian living. However, during Lent they take on special meaning as we prepare to renew our Baptism.

**Stations of the Cross** In Lent, as always, we are traveling toward the happiness of living forever with God. We have many opportunities to follow in the footsteps of Jesus. One of the most famous places to follow Jesus is the land where he once walked, or the Holy Land. Through the centuries, Christians have made pilgrimages to the Holy Land. They have walked in the footsteps of Jesus along the way of the cross. Since most people could not travel to the Holy Land, stations of the cross began to be placed in parish churches. In this way, everyone could follow Jesus on his path from death to Resurrection. Everyone could be a pilgrim.

## Vía crucis

1. Jesús es condenado a muerte.
2. Jesús toma su cruz.
3. Jesús cae por primera vez.
4. Jesús encuentra a su madre.
5. Simón ayuda a Jesús a cargar la cruz.
6. La Verónica enjuga el rostro de Jesús.
7. Jesús cae por segunda vez.
8. Jesús encuentra a las mujeres de Jerusalén.
9. Jesús cae por tercera vez.
10. Jesús es despojado de sus vestiduras.
11. Jesús es clavado en la cruz.
12. Jesús muere en la cruz.
13. Jesús es bajado de la cruz.
14. Jesús es puesto en un sepulcro.

Hacer el vía crucis se hizo tan popular que se hace con frecuencia durante la Cuaresma. Generalmente en la iglesia encontramos catorce estatuas, cruces o imágenes colocadas en la pared de la iglesia. Cada una es una estación donde nos paramos a recordar y a rezar.

En cada estación rezamos lo siguiente:

Te adoramos Cristo y te bendecimos.
Que por tu santa cruz redimiste al mundo.

### RESPONDEMOS

En parejas o pequeños grupos escojan una estación del vía crucis y escriban una meditación o una oración sobre la estación. Usa este espacio para escribir tus ideas.

## ✝ Respondemos en oración

**Líder:** Bendito seas, Señor Dios de toda la creación:

**Todos:** Tú nos haces tener sed y hambre de santidad.

**Líder:** Bendito seas, Señor Dios de toda la creación:

**Todos:** Tú nos llamas al verdadero ayuno.

**Líder:** A libertar a los oprimidos, compartir nuestro pan con los que tienen hambre y dar cobijo a los desamparados y ropa a los desnudos.

**Todos:** Bendito seas por siempre Señor.

**Lector:** Lectura de la carta de San Pablo a los filipenses.

"Hermanos, piensen en todo lo verdadero, en todo lo que es digno de respeto, en todo lo recto, en todo lo puro, en todo lo agradable, en todo lo que tiene buena fama. Piensen en todo lo que es bueno y merece alabanza". (Filipenses 4:8)

Palabra de Dios.

**Todos:** Te alabamos, Señor.

**Líder:** Vamos ahora a pedirnos perdón unos a otros.

**Todos:** Dios mío,
Yo confieso ante Dios todopoderoso y ante vosotros, hermanos, que he pecado mucho de pensamiento, palabra, obra y omisión.
Por mi culpa, por mi culpa, por mi gran culpa.
Por eso ruego a santa María, siempre Virgen, a los ángeles, a los santos y a vosotros, hermanos, que intercedáis por mí ante Dios, nuestro Señor.

### 🎵 Misericordia, Señor

Misericordia, Señor, por tu bondad, misericordia.

Following the stations of the cross became a devotion that takes place often during the season of Lent. The word *station* comes from a Latin word meaning "stopping point." In a parish the stations are usually fourteen statues, pictures, or crosses placed along the walls of the church. At each station we stop, we remember, and we pray.

At each station we usually pray this way:

We adore you, O Christ,
   and we bless you.
Because by your holy cross,
   you have redeemed the world.

## WE RESPOND

Break into pairs or small groups and choose one station. Write a meditation or prayer about that station.

### Stations of the Cross

1. Jesus is condemned to die.
2. Jesus takes up his cross.
3. Jesus falls the first time.
4. Jesus meets his mother.
5. Simon helps Jesus carry his cross.
6. Veronica wipes the face of Jesus.
7. Jesus falls the second time.
8. Jesus meets the women of Jerusalem.
9. Jesus falls the third time.
10. Jesus is stripped of his garments.
11. Jesus is nailed to the cross.
12. Jesus dies on the cross.
13. Jesus is taken down from the cross.
14. Jesus is laid in the tomb.

## ✝ We Respond in Prayer

**Leader:** Blessed are you, Lord, God of all creation:

**All:** you make us hunger and thirst for holiness.

**Leader:** Blessed are you, Lord, God of all creation:

**All:** you call us to true fasting.

**Leader:** to set free the oppressed,
   to share our bread with the hungry,
   to shelter the homeless and to clothe the naked.

**All:** Blessed be God for ever.

**Reader:** A reading from the Letter of Saint Paul to the Philippians

"Whatever is true, whatever is honorable, whatever is just, whatever is pure, whatever is lovely, whatever is gracious, if there is any excellence and if there is anything worthy of praise, think about these things." (Philippians 4:8)

The word of the Lord.

**All:** Thanks be to God.

**Leader:** Let us now ask forgiveness of one another and of God.

**All:** I confess to almighty God,
   and to you, my brothers and sisters,
   that I have sinned through my own fault
   in my thoughts and in my words,
   in what I have done,
   and in what I have failed to do;
   and I ask blessed Mary, ever virgin,
   all the angels and saints,
   and you, my brothers and sisters,
   to pray for me to the Lord our God.

### 🎵 My God, My God

My God, my God,
have mercy on me,
for all my hope is in you,
my God, all my hope is in you.

# Respondemos y compartimos la fe

## Compartiendo lo aprendido

Conversa con tu familia sobre lo siguiente:

- el tiempo de Cuaresma

- las prácticas de la Cuaresma como preparación para la Pascua

- Peregrinaciones y vía crucis.

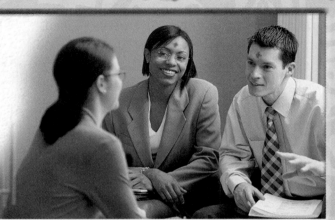

## Alrededor de la mesa

Estas son tres prácticas de Cuaresma. Usen las preguntas para hablar en familia

### Oración

¿Cómo podemos estar más conscientes, durante la Cuaresma, de la bondad de Dios? ¿Qué oraciones especiales de Cuaresma podemos rezar con nuestra parroquia?

### Ayuno

¿Qué nos puede ayudar a recordar durante la cuaresma comer sólo lo necesario? ¿Cómo puede nuestro ayuno mostrar amor por Dios y por los demás? ¿Qué otro ayuno, además de comida, podemos hacer?

### Limosna

¿Cómo podemos, durante esta Cuaresma, dar a los necesitados? ¿Cómo podemos dar de nuestro tiempo, dinero u otras bondades?

## Oración en familia

Durante el tiempo de Cuaresma tratamos de acercarnos a Cristo por medio de la oración y obras de amor. Recemos esta oración en familia.

Que Dios ponga nuestra familia en acción, para trabajar con amor y perseverar en la esperanza por medio de Jesucristo.

Que Dios supla totalmente todas nuestras necesidades de acuerdo a su generosidad, magnánimamente.

En Jesucristo. Para la gloria de Dios por siempre.

Visita Sadlier en
www.CREEMOSweb.com

**Conexión con el Catecismo**
Para reflexión vea el párrafo 1429.

# We Respond and Share the Faith

## Sharing What I Learned

Discuss the following with your family:

- the season of Lent
- Lenten practices as preparation for Easter
- pilgrimages and stations of the cross.

## Around the Table

Here are three Lenten practices. Use the questions to talk about them with your family.

### Prayer
How can we be more aware of God's goodness during Lent? What special Lenten prayers can we pray with our parish?

### Fasting
What can help us to remember to eat only what we need during this Lent? How can our fasting show our love for God and others? What else can we "fast" from besides foods?

### Almsgiving
How can we give to those in need this Lent? How can we properly give of our time, our money, or our goods?

## A Family Prayer

During the season of Lent, we try to grow closer to Christ through prayer and acts of love. Pray these prayers with your family.

May God put our faith into action, to work in love, to persevere in hope, through our Lord Jesus Christ.

May God fully supply all our needs according to his generosity, with magnificence, in Christ Jesus! To God be glory for ever and ever!

 **Connect to the Catechism**
For adult background and reflection, see paragraph 1429.

**El Triduo Pascual es también conocido como Pascua cristiana.**

## NOS CONGREGAMOS

✝ *Jesús, llévanos contigo a tu nueva vida.*

Piensa en alguna vez que alguien confió en un mapa para llegar a algún lugar. ¿Cuál hubiera sido su experiencia sin un mapa?

## CREEMOS

El Triduo Pascual nos guía hacia una peregrinación. Nuestra peregrinación con Jesucristo de la muerte a la vida. Cuando celebramos el Triduo Pascual, celebramos los tres días más importantes del año para los cristianos. Estos tres días van desde la tarde del Jueves Santo hasta la tarde del Domingo de Pascua. Se cuentan como lo hacían nuestros antepasados judíos, de una tarde a otra.

Las celebraciones litúrgicas de estos tres días se ven como una liturgia en la que celebramos el paso de Jesús de la muerte a la vida. Estos días se centran en el misterio pascual de Cristo, en su pasión, muerte, resurrección y ascensión. Pascual viene de *pascua* que significa "paso". El misterio pascual es el misterio del sacrificio de Cristo y de su paso de la muerte a la vida.

**Jueves Santo**   La misa de la cena del Señor, el jueves en la tarde, no es un simple recuento de los eventos de la última cena, cuando Jesús reunió a sus discípulos para celebrar la pascua. Es la celebración de una nueva pascua, el cuerpo y la sangre de Cristo compartida con ellos y que sigue siendo compartida con nosotros en la Eucaristía. Esta es una celebración de amor y servicio a la que Cristo nos llama todos los días.

Durante la misa se celebra una ceremonia de lavado de los pies. Esta acción nos convida a seguir el ejemplo de amor y servicio de Jesús. El lavó los pies de los discípulos como señal de su amor por ellos.

Una forma de mostrar nuestro amor y servicios por los demás el Jueves Santo, es contribuyendo a la colecta especial por los necesitados.

"Goce también la tierra, inundada
de tanta claridad, y que, radiante con
el fulgor del rey eterno, se sienta libre de
la tiniebla que cubría el orbe entero".

Pregón Pascual, Vigilia Pascual

# Triduum

Advent | Christmas | Ordinary Time | Lent | **Triduum** | Easter | Ordinary Time

**The Easter Triduum is also known as the Christian Passover.**

## WE GATHER

✝ *Jesus, take us with you into new life.*

Think about times when people count on a map to aid them in getting someplace. What would their experience be like without a map?

## WE BELIEVE

The Easter Triduum guides us on a journey. We journey with Jesus Christ from death to new life. When we celebrate the Easter Triduum, we are celebrating the most important three days of the year for Christians. These three days extend from the evening of Holy Thursday to the evening of Easter Sunday. They are counted as our Jewish ancestors in faith count their days—from sundown to sundown.

The liturgical celebrations of these three days are seen as one connected liturgy in which we celebrate Christ's passing from death to new life. These days focus on the whole Paschal Mystery of Christ—his passion, death, Resurrection, and Ascension. Paschal comes from the word *pasch* which means "Passover." So the Paschal Mystery is the mystery of Christ's sacrifice of himself and of his passing over from death to life.

**Holy Thursday** The Evening Mass of the Lord's Supper is not simply a reenactment of the events of the Last Supper when Jesus gathered to celebrate Passover with his disciples. It is a celebration of the new Passover, Christ's Body and Blood that he shared then and still shares with us today in the Eucharist. It is a celebration of the love and service Christ calls us to everyday.

During this Mass a ceremony of the washing of the feet takes place. This action commits us to follow the example of Jesus' love and service. He washed his disciples' feet as a sign of his love for them.

On Holy Thursday one way that we show our love and service for others is by contributing to a special collection for those who are in need.

"Rejoice, O earth, in shining splendor, radiant in the brightness of your King! Christ has conquered! Glory fills you! Darkness vanishes for ever!"

The Exsultet, the Easter Vigil

**Viernes Santo** En este día recordamos el sufrimiento y muerte de Jesús. La celebración tiene lugar generalmente alrededor de las tres de la tarde. Escuchamos la pasión de Cristo leída del Evangelio de Juan y ofrecemos diez intercesiones generales que incluyen la oración por todo el mundo. También mostramos reverencia por la cruz, donde fue colgado el Salvador del mundo. La cruz es el signo de la muerte y la victoria que Cristo ganó para nosotros con su muerte y un símbolo de la salvación que Jesucristo ofreció al mundo.

No se celebra la Liturgia de la Eucaristía, se hace un servicio de comunión y los asistentes parten en silencio.

**Sábado Santo** Durante este día pasamos tiempo pensando y rezando. Recordamos que Jesús murió para salvar a todo el mundo y damos gracias a Dios por su regalo. Rezamos especialmente por los que van a celebrar los sacramentos en la Vigilia Pascual. Los domingos y días de preceptos la Iglesia inicia la celebración litúrgica con una vigilia la noche antes.

El Sábado Santo en la tarde nos reunimos con toda la comunidad parroquial a celebrar la Vigilia Pascual.

La Vigilia Pascual es la vigilia más importante del año y es el punto culminante del Triduo. Empieza la tarde del sábado antes del Domingo de Pascua. Es tiempo de espera. La luz y el agua son dos símbolos de nuestra fe importantes en la celebración de esa noche.

En toda la historia de la salvación, el fuego ha sido un símbolo de la presencia de Dios. En la noche de la Vigilia Pascual, un fuego se enciende afuera o en la parte atrás de la iglesia. El sacerdote prepara el cirio pascual marcando en él el año.

Después se enciende con el nuevo fuego y el sacerdote dice: "Que la luz de Cristo, resucitado y glorioso, disipe las tinieblas de nuestro corazón y de nuestro espíritu" (Misal romano). Este fuego representa el fuego de la zarza ardiente, y el cirio pascual nos recuerda el pilar de fuego que acompañó a los israelitas en su éxodo. El cirio pascual es más, es un símbolo de Cristo resucitado entre nosotros. Nos recuerda nuestro propio paso con Cristo de la muerte a la vida, de la oscuridad a la luz.

Con reverencia el cirio pascual es llevado a la iglesia oscura. El diácono o el sacerdote canta tres veces: "La luz de Cristo". La asamblea responde cada vez: "Demos gracias". Las pequeñas velas son encendidas con la luz del cirio pascual y la luz de cristo se expande por toda la asamblea.

El diácono o un miembro de la parroquia canta el Exsultet, o Pregón de pascua. *Exaltarse* significa "regocijarse con gran triunfo".

**Good Friday**   On this day we recall Jesus' suffering and death. The celebration often takes place in the afternoon around three o'clock P.M. We hear the passion of Christ read from the Gospel of John, and we offer ten general intercessions that include prayers for the whole world. We also show reverence to the cross, for upon it hung the Savior of the world. The cross is the sign of Christ's death and of the victory he wins for us by his death. The cross is a symbol of the salvation Jesus Christ offers to the world.

Because the Liturgy of the Eucharist is not celebrated on Good Friday, a short communion service takes place and then all depart in silence.

**Holy Saturday**   During the day we spend time thinking and praying. We remember that Jesus died to save all people and we thank God for this gift. We pray especially for those who will celebrate the Easter sacraments. On Sundays and very important feast days, the Church begins the liturgical celebration on the night before with a vigil. On Holy Saturday evening we gather with our parish for the celebration of the Easter Vigil.

The Easter Vigil is the most important vigil of the year and it is the high point of the Triduum. It begins after sundown on the Saturday before Easter Sunday. It is a time of watchful waiting. Two beautiful symbols of our faith are a central part of this night: light and water.

Throughout the history of salvation fire has been a symbol of the presence of God. On the night of the Easter Vigil a fire is made outdoors or in the back of the Church. The priest prepares the paschal candle by marking the year on it. Then the paschal candle is lit from this new fire and the priest says,
"May the light of Christ, rising in glory, dispel the darkness of our hearts and minds."

The fire represents the fire of the burning bush, and the paschal candle reminds us of the pillar of fire that accompanied the Israelites on their journey out of Egypt. The paschal candle is more, though. It is a symbol of the risen Christ among us. It is a reminder of our own passing with Christ from death to life, from darkness to light.

The paschal candle is carried into the dark church with great reverence. The deacon or priest sings "Christ our light" three times. The assembly responds "Thanks be to God." each time. Often those assembled light small candles from the paschal candle, and the light of Christ spreads throughout the whole assembly.

Then the deacon or a parish member chants the Exsultet, or Easter Proclamation. To *exult* means to "rejoice with great joy and triumph."

El Exsultet es una proclamación de nuestra fe en la pascua. Es como un mapa de la celebración de la Pascua. El Exsultet proclama el plan de Dios, y señala que somos parte de ese plan.

"Esta es la noche en que sacaste de Egipto a los israelitas, nuestros padres, y los hiciste pasar a pie el mar Rojo.
"Esta es la noche en que la columna de fuego esclareció las tinieblas del pecado.
"Esta es la noche que a todos los que creen en Cristo, por toda la tierra, los arranca de los vicios del mundo y de la oscuridad del pecado, los restituye a la gracia y los agrega a los santos.
"¡Qué noche tan dichosa! Sólo ella conoció el momento en que Cristo resucitó del abismo".

Esta es la más hermosa y alegre noche del año. Nuevos miembros de la Iglesia son bautizados, confirmados y reciben la comunión por primera vez.

El agua es otro importante símbolo de la Vigilia Pascual. Es importante para los nuevos bautizados y para todos nosotros, quienes vamos a renovar nuestras promesas bautismales y somos rociados con agua. Este es un símbolo de la nueva pascua. Nosotros también resucitamos con Cristo.

**Domingo de Pascua** Nuestro gozo continúa en la Eucaristía del Domingo de Pascua cuando rezamos:

"Dios nuestro,
que por medio de tu Hijo venciste a la muerte y nos has abierto las puertas de la vida eterna, concede a quienes celebramos hoy la Pascua de Resurrección, resucitar también a una nueva vida, renovados por la gracia del Espíritu Santo".

## RESPONDEMOS

¿Qué puedes hacer para ayudar a otros a creer y vivir la nueva vida que viene de Cristo?

## ✠ Respondemos en oración

**Líder:** Vamos a regocijarnos en la resurrección de Jesús.

🎵 **Resucitó/He Is Risen**

Estribillo
Resucitó, resucitó, resucitó, aleluya.
Aleluya, aleluya, aleluya, resucitó.
*(He is risen, alleluia.)*

**Líder:** Vamos a rezar el Pregón de Pascua.

**Grupo 1:** "Alégrense, por fin, los coros de los ángeles, alégrense las jerarquías del cielo
y, por la victoria de rey tan poderoso, que las trompetas anuncien la salvación".

**Todos:** *Estribillo*

**Grupo 2:** "Goce también la tierra, inundada de tanta claridad,

y que, radiante con el fulgor del rey eterno, Se sienta libre de la tiniebla que cubría el orbe entero":

**Todos:** *Estribillo*

**Grupo 3:** "Alégrese también nuestra madre la Iglesia
Revestida de luz tan brillante;
Resuene este templo con las aclamaciones del pueblo".

**Todos:** *Estribillo*

**Grupo 4:** "¡Qué noche tan dichosa!
Sólo ella conoció el momento
En que Cristo resucitó del abismo.
Esta es la noche de la que estaba escrito:
"Será la noche clara como el día, la noche iluminada por mi gozo".

**Todos:** *Estribillo*

The Exsultet is a proclamation of our Easter faith. It is like a map of the celebration of Easter. The Exsultet proclaims God's plan, and notes that we are part of that plan.

"This is our passover feast,"
we hear. We also hear,
"This is the night when first you
        saved our fathers:
you freed the people of Israel
        from their slavery."

The waters of the Red Sea remind us of the waters of Baptism. Most importantly, we hear,

"This is the night when Jesus Christ
        broke the chains of death
and rose triumphant from the grave."

This is the most beautiful and exciting night of the year! New members of the Church are baptized, confirmed, and receive the Eucharist for the first time.

Water is another symbol that is very important to the Easter vigil. It is important to the newly baptized and to all of us who renew our baptismal promises and are sprinkled with water. It is a symbol of our new Easter life. We, too, are risen with Christ.

**Easter Sunday** Our joy continues at the Easter Sunday Eucharist as we pray:

"May the risen Lord
breathe on our minds
        and open our eyes
that we may know him in the
        breaking of bread,
and follow him in his risen life."

## WE RESPOND

What can you do to help others to believe and experience the new life that comes from Christ?

# ✝ We Respond in Prayer

**Leader:** Let us rejoice in the Resurrection of Jesus.

 **Resucitó/He Is Risen**
Resucitó, resucitó, resucitó, aleluya.
Aleluya, aleluya, aleluya, resucitó.

**Leader:** Let us pray the great Easter Proclamation.

**Group 1:** "Rejoice, heavenly powers!
    Sing, choirs of angels!
Exult, all creation around God's throne!
Jesus Christ, our King, is risen!
Sound the trumpet of salvation!"

**All:** *Sing refrain.*

**Group 2:** "Rejoice, O earth, in shining
    splendor,
radiant in the brightness of your King!

Christ has conquered! Glory fills you!
Darkness vanishes for ever!"

**All:** *Sing refrain.*

**Group 3:** "Rejoice, O Mother Church!
    Exult in glory!
The risen Savior shines upon you!
Let this place resound with joy,
echoing the mighty song of all
    God's people!"

**All:** *Sing refrain.*

**Group 4:** "Most blessed of all nights,
    chosen by God
to see Christ rising from the dead!
Of this night scripture says:
    'The night will be as clear as day:
    it will become my light, my joy.'"

**All:** *Sing refrain.*

# Respondemos y compartimos la fe

## Compartiendo lo aprendido

Habla con tu familia sobre lo siguiente:

- la misa de la cena del Señor
- la celebración de la pasión del Señor
- la Vigilia Pascual.

## Alrededor de la mesa

Habla con tu familia sobre las formas de celebrar el Triduo, en la casa y en la parroquia. Aquí hay algunas sugerencias:

- El Jueves Santo en la tarde, participen en la misa de la cena del Señor.

- El Viernes Santo establezcan una atmósfera de silencio y preparen una comida simple como sopa con emparedados. Participen en la liturgia del Viernes Santo en la iglesia.

- El Sábado Santo, preparen la casa para la Pascua. Participen de la Vigilia Pascual y de la Eucaristía del Domingo de Pascua. ¡Regocijaos, Cristo ha resucitado! ¡Aleluya!

## Oración en familia

Recen esta oración en familia antes y después de la cena durante los días del Triduo.

Por nuestra salvación Cristo fue obediente, aceptando la muerte, muerte en la cruz. Por eso Dios lo resucitó y le dio el nombre por encima de todos los nombres.

Visita Sadlier en

**www.CREEMOSweb.com**

**Conexión con el Catecismo**
Para reflexión vea el párrafo 1096.

# We Respond and Share the Faith

## Sharing What I Learned

Discuss the following with your family:

- the Evening Mass of the Lord's Supper
- the Celebration of the Lord's Passion
- the Easter Vigil.

## Around the Table

Talk with your family about ways to celebrate the Triduum, both at home and with your parish. Here are some suggestions.

- On Holy Thursday, participate in the Evening Mass of the Lord's Supper.

- On Good Friday, create a silent atmosphere at home and prepare simple meals, like soup or sandwiches. Participate in the Good Friday liturgy at church.

- On Holy Saturday, help to prepare your home for Easter. Participate in the Easter Vigil and or the Easter Sunday Eucharist. Rejoice! Jesus is risen! Alleluia!

## Family Prayer

Pray this prayer with your family before and after your evening meals on the three days of the Triduum.

> For our sake Christ was obedient,
>     accepting even death, death on a cross.
> Therefore God raised him on high
>     and gave him the name above all
>     other names.

 **Connect to the Catechism**
For adult background and reflection, see paragraph 1096.

# 22 Jesús, Maestro y Sanador

## NOS CONGREGAMOS

**Líder:** Lectura del santo Evangelio según Mateo.

"Jesús iba caminando por la orilla del lago de Galilea, cuando vio a dos hermanos: uno era Simón, también llamado Pedro, y el otro Andrés. Eran pescadores, y estaban echando la red al agua. Jesús les dijo: 'Síganme, y yo los haré pescadores de hombres'. Al momento dejaron sus redes y se fueron con él. Un poco más adelante, Jesús vio a otros dos hermanos: Santiago y Juan, hijos de Zebedeo, que estaban con su padre en una barca arreglando las redes. Jesús los llamó, y en seguida ellos dejaron la barca y a su padre, y lo siguieron".
(Mateo 4:18–22)

Palabra del Señor.

**Todos:** Gloria a ti, Señor Jesús.

 **Pescador de hombres**

Tú has venido a la orilla,
no has buscado ni a sabios ni a ricos,
tan sólo quieres que yo te siga.

Estribillo:
Señor, me has mirado a los ojos,
sonriendo has dicho mi nombre,
en la arena he dejado mi barca,
junto a ti buscaré otro mar.

 ¿Por qué te preparas para un evento importante? ¿Cuáles son algunas formas en que te preparas?

## CREEMOS

### Dios se dio a conocer en su Hijo.

Después del bautismo de Jesús en el Río Jordán, el Espíritu Santo los envió al desierto. Jesús estuvo ahí durante cuarenta días y cuarenta noches. El rezó a su Padre y ayunó como un signo de su obediencia. Jesús se preparó para su vida pública, su vida en el pueblo.

Jesús regresó a Galilea y empezó a predicar su mensaje: "Ha llegado el tiempo, y el reino de Dios está cerca. Vuélvanse a Dios y acepten con fe sus buenas noticias" (Marcos 1:15). El evangelio es la buena nueva sobre Dios trabajando en Jesucristo. Jesús mostró que el reino de Dios es el poder del amor de Dios en el mundo y en nuestras vidas. El reino vino al mundo con la venida del Hijo de Dios.

El pueblo judío había estado esperando por el cumplimiento de las promesas de Dios. Ellos esperaban el reino de Dios de justicia y justo gobierno. Muchos esperaban que Israel volviera a ocupar un lugar de poder con Dios como rey. Sin embargo, el reino que Jesús anunció no era político. Era el poder del amor de Dios activo en la vida del pueblo.

# Jesus, Teacher and Healer

## 22

## WE GATHER

 **Leader:** A reading from the holy Gospel according to Matthew

"As he was walking by the Sea of Galilee, he saw two brothers, Simon who is called Peter, and his brother Andrew, casting a net into the sea; they were fishermen. He said to them, 'Come after me, and I will make you fishers of men.' At once they left their nets and followed him. He walked along from there and saw two other brothers, James, the son of Zebedee, and his brother John. They were in a boat, with their father Zebedee, mending their nets. He called them, and immediately they left their boat and their father and followed him." Matthew 4:18–22

The Gospel of the Lord.

**All:** Praise to you, Lord Jesus Christ.

🎵 **Lord, You Have Come**

Lord, you have come to the seashore, neither searching for the rich nor the wise, desiring only that I should follow.

Refrain:
O Lord, with your eyes set upon me, gently smiling, you have spoken my name; all I longed for I have found by the water, at your side, I will seek other shores.

 Why do you prepare for an important event? What are some ways that you get ready for it?

## WE BELIEVE

### God makes himself known in his Son.

After Jesus' baptism at the Jordan River, the Holy Spirit led him into the desert. Jesus stayed there for forty days and forty nights. He prayed to his Father and fasted as a sign of his obedience. Jesus was preparing for his public life, his life among the people.

Jesus then returned to Galilee and began to preach this message: "This is the time of fulfillment. The kingdom of God is at hand. Repent, and believe in the gospel" (Mark 1:15). The gospel is the good news about God at work in Jesus Christ. Jesus showed that the **Kingdom of God** is the power of God's love coming into the world and into our lives. The kingdom came into the world with the coming of God the Son.

The Jewish people had been waiting for this fulfillment of God's promises. They were waiting for God's Kingdom of justice and fair rule. Many hoped Israel would be restored to its place of power with God as king. However, the kingdom Jesus announced was not political. It was the power of God's love active in the lives of the people.

La boda de Caná — La buena nueva — El Sermón del Monte, las Bienaventuranzas — Los milagros de Jesús — La última cena, nuevo mandamiento — Oración de Jesús en el Jardín — Judas entrega a Jesús

The wedding at Cana — Jesus brings God's love to all people — Sermon on the Mount, the Beatitudes — Jesus works many signs and miracles — At Last Supper, Jesus gives a new covenant — Jesus prays at Gethsemane — Judas betrays Jesus

30 AD

**JESUS' EARTHLY MINISTRY** *(All dates approximate)*

Cuando Jesús dijo que el reino de Dios estaba cerca quiso decir que: la presencia y el gobierno de Dios se pueden encontrar en él y en las cosas que decía y hacía; la libertad del pecado y el don de la vida de Dios, o gracia, son para todos; viviendo en la presencia de Dios y por su reino, el pueblo puede empezar a vivir la vida de Dios, la verdadera vida que creemos es vivir con Dios eternamente.

La misión de Jesús era compartir la vida y el amor de Dios, su Padre, con todo el pueblo y reconciliar al pueblo con Dios. Jesús trajo el amor de Dios a todo el mundo y empezó a cambiar al mundo. "La gente se admiraba de cómo les enseñaba, porque lo hacía con plena autoridad" (Marcos 1:22). Durante su ministerio Jesús animó a la gente a que se volviera a Dios. El aceptó y acogió a todos en su vida. El mostró compasión por los ignorados, u olvidados por el resto de la sociedad. La vida de Jesús fue un signo de amor y cuidado de Dios Padre. El Espíritu Santo estaba verdaderamente activo en Jesús.

Jesús perdonó los pecados de los que buscaron el perdón de Dios y sanó a los que sufrían enfermedades. Esas acciones de sanación y perdón eran signos especiales de que Jesús no sólo era humano, sino también divino.

Las cosas que Jesús hizo y dijo son la gran revelación de quien es Dios y como nos ama. Como hablamos, actuamos y vivimos muestra nuestra fe en el Hijo de Dios, Jesucristo.

🏃 Piensa en el reino de Dios. Juntos hagan una lista de los signos del amor de Dios activo en nuestras vidas.

_____

_____

## Muchos escucharon el mensaje de Jesús y se hicieron sus discípulos.

El mensaje de Jesús dio esperanza al pueblo. Mucha gente quería conocer a Jesús y aprender sobre el amor de Dios. Así que empezaron a seguirlo. El invitó a todo tipo de personas a seguirle y a vivir según sus enseñanzas. Esas personas fueron sus discípulos.

Un día una gran multitud siguió a Jesús hasta las montañas. El mensaje que Jesús ofreció a la gente ese día se convirtió en el conocido *Sermón de la Montaña*. En este sermón Jesús enseñó que para ser feliz había que confiar en Dios y vivir como él.

Llamamos a estas enseñanzas que describen la forma de vivir como discípulo de Jesús las

| Jesús condenado a muerte | La crucifixión | Jesús es sepultado | La resurrección | Jesús aparece a María Magdalena | Jesús aparece a los discípulos | Duda de Tomás | La ascensión |

| Jesus is condemned to death | Jesus is crucified | Jesus' body is placed in tomb | Jesus rises from dead | Jesus appears to Mary Magdalene | Jesus appears to disciples | Thomas doubts Jesus' Resurrection | Jesus ascends to heaven |

When Jesus said that the Kingdom, or reign, of God was near, he was saying that: God's presence and rule can be found in him and in the things he said and did; freedom from sin and the gift of God's life of grace are offered to everyone; by living in God's presence and for the kingdom, people can begin to live in God's life, the very life that we believe is life with God forever.

Jesus' mission was to share the life and love of God his Father with all people and to reconcile all people to God. Jesus brought God's love to all people and began to change the world. "The people were astonished at his teaching, for he taught them as one having authority." (Mark 1:22) During his ministry Jesus encouraged all people to turn to God. He accepted and welcomed all people into his life. He showed concern for people who were ignored or neglected by the rest of society. Jesus' life was a sign of God the Father's love and care. The Holy Spirit was truly active in Jesus.

Jesus also forgave the sins of those who sought God's forgiveness and healed those who were suffering from many different kinds of illnesses. These actions of healing and forgiving were special signs that Jesus was not only human, but also divine.

The things that Jesus said and did are the greatest Revelation of who God is and of how God loves us. And the way we speak and act and live our faith shows our belief in God's own Son, Jesus Christ.

Think about the Kingdom of God. Work together to name some signs that God's love is active in our lives.

_____

_____

## Many people heard Jesus' message and became his disciples.

Jesus' message gave people hope. Many people wanted to know Jesus better and learn more about God's love. So they began to follow Jesus. He invited all different kinds of people to follow him and live by his teachings. These women and men became his disciples.

One day a large crowd followed Jesus to the mountains. The message that Jesus gave to the people that day has become known as the *Sermon on the Mount*. In this sermon Jesus taught that people would be happy only if they trusted in God and lived as he did.

271

**INICIO DE LA IGLESIA** *(Las fechas son aproximadas)*

| 33 AC | 34 AC | 46 AC | 48 AC | 53 AC | 65 AC | 70 AC | 80 AC |

Pentecostés · Conversión de Pablo · Pablo predica · Pablo escribe a los cristianos · Tercer viaje · Evangelio de Marcos · Evangelios de Mateo y Lucas · Hechos de los Apóstoles

Segundo viaje

Paul writes many letters to early churches (48–62 AD)

Pentecost, the birth of the Church · Saul converts · Paul preaches · Paul's second journey · Paul's third journey · Gospel of Mark is written (65–70 AD) · Gospel of Matthew is written (70–90 AD) Gospel of Luke is written (70–90 AD) · Acts of the Apostles is written (80–90 AD)

| 33 AD | 34 AD | 46 AD | 48 AD | 53 AD | 65 AD | 70 AD | 80 AD |

**THE EARLY CHURCH** *(All dates approximate)*

**Bienaventuranzas**. En ellas la palabra bendito significa "dichoso". Como discípulo de Jesús, también somos llamados a cumplir las bienaventuranzas.

El mensaje de esperanza para los que viven de acuerdo a las bienaventuranzas es: "Alégrense, estén contentos, porque van a recibir un gran premio en el cielo" (Mateo 5:12).

Con un compañero conversen sobre formas en que los discípulos de Jesús hoy viven las Bienaventuranzas (Mateo 5:3–10).

Escoge una de esas formas y trata de vivirla esta semana.

## Jesús enseñó como vivir y acercarse a Dios.

En el Sermón de la Montaña, Jesús dijo: "Ustedes son la sal de este mundo. Pero si la sal deja de estar salada, ¿cómo podrá recobrar su sabor?. . .Ustedes son la luz de este mundo . . . procuren ustedes que su luz brille delante de la gente, para que, viendo el bien que ustedes hacen, todos alaben a su Padre que está en el cielo" (Mateo 5:13, 14, 16).

Jesús estaba diciendo a sus discípulos que así como la sal y la luz eran importantes y necesarias, también nosotros lo éramos.

Ellos debían participar activamente en sus comunidades y servir en el reino de Dios compartiendo la vida y el amor de Dios con los demás.

Durante el Sermón de la Montaña, Jesús también enseñó a sus discípulos a rezar. Jesús mismo rezaba con frecuencia en silencio y solo. Y muchas veces rezó con otros. Por medio de la oración sus discípulos aprendieron a hablar con Dios y a escucharle.

Jesús les dijo que Dios Padre sabe cuales son sus necesidades antes de que se lo digan, y les pidió rezar a Dios nuestro Padre. Jesús enseñó a sus discípulos una oración muy especial, el Padrenuestro.

Como seguidores de Jesucristo, rezamos el Padrenuestro durante la misa y en muchas otras ocasiones. En resumen todo el mensaje de Jesús es sobre confiar y amar a Dios.

Trabaja con un grupo para hacer una lista de las diferentes formas en que la oración puede formar parte de nuestras vidas.

_____

_____

| 86 AC | 90 AC | 313 AC | 325 AC | 380 AC | 381 AC | |
| --- | --- | --- | --- | --- | --- | --- |
| Apocalipsis | Evangelio de Juan completado | El Imperio Romano acepta cristianismo | Concilio de Nicea | Cristianismo, religión oficial del Imperio Romano | Reunión de obispos en Constantinopla | Somos discípulos de Jesucristo |

| Book of Revelation is written (86–90 AD) | Gospel of John is completed (90–100 AD) | Christianity is accepted in the Roman Empire | Council of Nicea | Christianity becomes official religion of Roman Empire | Bishops meet in Constantinople | You are a disciple of Jesus Christ |
| --- | --- | --- | --- | --- | --- | --- |
| 86 AD | 90 AD | 313 AD | 325 AD | 380 AD | 381 AD | |

**TODAY**

We call these teachings that describe the way to live as Jesus' disciples the **Beatitudes**. In the Beatitudes *blessed* means "happy." As disciples of Jesus, we too are called to follow the Beatitudes.

Jesus' message of hope for all those who live the Beatitudes is: "Rejoice and be glad, for your reward will be great in heaven" (Matthew 5:12)

With a partner discuss ways that disciples of Jesus today live out the Beatitudes (Matthew 5:3–10). Choose one of these ways and try to live it this week.

## Jesus taught about living and growing closer to God.

In the Sermon on the Mount, Jesus said, "You are the salt of the earth. But if salt loses its taste, with what can it be seasoned? . . . You are the light of the world. . . . your light must shine before others, that they may see your good deeds and glorify your heavenly Father" (Matthew 5:13, 14, 16).

Jesus was telling his disciples that just as salt and light were important and necessary, so were they. They were to take an active part in their communities and to serve the Kingdom of God by sharing God's love and life with others.

During his Sermon on the Mount, Jesus also taught his disciples about prayer. Jesus himself often prayed in silence and alone. And at times he also prayed with others. Through prayer, the disciples learned to speak to God and listen to God speaking to them.

Jesus told them that God the Father knows what we need before we ask, and Jesus instructed them to pray to God our Father. So Jesus taught the disciples a very special prayer—the Lord's Prayer.

This prayer is also called the Our Father. As followers of Jesus Christ, we pray the Lord's Prayer during Mass and at many other times in our lives. It sums up Jesus' whole message of trust in and love for the Father.

Work in a group and list different ways that prayer can be part of our lives.

_____

_____

| Rezamos: | Significado de las palabras: |
|---|---|
| Padre nuestro, que estás en el cielo, santificado sea tu nombre; venga a nosotros tu reino; hágase tu voluntad en la tierra como en el cielo. | Dios está presente en todo él que lo ama. Somos pueblo de Dios y él es nuestro Dios. Esperamos estar con él por siempre. |
| | Pedimos a Dios unir nuestro trabajo al de Cristo y rezar para que Dios traiga su reino. Rezamos a Dios por la habilidad de hacer su voluntad. |
| Danos hoy nuestro pan de cada día; perdona nuestras ofensas, como también nosotros perdonamos a los que nos ofenden; no nos dejes caer en la tentación, y líbranos del mal. | Pedimos a Dios por todas nuestras necesidades y por las necesidades del mundo. Usamos sus dones para trabajar en su plan de salvación. Pedimos a Dios que nos sane y pedimos perdón a él y a los demás. Seguimos el ejemplo de Cristo y perdonamos a los que nos han ofendido. |
| Amén | Pedimos a Dios nos proteja de todo lo que nos aleje de su amor. Le pedimos que nos guíe para escoger lo bueno en nuestras vidas y le pedimos nos dé la fuerza para cumplir su ley. |

## Jesús hizo signos y maravillas entre el pueblo.

Un milagro es un evento extraordinario que está más allá del poder humano y hecho por Dios. Es una acción más allá de las leyes ordinarias de la naturaleza. Jesús hizo muchos milagros. Ellos fueron señales de que él era el Hijo de Dios y que el reino de Dios había llegado con él.

De acuerdo al Evangelio de Juan, Jesús hizo su primer milagro en la fiesta de una boda en Caná.

 Juan 2:1–12

Un día Jesús y su madre, María, y algunos de sus discípulos fueron a una boda en el pueblo de Caná. Caná estaba a unas cuantas millas de Nazaret. El vino se terminó a la mitad del banquete. María fue donde Jesús y le dijo que no había más vino. Después dijo a los sirvientes: "Hagan todo lo que él les diga" (Juan 2:5).

Jesús escuchó a su madre. Ella sabía que la fiesta necesitaba de su ayuda. Jesús señaló a algunas tinajas y le dijo a los sirviente: "Llenen de agua estas tinajas". Después de estar llenas, Jesús dijo: "Ahora saquen un poco y llévenselo al encargado de la fiesta" (Juan 2:7, 8).

Los sirvientes hicieron lo que él les dijo. Jesús había cambiado el agua en vino. Cuando el encargado del banquete lo probó se sorprendió de que el vino fuera tan bueno. Llamó al novio y le dijo. "Todo el mundo sirve primero el mejor vino, y cuando los invitados ya han bebido bastante, entonces se sirve el vino corriente. Pero tú has guardado el mejor vino hasta ahora" (Juan 2:10).

Con sus milagros, Jesús reveló su divinidad. Sus seguidores empezaron a ver quien era Jesús, a creer en él y a alabar a Dios.

**Señales y maravillas** Dondequiera que Jesús iba, pueblos, villas, granjas, ayudaba a los que expresaban tener fe en él.

Una vez dos ciegos siguieron a Jesús pidiéndole ayuda. Jesús les preguntó si creían que él podía ayudarlos. Ellos contestaron que sí y Jesús tocó sus ojos diciendo: "Que se haga conforme a la fe que ustedes tienen" (Mateo 9:29).

| We pray: | Our words mean: |
|---|---|
| Our Father,<br>who art in heaven<br>hallowed be thy name;<br>thy kingdom come;<br>thy will be done on earth as it<br>is in heaven.<br><br>Give us this day our daily bread;<br>and forgive us our trespasses<br>as we forgive those who<br>trespass against us;<br>and lead us not into temptation,<br>but deliver us from evil.<br><br>Amen. | We have become God's people and he is our God. We look forward to being with him forever.<br><br>We ask God to unite us with the work of Christ and pray for God to bring about his kingdom. We pray to God for the ability to do his will.<br><br>We ask God for everything we need for ourselves and for the world. We use his gifts to work toward his plan of salvation. We ask God to heal us and we ask for forgiveness from others when needed. We follow the example of Christ and forgive those who have hurt us.<br><br>We pray that God will protect us from all that could draw us away from his love. We ask him to guide us to choose good in our lives, and we ask him for the strength to follow his law. |

## Jesus worked signs and wonders among the people.

A miracle is an extraordinary event that is beyond human power and brought about by God. It is an action beyond the ordinary laws of nature. Jesus worked many miracles. They were all signs that he was the Son of God and that the Kingdom of God had arrived in him.

According to the Gospel of John, Jesus performed his first sign or miracle at a wedding feast in Cana of Galilee.

 John 2:1–12

One day Jesus and his mother, Mary, and some of Jesus' other disciples went to a wedding in the village of Cana. Cana was a few miles from Nazareth. At the wedding, the wine ran out in the middle of the banquet. Mary went to Jesus and told him that there was no more wine. Then Mary told the servants, "Do whatever he tells you" (John 2:5)

Jesus listened to his mother Mary. She knew the wedding party needed his help. Jesus pointed to some jars and told the servants,

"Fill the jars with water." After they filled them to the top, Jesus said, "Draw some out now and take it to the headwaiter" (John 2:7–8).

The servants did as he said. But Jesus had changed the water into wine. When the headwaiter tasted it, he was amazed that the wine was so good. He called the bridegroom and said to him "Everyone serves good wine first, and then when people have drunk freely, an inferior one; but you have kept the good wine until now" (John 2:10).

Through this miracle, Jesus revealed his divinity. His followers began to see who Jesus was and to believe in him and praise God. Everywhere Jesus went, to villages, towns, or farms, he helped those who expressed faith in him.

Once two blind men followed Jesus asking him for help. When Jesus approached them, he asked if they believed he could help them. They said yes, and Jesus touched their eyes saying, "Let it be done for you according to your faith" (Matthew 9:29). Immediately their eyes were opened, and they could see.

Algunos de los milagros de Jesús tienen que ver con la naturaleza de las necesidades de la vida diaria, por ejemplo, calmar una tempestad o dar de comer a una multitud. Sabemos que los discípulos de Jesús estaban navegando en el mar en un bote y una gran tormenta los asustó. Jesús "dio una orden al viento y al mar, y todo quedó completamente tranquilo" (Mateo 8:26).

En otra ocasión, Jesús estaba preocupado porque miles de personas que habían estado escuchando sus prédicas no tenían nada que comer. Entre todos sólo tenían siete panes y algunos peces. Jesús dio gracias y partió los panes y los peces y los dio a sus discípulos para que los repartieran entre la gente. "Todos comieron hasta quedar satisfechos, y aun llenaron siete canastas con los pedazos sobrantes" (Mateo 15:37).

Jesús hizo milagros porque amaba a la gente, especialmente a los que sufrían y los necesitados. El quería que ellos tuvieran el consuelo de su Padre y paz en sus vidas.

También quería fortalecer su fe en el poder del amor y el perdón de Dios. Por medio de señales y su profunda compasión y preocupación por los otros, el reino de Dios sigue siendo enseñado.

**reino de Dios** (pp 350)
**Bienaventuranzas** (pp 349)

## RESPONDEMOS

¿Cómo puedes mostrar que eres discípulo de Jesús? Escribe una o dos cosas que harás esta semana.

## Como católicos...

Dios nos reveló su reino en las palabras de Cristo, en el trabajo de Cristo y en su presencia entre nosotros. Después de la resurrección de Cristo, la Iglesia fue plantada como una semilla en el mundo. Nuestra misión es traer los frutos del reino de Dios. ¿Cuáles son esos frutos? Son muchos, "Pero la más importante de las tres es el amor" (1 Corintios 13:13).

¿Cuáles son otros frutos, o signos, del reino de Dios?

"rebuked the winds and the sea, and there was great calm" (Matthew 8:26).

Another time Jesus was worried about a crowd of thousands of people who had been listening to him preach and had had nothing to eat. Among all the people there were only seven loaves of bread and a few fish. Jesus gave thanks and broke the loaves and gave them to his disciples to give to the people. "They all ate and were satisfied. They picked up the fragments left over—seven baskets full." (Matthew 15:37)

Jesus worked miracles because he loved people, especially those suffering and in need. He wanted them to have his Father's comfort and peace in their lives. He also wanted to strengthen their belief in the power of God's love and forgiveness. Through signs and his deep compassion and concern for others, the Kingdom of God continued to be made known.

## WE RESPOND

 How can you show that you are Jesus' disciple? Write one thing you will do this week.

_____

_____

Some of Jesus' miracles involved nature or everyday needs, such as calming a storm or feeding a multitude of people. We learn that as Jesus' disciples were crossing the sea in a boat, a great storm frightened them. Jesus

## As Catholics...

God revealed his kingdom to us in the words of Christ, in the works of Christ, and in the very presence of Christ among us. After Christ's Resurrection the Church was planted like a seed in the world. Our mission is to bring forth the fruits of the Kingdom of God. What are these fruits? They are many, "but the greatest of these is love" (1 Corinthians 13:13).

What are some of the other fruits, or signs, of the kingdom of God?

## Key Words

**Kingdom of God** (p. 351)
**Beatitudes** (p. 351)

## Capítulo 22

**Subraya la respuesta correcta.**

1. Un evento extraordinario que está más allá del poder humano y que es hecho por Dios es **(una bienaventuranza/un milagro)**.

2. El **(Tora/evangelio)** es la buena nueva de Dios trabajando en Jesucristo.

3. **(Bienaventuranzas/apóstoles)** son las enseñanzas de Jesús que describen la forma de vivir como sus discípulos.

4. El **(reino de Dios/Padrenuestro)** es el poder del amor de Dios en el mundo y en nuestras vidas.

**Contesta.**

5. ¿Qué mensaje ofreció Jesús en el Sermón de la Montaña?

_____

6. ¿Qué estamos pidiendo a Dios cuando rezamos las palabras del Padrenuestro?

_____

7. ¿Qué dijo Jesús a sus seguidores con relación al reino de Dios?

_____

8. ¿Por qué Jesús hizo milagros?

_____

**Contesta.**

9–10. ¿Qué hizo Jesús para mostrar el amor de Dios al pueblo?

## Reflexiona y ora

Jesús, ayúdame a ser sal para otros _____

Jesús, ayúdame a ser luz para otros _____

## Chapter 22

**Underline the correct answer.**

1. An extraordinary event that is beyond human power and brought about by God is a **(Beatitude/miracle)**.

2. The **(Torah/gospel)** is the good news about God at work in Jesus Christ.

3. The **(Beatitudes/apostles)** are the teachings of Jesus that describe the way to live as his disciples.

4. The **(Kingdom of God/Lord's Prayer)** is the power of God's love coming into the world and into our lives.

**Short Answers**

5. What message did Jesus give to the people at the Sermon on the Mount?

_____

6. What are we asking God when we pray the words of the Lord's Prayer?

_____

7. What did Jesus tell his followers about the Kingdom of God?

_____

8. Why did Jesus work miracles?

_____

**Write a paragraph to answer this question.**

**9–10.** What did Jesus do to show God's love to people?

## Reflect & Pray

Jesus, help me to be salt to others by _____

Jesus, help me to be light to others by _____

# Respondemos y compartimos la fe

## Compartiendo lo aprendido

Habla con tu familia sobre lo siguiente:

- el evangelio
- el reino de Dios
- el Sermón de la Montaña
- los milagros de Jesús.

## Recuerda

- Dios se dio a conocer en su Hijo.
- Muchos escucharon el mensaje de Jesús y se hicieron sus discípulos.
- Jesús enseñó como vivir y acercarse a Dios.
- Jesús hizo signos y maravillas entre el pueblo.

## Familia de santos

**Santa Angela de Merici 1474–1540**

A Santa Angela de Merici le preocupaba la falta de educación para las niñas. Fundó la Compañía de Santa Ursula, conocida como Ursulinas. Este fue el primer grupo de mujeres religiosas que trabajó fuera del claustro y la primera orden en enseñar mujeres.

## NUESTRA VIDA CATOLICA

### Las Hermanas del Buen Pastor

Las mujeres de esta comunidad religiosa imitan la compasión de Jesús, el buen Pastor. Ellas ofrecen apoyo a mujeres y sus familias por medio de consejería y ayudan en las cárceles y a los que tratan de empezar una nueva vida. Las hermanas ofrecen consejo espiritual. Ellas tienen un personal de servicios sociales y trabajan para cambiar leyes injustas. Igual que Jesús, el Buen Pastor, ellas buscan ayudar a los perdidos y los que la sociedad no ayuda. Su lema es: "Una persona es más valiosa que el mundo entero".

Visita Sadlier en

www.CREEMOSweb.com

**Conexión con el Catecismo**
Para referencia vea los párrafos 516, 1723, 2764 y 548.

# We Respond and Share the Faith

## Sharing What I Learned

Discuss the following with your family:

- the gospel
- the Kingdom of God
- the Sermon on the Mount
- Jesus' miracles.

## Remember

- God makes himself known in his Son.
- Many people heard Jesus' message and became his disciples.
- Jesus taught about living and growing closer to God.
- Jesus worked signs and wonders among the people.

## A Family of Saints

**Saint Angela de Merici 1474–1540**

Angela de Merici was concerned with the lack of education that was available for girls. She is the founder of the Company of Saint Ursula, known as the Ursulines. The Ursulines were the first group of women religious to work outside the cloister and the first teaching order of women.

## OUR CATHOLIC LIFE

### Sisters of the Good Shepherd

The women of this religious community imitate the compassion of Jesus, the Good Shepherd. They provide support to women and their families through counseling and by helping those in prison and those trying to start their lives again. The sisters offer spiritual guidance. They staff social services offices and work to change unjust laws. Like Jesus, the Good Shepherd, they seek to help those who may be lost or overlooked by society. Their motto is: "One person is more precious than the whole world."

**Connect to the Catechism**
For adult background and reflection, see paragraphs 516, 1723, 2764, and 548.

Visit Sadlier's
**www.CREEMOSweb.com**

# Jesús, Redentor y Salvador

## NOS CONGREGAMOS

✝ **Líder:** Señor Jesús, eres el Salvador y Redentor del mundo. Bendito sea tu nombre.

**Todos:** Bendito sea tu nombre por siempre.

**Líder:** Nuestro paso de la muerte a una nueva vida sólo puede ser posible en nuestra muerte y resurrección en Cristo. Escuchemos a San Pablo recordar a sus amigos el misterio pascual.

**Lector:** "Al ser bautizados, ustedes fueron sepultados con Cristo, y fueron también resucitados con él, porque creyeron en el poder de Dios, que lo resucitó". (Colosenses 2:12)

**Todos:** Señor Jesús, eres el Salvador y Redentor del mundo.

☀ Habla de los eventos o experiencias que has tenido y que no parecen tener una explicación clara.

## CREEMOS

### Jesús nos dio un nuevo mandamiento.

Muchas personas decían que Jesús era el Mesías. Esto preocupó a algunas autoridades en Jerusalén quienes temían que Jesús fuera a dirigir una revuelta contra el gobierno romano.

A pesar de la tensión política, Jesús y sus discípulos fueron a Jerusalén al acercarse la fiesta de Pascua. Ellos eran como una familia. Así que, igual que otras familias, prepararon una comida de pascua. Al caer el sol se reunieron para la comida.

# Jesus, Redeemer and Savior

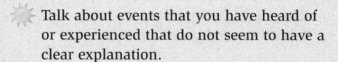

## 23

## WE GATHER

✝ **Leader:** Lord Jesus, you are the Savior and Redeemer of the world. Blessed be your name.

**All:** Blessed be your name for ever.

**Leader:** Our passage from death to new life can only be made in our dying and rising with Christ. Listen as Saint Paul reminds his friends of the Paschal Mystery.

**Reader 1:** "You were buried with him in baptism, in which you were also raised with him through faith in the power of God, who raised him from the dead." (Colossians 2:12)

**All:** Lord Jesus, you are the Savior and Redeemer of the world.

☀ Talk about events that you have heard of or experienced that do not seem to have a clear explanation.

## WE BELIEVE

### Jesus gave us a new covenant.

Many people said that Jesus was the Messiah. This worried some of the authorities in Jerusalem who feared that Jesus might lead a revolt against the Roman government.

Despite the political tension Jesus and the disciples went to Jerusalem as the feast of Passover approached. They were a family to one another. So like every other family, they prepared the Passover meal. At sundown they gathered for the meal.

Todo lo referente a la comida: el pan sin levadura, el vino, el cordero y las hierbas amargas recordaban a las familias judías los grandes eventos del éxodo de Egipto. También les recordaba la alianza con Dios. La comida de pascua tiene el mismo significado para los judíos hoy.

Jesús, sin embargo, dio un significado diferente a la comida de pascua. Durante esa comida Jesús tomó pan, oró, lo partió y lo dio a sus discípulos diciendo: "Esto es mi cuerpo, entregado a muerte en favor de ustedes" (Lucas 22:19). Después tomó la copa de vino, rezó y se la dio diciendo: "Esta copa es el nuevo pacto confirmado con mi sangre, la cual es derramada en favor de ustedes" (Lucas 22:20). Jesús estaba dando un nuevo mandamiento a sus seguidores y una nueva comida de alianza. La celebración de la pascua tiene ahora un nuevo significado. Como sacerdote de la nueva alianza, Jesús se ofreció a sí mismo como cordero pascual. El dijo a sus discípulos: "Hagan esto en memoria de mí" (Lucas 22:19). La comida de pascua que Jesús compartió con sus discípulos la noche antes de morir es llamada la **última cena**.

Los discípulos de Jesús siguieron compartiendo esa comida en memoria de Jesús. Jesús estaba con ellos cuando partían el pan y tomaban de la copa. El propio Cuerpo y Sangre de Cristo estaba presente bajo las apariencias de pan y vino. El amor de Jesús y su sacrificio se recordaría por siempre en la celebración de la Eucaristía. Para los cristianos la Eucaristía es la nueva pascua del pueblo de Dios.

Jesús sabía que al día siguiente sufriría y moriría. Así que fue al Monte de los Olivos con sus discípulos. En esas horas finales, Jesús oró a su Padre en el monte llamado Getsemaní. Jesús le pidió a los discípulos orar también.

Mientras rezaba, Jesús pidió que le fuera alejada la pena que sufriría, pero también quería que se cumpliera la voluntad de su padre. Durante su oración Jesús escogió obedecer y confiar en su Padre. Jesús libremente escogió ofrecer su vida por nosotros para que pudiéramos estar libres del pecado.

Jesús se dio a sí mismo en la Eucaristía y se estaba preparando para dar su vida por la humanidad.

¿Qué puedes hacer para recordar la última cena esta semana?

_____

_____

## Jesús dio su vida por nosotros.

Mientras Jesús estaba rezando en Getsemaní, Judas, uno de sus apóstoles, llegó con los guardias del Templo. Judas había prometido entregar a Jesús a cambio de treinta piezas de plata. Judas les había dicho que a quien él besara era a quien estaban buscando. Así que Judas saludó a Jesús con un beso. Jesús le dijo: "Amigo, lo que has venido a hacer, hazlo" (Mateo 26:50). Entonces los guardias arrestaron a Jesús.

Primero llevaron a Jesús ante Caifás, el sumo sacerdote. Caifás insistió en que Jesús era culpable de blasfemia, de faltar el respeto a Dios. Después lo llevaron ante Poncio Pilato, el gobernador romano. Cuando Judas se enteró de lo que le estaba pasando a Jesús por su traición, se arrepintió de lo que había hecho. El trató de devolver las piezas de plata y dijo: "He pecado entregando a la muerte a un hombre inocente" (Mateo 27:4). Pero era muy tarde para detener lo que había empezado.

Everything about the meal—the unleavened bread, the wine, the lamb, the bitter herbs reminded Jewish families of the great events of the Exodus from Egypt. It also reminded them of their covenant with God. The Passover meal has the same meaning for Jews today.

Jesus, however, gave the Passover meal a new meaning. During the meal Jesus took some bread, prayed over it, broke it, and gave it to the disciples saying, "This is my body, which will be given for you" (Luke 22:19). Then he took a cup of wine, prayed over it, and gave it to them saying, "This cup is the new covenant in my blood, which will be shed for you" (Luke 22:20). Jesus was giving his followers a new covenant and a new covenant meal. The Passover celebration now had a new meaning. As the priest of the new covenant, Jesus was offering himself as the paschal lamb. Jesus told his disciples to "do this in memory of me" (Luke 22:19). We call the Passover meal that Jesus shared with his disciples on the night before he died the **Last Supper**.

Jesus' disciples continued to share this meal as a memorial to Jesus. Jesus was with them as they broke the bread and drank from the cup. Christ's own Body and Blood were present under the appearances of bread and wine. Jesus' love and his sacrifice would forever be remembered in the celebration of the Eucharist. For Christians the Eucharist is the new Passover of God's people.

Jesus knew that the next day would be one of suffering and of death. So he went to the Mount of Olives with his disciples. In these final hours, Jesus prayed to his Father in the olive grove called Gethsemane. Jesus asked his disciples to pray also.

As he prayed, Jesus asked to be relieved of the pain that he would suffer, yet he wanted to do his Father's will. During his prayer Jesus chose to be obedient to and to trust his Father. Jesus freely chose to offer his life for us so that we might be freed from sin.

Jesus had given himself in the Eucharist and was now preparing to give his life for all of humanity.

 What can you do to remember Jesus' Last Supper this week?

_____

_____

## Jesus gave his life for us.

While Jesus was praying in Gethsemane, Judas, one of his apostles, entered with Temple guards. Judas had promised to hand over Jesus for thirty pieces of silver. Judas had told them that the one he kissed was the one they were looking for. So Judas greeted Jesus with a kiss. Jesus said, "Friend, do what you have come for" (Matthew 26:50). Then the guards arrested Jesus.

First they took Jesus before Caiaphas, the high priest. Caiaphas insisted that Jesus was guilty of blasphemy, of referring to God in a disrespectful or irreverent way. Then this group took him before Pontius Pilate, the Roman governor. When Judas learned what had happened to Jesus because of his betrayal, he regretted what he had done. He tried to return the thirty pieces of silver and said, "I have sinned in betraying innocent blood" (Matthew 27:4). But it was too late to stop what had begun!

Pilato no encontró nada por lo que pudiera condenar a Jesús. Sin embargo, temía una revuelta si no tomaba acción. Pilato ordenó que Jesús fuera azotado y crucificado.

Jesús fue crucificado entre dos criminales. Mientras agonizaba fue insultado por los soldados, los sumos sacerdotes y los escribas. Ellos dijeron que si en verdad era rey de Israel él podía salvarse a sí mismo.

Cuando Jesús expiró, el velo del santuario del Templo se rasgó en dos. El soldado que estaba al pie frente a Jesús lo vio morir y dijo: "Verdaderamente este hombre era Hijo de Dios" (Marcos 15:39). Más tarde leemos, en el Evangelio de Marcos, que unas mujeres miraban desde lejos. María Magdalena, María, la madre de Santiago el Menor y Salomé quienes habían seguido a Jesús cuando estaba en Galilea. Otras mujeres que habían estado con él en Jerusalén, también estaban allí.

Después que Jesús murió, su cuerpo fue puesto en la tumba de José de Arimatea, un seguidor de Jesús. Una piedra grande fue colocada en la entrada de la tumba. Era viernes, el día antes del sabat judío. Los cristianos llaman al día en que conmemoran la muerte de Jesús, Viernes Santo porque fue ese día que Jesús murió para salvarnos. Es por eso que llamamos a Jesús nuestro Redentor. Por su muerte y resurrección Jesús ganó nuestra salvación y nos dio esperanza y nueva vida.

Vamos a hacer una peregrinación imaginaria por la Tierra Santa. Vamos a caminar donde Jesús caminó durante sus últimos días en la tierra.

Nuestra primera parada será en la *Capilla del Cenáculo*. La palabra cenáculo viene del latín que significa "comedor". En el cuarto de arriba, o segundo piso, Jesús celebró la última cena con sus apóstoles. En esa comida Jesús nos dio el regalo de su Cuerpo y Sangre, la Eucaristía.

La segunda parada es en el *Jardín de Getsemaní*. Este jardín fue un lugar especial para Jesús. Ahí fue donde, después de la última cena, se preparó para su eventual sufrimiento en la cruz. Fue ahí donde padeció la agonía en el jardín.

Nuestra última parada es en la *Iglesia del Santo Sepulcro*. Este es un edificio de piedra impresionante con una cúpula brillante. Es la combinación de dos iglesias. Se dice que la de arriba es donde tuvo lugar la crucifixión de Jesús. El lugar de la tumba de Jesús está debajo de la cúpula, pero la verdadera tumba fue destruida.

Si estuvieras en esos lugares santos, ¿por qué rezarías?

Pilate found nothing for which to condemn Jesus. However, Pilate feared that there would be unrest or even a revolt unless he took action. Pilate ordered that Jesus be whipped and crucified.

Jesus was crucified between two criminals. The dying Jesus was insulted by the soldiers, chief priests, and scribes. They said that if he were the king of Israel he would be able to save himself.

When Jesus took his last breath, the veil of the sanctuary in the Temple was torn in two. The soldier who stood in front of Jesus and watched him die said, "Truly this man was the Son of God!" (Mark 15:39). We further read in the Gospel of Mark that there were women watching from a distance. Mary Magdalene, Mary the mother of the younger James, and Salome had followed Jesus when he was in Galilee. Other women followers who had come with Jesus to Jerusalem were there, too.

After Jesus died, his body was placed in the tomb made for Joseph of Arimathea, a follower of Jesus. A heavy stone was rolled across the entrance of the tomb. It was Friday, the day before the Jewish Sabbath. Christians call the day that marks Jesus' death Good Friday because it was on this day that Jesus died to save us. This is why we call Jesus our Redeemer. By his death and Resurrection Jesus gained our salvation and brought us the hope of new life.

Let us make an imaginary pilgrimage now to the Holy Land. Let us walk where Jesus walked during the last days of his life.

Our first stop is the *Chapel of the Cenacle*. The word *cenacle* comes from a Latin word meaning "dining room". In the Upper Room on the second floor, Jesus celebrated the Last Supper with his apostles. At this meal, Jesus gave us the gift of his Body and Blood, the Eucharist.

The Garden of Gethsemane, Jerusalem

Our second stop is the *Garden of Gethsemane*. This was where Jesus went after the Last Supper to prepare for his eventual suffering on the cross. It was here that he endured the agony in the garden.

Our last stop is the *Church of the Holy Sepulcher*. This is an impressive stone building with a shining dome. It combines two churches. The upper chapel of the church is said to be the site of Jesus' crucifixion. The site of Jesus' tomb is said to lie beneath the dome, but the actual tomb was destroyed.

If you were in these sacred places, what would you pray for?

The Church of the Holy Sepulcher, Jerusalem

## Jesucristo resucitó de la muerte.

Como cuenta la Escritura, Jesús fue resucitado de entre los muertos el tercer día después de su muerte. Este misterio es llamado **resurrección**.

📖 Marcos 16:1–11

"Pasado el día de reposo, María Magdalena, María la madre de Santiago, y Salomé, compraron perfumes para perfumar el cuerpo de Jesús. Y el primer día de la semana fueron al sepulcro muy temprano, apenas salido el sol, diciéndose unas a otras: '¿Quién nos quitará la piedra de la entrada del sepulcro?' Pero, al mirar, vieron que la gran piedra que tapaba el sepulcro ya no estaba en su lugar. Cuando entraron en el sepulcro vieron, sentado al lado derecho, a un joven vestido con una larga ropa blanca. Las mujeres se asustaron, pero él les dijo: 'No se asusten. Ustedes buscan a Jesús de Nazaret, el que fue crucificado. Ha resucitado; no está aquí. Miren el lugar donde lo pusieron. Vayan y digan a sus discípulos, y a Pedro: "El va a ir a Galilea antes que ustedes; allí lo verán, tal como les dijo"'".

"Después que Jesús hubo resucitado . . . se apareció primero a María Magdalena, . . . Ella fue y avisó a los que habían andado con Jesús, que estaban tristes y llorando. Estos, al oír que Jesús vivía y que ella lo había visto, no lo creyeron" (Marcos 16:1–11).

Podemos leer en el Evangelio de Marcos que Cristo resucitado se apareció también a otros discípulos. Ellos también contaron al grupo lo que habían visto. Pero el grupo de discípulos no creyó hasta que Cristo se apareció también a ellos.

Creemos en Jesucristo y su resurrección por el don de la fe. Por fe no sólo creemos que Cristo resucitado está con nosotros, sino que también vivimos como sus discípulos.

🏃 Piensa que eres un reportero en Jerusalén. Estás entrevistando a María Magdalena y a otras mujeres el día de la resurrección de Jesús. Planifica tu entrevista en este espacio. En grupo escenifiquen la entrevista.

## Como católicos...

En el Evangelio de Lucas leemos que María Magdalena fue una de las primeras personas que Jesús curó. Ella se convirtió en uno de sus seguidores más cercanos. Con frecuencia viajaba con Jesús y los apóstoles y ella estuvo presente en la muerte y entierro de Jesús. En el Evangelio de Juan leemos que Jesús resucitado aparece primero a María y la envía a decir la buena nueva de su resurrección a los demás discípulos. María Magdalena es un símbolo de esperanza en la nueva vida que viene de Cristo. Honramos a María como una santa. Su fiesta es el 22 de julio.

Piensa en una persona que consideres ser un símbolo de esperanza en la nueva vida. ¿Por qué piensas así de ella?

*Mujeres en el Santo Sepulcro,* de Laura James

## Jesus Christ rose from the dead.

As it had been foretold in the Scriptures, Jesus was raised from the dead on the third day after his death. The mystery of Jesus' being raised from the dead is called the **Resurrection**.

 Mark 16:1–11

"When the sabbath was over, Mary Magdalene, Mary, the mother of James, and Salome bought spices so that they might go and anoint him. Very early when the sun had risen, on the first day of the week, they came to the tomb. They were saying to one another, 'Who will roll back the stone for us from the entrance to the tomb?' When they looked up, they saw that the stone had been rolled back; it was very large. On entering the tomb they saw a young man sitting on the right side, clothed in a white robe, and they were utterly amazed. He said to them, 'Do not be amazed! You seek Jesus of Nazareth, the crucified. He has been raised; he is not here. Behold, the place where they laid him. But go and tell his disciples and Peter, "He is going before you to Galilee; there you will see him, as he told you."'

"When he [Jesus] had risen . . . he appeared first to Mary Magdalene. . . . She went and told his companions who were mourning and weeping. When they heard that he was alive and had been seen by her, they did not believe." (Mark 16:1–7, 9–11)

We can read in the Gospel of Mark that the risen Christ appeared to other disciples, too. They also told the group what they had seen. But the group of disciples did not believe until Christ also appeared to them.

We believe in Jesus Christ and his Resurrection through the gift of faith. By faith we not only believe in Jesus risen among us, but also live as his disciples each day.

Work in groups. Role-play interviewing Mary Magdalene and the other women on the day of Jesus' Resurrection.

## As Catholics...

In the Gospel of Luke, we read that Mary Magdalene was one of the many people Jesus cured. She became one of his closest followers. She often traveled with Jesus and the apostles, and she was present at Jesus' death and burial. In the Gospel of John we read that the risen Jesus first appeared to Mary and sent her out to tell the other disciples the good news of his Resurrection. Mary Magdalene is a symbol of hope in the new life that comes from Christ. We honor Mary as a saint. Her feast day is July 22.

Think of a person that you consider a symbol of hope in new life. Why do you think this is so?

## Cristo apareció a sus discípulos.

En la tarde del día de la resurrección, Jesús resucitado se apareció a sus discípulos para fortalecerlos y aumentar su fe en su resurrección. El quería que sus discípulos creyeran en todo lo que les había dicho y todo lo que había hecho.

Jesús se paró en medio de sus discípulos. El les mostró su costado y sus manos y les dijo: "¡Paz a ustedes! Como el Padre me envió a mí, así yo los envío a ustedes. Y sopló sobre ellos, y les dijo: Reciban el Espíritu Santo" (Juan 20: 21–22). Así empieza la nueva vida que ahora la humanidad puede compartir, debido a la resurrección de Jesús.

Tomás, uno de los apóstoles de Jesús, no estaba con el grupo cuando Jesús apareció. El dijo a los otros apóstoles: "Si no veo en sus manos las heridas de los clavos, y si no meto mi dedo en ellas y mi mano en su costado, no lo podré creer" (Juan 20:25).

Después cuando todos estaban reunidos, incluyendo a Tomás, Jesús se apareció de nuevo. El le dijo a Tomás: "Mete aquí tu dedo, y mira mis manos; y trae tu mano y métela en mi costado. No seas incrédulo; ¡cree!" (Juan 20:27). Tomás dijo a Jesús que creía que Jesús era el Señor, su Dios. Pero Jesús le contestó: "¡Dichosos los que creen sin haber visto!" (Juan 20:29).

### 🎵 Resucitó

Resucitó, resucitó, resucitó, aleluya.
　Aleluya, aleluya, aleluya, resucitó.

La muerte, ¿dónde está la muerte? ¿Dónde está mi muerte?
　¿Dónde su victoria?

Como discípulos de Cristo, estamos llamados a creer todo lo que hemos aprendido sobre él en los evangelios y en otros escritos del Nuevo Testamento. Estamos llamados a creer que Jesucristo murió y resucitó a una nueva vida. Creemos que Jesús es el Hijo de Dios, nuestro Salvador. Estamos llamados a creer lo que la Iglesia nos enseña sobre Cristo.

El Espíritu Santo que Jesús sopló sobre sus apóstoles es el mismo Espíritu que nos da vida a nosotros. El Espíritu Santo nos guía para vivir cada día. Jesús no nos ha dejado solos, sino que está siempre con nosotros. Creemos que por medio de Jesús recitado tenemos nueva vida y la esperanza de compartir su vida con él por siempre.

### RESPONDEMOS

🏃 Piensa en las apariciones de Jesús después de la Resurrección. Prepara un anuncio corto usando tu aparición favorita para convencer al público de que Jesús ha resucitado.

## Vocabulario

**última cena** (pp 350)
**resurrección** (pp 350)

## Christ appeared to his disciples.

Later on the day of Jesus' Resurrection, the risen Jesus appeared to his disciples to strengthen them and to increase their faith in his Resurrection. He wanted his disciples to believe in all that he had told them and in all that he had done.

Jesus came and stood among the disciples. He showed them his side and his hands and said, "Peace be with you. As the Father has sent me, so I send you." Then he breathed on them and said, "Receive the holy Spirit" (John 20:21, 22). This began the new life in which humanity now can share because of Jesus' Resurrection.

Thomas, one of Jesus' apostles, was not with the others when Jesus appeared to them. He said to the other apostles, "Unless I see the mark of the nails in his hands and put my finger into the nailmarks and put my hand into his side, I will not believe" (John 20:25).

When all of the disciples, including Thomas were together again, Jesus appeared. He told Thomas, "Put your finger here and see my hands, and bring your hand and put it into my side, and do not be unbelieving, but believe" (John 20:27). Thomas told Jesus he believed Jesus was the Lord, his God. But Jesus said, "Blessed are those who have not seen and have believed" (John 20:29).

 **Jesus Is Risen**

Refrain:
Alleluia! Alleluia! Alleluia!
Jesus is risen, alleluia!

Now it no longer could be denied,
seeing his feet and his hands and his side.
"Indeed you are Lord! You are God!" they cried.
"Conquering death, you have risen!" (Refrain)

As disciples of Christ we are called to believe everything we have learned about Jesus from the gospels and the other writings of the New Testament. We are called to believe that Jesus Christ died and rose to new life. We believe that Jesus is the Son of God, our Savior. We are called to believe what the Church teaches us about Christ.

The Holy Spirit that Jesus breathed on his apostles is the same Holy Spirit who gives us life. The Holy Spirit guides us as we live each day. Jesus has not left us alone, but is with us always. We believe that through the risen Jesus we have new life and the hope of sharing this life with him forever.

## WE RESPOND

Think about the appearances of Jesus after his Resurrection. Prepare a short advertisement using your favorite appearance to convince the public that Jesus is risen!

**Last Supper** (p. 351)
**Resurrection** (p. 352)

## Capítulo 23

**Completa lo siguiente:**

1. En la última cena, cuando Jesús estaba celebrando una comida de _____ con sus discípulos, él les dio la _____.

2. El misterio de que Jesús _____ el tercer día después de su muerte es la _____.

3. Jesús resucitado apareció a sus _____ para fortalecerlos y aumentar su _____ en su resurrección.

4. Los cristianos llaman _____ al día en que conmemoramos la muerte de Jesús porque ese día Jesús murió para _____.

**Escribe V si es verdadero y F si es falso. Cambia lo falso en verdadero.**

5. _____ La tarde de su resurrección, Jesús resucitado se apareció a todos sus discípulos.

_____

6. _____ En la noche antes de su sufrimiento y muerte, Jesús oró a su Padre.

_____

7. _____ Los cristianos celebran la Eucaristía como la nueva pascua dada a nosotros por Jesús.

_____

8. _____ Con su muerte Jesús ganó nuestra salvación y nos trajo esperanza de nueva vida.

_____

**Contesta.**

**9–10.** ¿Qué sucedió en la última cena?

## Reflexiona y ora

Jesús, diste tu vida para que _____.

Jesús resucitado, ven a nosotros también, y _____

## Chapter 23

**Complete the following.**

1. At the Last Supper when Jesus was celebrating the _____ meal with his disciples, he gave them the _____.

2. The mystery that Jesus _____ on the third day after his death is called the _____.

3. The risen Jesus appeared to his _____ to strengthen them and to increase their _____ in his Resurrection.

4. Christians call the day that marks Jesus' death _____ because on this day Jesus died to _____.

**Write True or False for the following sentences.**
**Then change the false sentences to make them true.**

5. _____ On the evening of the Resurrection the risen Jesus appeared to all his apostles.

_____

6. _____ On the night before he suffered and died, Jesus prayed to his Father.

_____

7. _____ Christians celebrate the Eucharist as the new Passover given to us by Christ.

_____

8. _____ By his death Jesus gains our salvation and brings us the hope of new life.

_____

**Write a paragraph to answer this question.**

9–10. What happened at the Last Supper?

## Reflect & Pray

Jesus, you gave your life so that _____

Risen Jesus, come to us, too, and _____

# Respondemos y compartimos la fe

## Compartiendo lo aprendido

Habla con tu familia sobre lo siguiente:

- la última cena
- las últimas horas de Jesús
- la muerte y resurrección de Jesús
- las apariciones de Jesús resucitado.

## Recuerda

- Jesús nos dio un nuevo mandamiento.
- Jesús dio su vida por nosotros.
- Jesucristo resucitó de la muerte.
- Cristo se apareció a sus discípulos.

## Familia de Santos

**Santa Isabel de Portugal 1271–1336**

Santa Isabel de Portugal nació en España y era una princesa. Es recordada por su caridad y bondad con los pobres y como una trabajadora por la paz. Celebramos su fiesta el 4 de julio. ¿Cómo puede tu familia mostrar caridad y bondad a los demás?

## NUESTRA VIDA CATOLICA

### Redentoristas

Los misioneros redentoristas son sacerdotes, hermanos y laicos, que siguen el ejemplo de Cristo, nuestro Redentor, predicando la palabra de Dios a los pobres y abandonados. Esta comunidad religiosa, fundada por San Alfonso Liguori, sirve alrededor del mundo predicando la buena nueva y profundizando la fe en jóvenes y adultos. Los redentoristas trabajan en parroquias, predican en programas parroquiales, dirigen retiros y centros de conferencias, trabajan con los enfermos de SIDA y otras enfermedades crónicas, sirven como misioneros en todo el mundo y administran las publicaciones Ligouri, editorial católica.

**Conexión con el Catecismo**
Para referencia vea los párrafos 1337, 609, 640 y 645.

# We Respond and Share the Faith

## Sharing What I Learned

Discuss the following with your family:

- the Last Supper
- Jesus' final hours
- Jesus' death and Resurrection
- the appearances of the risen Jesus.

## Remember

- Jesus gave us a new covenant.
- Jesus gave his life for us.
- Jesus Christ rose from the dead.
- Christ appeared to his disciples.

## A Family of Saints

**Saint Elizabeth of Portugal 1271–1336**

Saint Elizabeth of Portugal was born a Spanish princess. She is remembered for her charity and kindness toward the poor and as a peacemaker. We celebrate her feast day on July 4. How can your family show charity and kindness to others?

## OUR CATHOLIC LIFE
### The Redemptorists

The Redemptorist Missionaries are priests, brothers, and lay missionaries who follow the example of Christ our Redeemer by preaching God's word to the poor and abandoned. This religious community, founded by Saint Alphonsus Liguori, serves all around the world to spread the good news and deepen the faith of youth, young adults, and adults. The Redemptorist work in parishes, preach at parish programs, run retreats and conference centers, work with those suffering from AIDS and other terminal illnesses, serve as missionaries throughout the world, and manage Liguori Publications, a Catholic publishing company.

**Connect to the Catechism**
For adult background and reflection, see paragraphs 1337, 609, 640, and 645.

Visit Sadlier's
**www.CREEMOSweb.com**

# La Iglesia empieza

## NOS CONGREGAMOS

✝ **Líder:** Ven, Espíritu Santo, llena los corazones de tus fieles.

**Todos:** Y enciende en ellos el fuego de tu amor.

**Líder:** El Espíritu Santo nos mueve a unirnos al cuerpo de Cristo, su Iglesia. Desde los apóstoles, los mártires y todos los santos, unos en la fe, sabemos que el Espíritu conoce nuestras necesidades antes de que se las expresemos al Padre. Jesús nos enseña a rezar. El Espíritu nos guía a rezar libremente como hijos de Dios. Así que decimos.

**Todos:** ¡Amén! ¡Amén! ¡Amén!

☀ Imagina que se te ha pedido iniciar un grupo para realizar una tarea. ¿Cómo empezarás?

## CREEMOS

### La Iglesia empieza con la venida del Espíritu Santo.

Jesús estaba listo para dejar a sus discípulos y regresar con su Padre al cielo. El dejó a sus discípulos la misión que acababa de empezar. El había traído la buena nueva del reino de Dios. El mostró a todos el amor y el perdón de su Padre. El les habló del poder del Espíritu Santo. El vivió en el espíritu de justicia y paz. Y Jesús pasó su misión a sus discípulos.

El quería que ellos continuaran llevando más y más personas a la comunidad de creyentes.

Jesús sabía que sus discípulos necesitarían fortaleza y el valor para llevar a cabo su misión. El sabía que el Espíritu Santo los ayudaría a vivir su fe y a amar a Dios. Jesús le pidió a sus discípulos ser testigos y predicar la buena nueva. El les dijo: "Y yo enviaré sobre ustedes lo que mi Padre prometió. Pero ustedes quédense aquí, en la ciudad de Jerusalén, hasta que reciban el poder que viene del cielo" (Lucas 24:49).

Entonces Jesús fue con sus discípulos "Hasta Betania, y alzando las manos los bendijo. Y mientras los bendecía, se apartó de ellos y fue llevado al cielo" (Lucas 24:50–51). Llamamos ascensión a este evento.

# The Church Begins

## 24

## WE GATHER

✝ **Leader:** Come, Holy Spirit, fill the hearts of your faithful.

**All:** And kindle in them the fire of your love.

**Leader:** The Holy Spirit moves us to become one in Christ's body, his Church. From the apostles to the martyrs to all the holy ones in the faith, we have learned that the Spirit knows our needs even before we ask the Father. Jesus teaches us to pray. The Spirit leads us to pray in freedom as sons and daughters of God. And so we pray.

**All:** Amen! Amen! Amen!

☀ Imagine you have been asked to start a new group to accomplish a task. What would you do to begin?

## WE BELIEVE

### With the coming of the Holy Spirit the Church began.

Jesus was about to leave his disciples and return to his Father in heaven. But he left them with the mission that he had begun. He had brought the good news of the Kingdom of God. He showed the people his Father's love and forgiveness. He spoke to them about the power of the Holy Spirit. He lived in the spirit of justice and peace. And Jesus passed his mission on to his disciples. He wanted them to continue to bring more people into the community of believers.

Jesus knew that his disciples needed strength and courage to carry on his mission. He knew that the Holy Spirit would help them to live out their faith and love in the one God. Jesus told his disciples to be his witnesses and to spread the good news. Then he said, "And [behold] I am sending the promise of my Father upon you; but stay in the city until you are clothed with power from on high" (Luke 24:49).

Jesus then went with his disciples "as far as Bethany, raised his hands, and blessed them. As he blessed them he parted from them and was taken up to heaven" (Luke 24:50–51). We call this the Ascension.

Los discípulos regresaron a Jerusalén como Jesús les había indicado. Ellos estaban llenos de gozo y alababan a Dios, recordando todo lo que les había pasado. María, la madre de Jesús, y otras mujeres y hombres que eran discípulos de Jesús, rezaron y permanecieron juntos. Entre ellos estaba Matías, el apóstol escogido para sustituir a Judas.

📖 Hechos de los apóstoles 2:1–4, 7, 17, 41

Cuando se estaba celebrando la fiesta judía de la semana, o Pentecostés, los discípulos estaban reunidos. "De repente, un gran ruido que venía del cielo, como de un viento fuerte, resonó en toda la casa donde ellos estaban. Y se les aparecieron lenguas como de fuego, repartidas sobre cada uno de ellos. Y todos quedaron llenos del Espíritu Santo, y comenzaron a hablar en otras lenguas, según el Espíritu hacía que hablaran" (Hechos 2:2–4). Todo el mundo quedó sorprendido y Pedro les dijo que se había cumplido la profecía del profeta Joel.

"Sucederá que en los últimos días, dice Dios, derramaré mi Espíritu sobre toda la humanidad" (Hechos 2:17).

Llamamos **Pentecostés** al día en que el Espíritu Santo vino a los apóstoles. Ese día fue que Pedro y los demás apóstoles bautizaron más de tres mil personas. Ese fue el inicio de la Iglesia. El hecho de que cada persona entendiera lo que se decía en su propia lengua nos ayuda a entender el mensaje de amor y paz de Cristo para todo el mundo.

🏃 En grupo hablen de lo que podemos hacer para compartir el mensaje de amor y paz de Cristo. ¿Cómo este mensaje puede compartirse en todo el mundo?

## La buena nueva de Cristo se esparce por muchos lugares.

La Iglesia continuó creciendo y fortaleciéndose con el poder del Espíritu Santo. Cumpliendo el mandato de Jesús de amar a Dios, a ellos mismos y a los demás, los apóstoles y otros discípulos compartían todo. Ellos contribuían a un fondo común para ayudar a los miembros necesitados y "Todos seguían firmes en lo que los apóstoles les enseñaban, y compartían lo que tenían, y oraban y se reunían para partir el pan" (Hechos 2:42).

Algunos discípulos se llamaban a sí mismos "seguidores del camino", recordando que Jesús se llamó a sí mismo "el camino, la verdad y la vida" (Juan 14:6). Otros se llamaban Nazarenos, indicando que eran seguidores de Jesús de Nazaret. Aproximadamente diez años después de la muerte de Jesús, en una ciudad grande llamada Antioquia, los seguidores de Jesucristo fueron llamados "cristianos" por primera vez.

The disciples went back to Jerusalem as Jesus had instructed them. They were filled with joy and praised God, remembering all that had just taken place. Mary, the mother of Jesus, and other women and men who were disciples of Jesus prayed and stayed close to one another. This included Matthias, the apostle chosen to take Judas's place.

Acts of the Apostles 2:1–4, 7, 17, 41

While the Jewish feast of Weeks, or Pentecost, was taking place the disciples were gathered together. "And suddenly there came from the sky a noise like a strong driving wind, and it filled the entire house in which they were. Then there appeared to them tongues as of fire, which parted and came to rest on each one of them. And they were all filled with the holy Spirit and began to speak in different tongues, as the Spirit enabled them to proclaim." (Acts of the Apostles 2:2–4) Everyone was astounded and Peter told them that the prophecy of Joel was now fulfilled.

"God says,
'that I will pour out a portion of my spirit
upon all flesh.'" (Acts of the Apostles 2:17)

We call the day the Holy Spirit came upon the first disciples **Pentecost**. It was on this day that Peter and the other apostles baptized about three thousand people. This was the beginning of the Church. The fact that each person understood what was being said in his or her own language helps us to know that Christ's message of love and peace is for all people.

In groups discuss what we can do to share Christ's message of love and peace. How can this message be shared throughout the entire world?

## The good news of Christ spread to many places.

The Church continued to grow and be strengthened through the power of the Holy Spirit. In carrying out Jesus' command to love God, themselves, and others, the apostles and other disciples shared everything. They contributed to a common fund to help needy members and "they devoted themselves to the teaching of the apostles and to the communal life, to the breaking of the bread and to the prayers" (Acts of the Apostles 2:42).

Some disciples called themselves "followers of the Way," recalling that Jesus described himself as "the way and the truth and the life" (John 14:6). Others called themselves Nazarenes, indicating that they were followers of Jesus of Nazareth. About ten years after Jesus' death, in a large city called Antioch, the followers of Jesus Christ were first called "Christians."

Al ir aumentando el número de discípulos, las autoridades del Templo de Jerusalén empezaron a inquietarse. Como Pedro y otros continuaban predicando, el temor a su influencia y aceptación creció. Fue así que empezó la persecución contra los discípulos.

Hechos de los apóstoles 9:1–8, 17–18

Uno de los líderes de esas persecuciones fue un joven fariseo y ciudadano romano llamado Saulo.

Saulo pidió permiso al sumo sacerdote para arrestar a los cristianos y llevarlos a Jerusalén para ser procesados. El sumo sacerdote le dio permiso. Sin embargo, al acercarse a Damasco, una brillante luz a su alrededor lo cegó. Cayó al suelo y escuchó una voz que le dijo: "Saulo, Saulo, ¿por qué me persigues?" Saulo preguntó: "¿Quién eres, Señor?" La voz le contestó: "Yo soy Jesús, el mismo a quien estás persiguiendo" (Hechos 9:4–5). Con esas palabras Jesús le estaba diciendo a Saulo que al perseguir a los cristianos, estaba persiguiendo a Jesús, porque Jesús y sus seguidores eran un cuerpo, la Iglesia.

Cuando Saulo se levantó, no podía ver. Los hombres que viajaban con él lo llevaron a Damasco. Tres días después recobró la vista en presencia de los discípulos de Jesús y fue bautizado. Este evento es una de las conversiones más conocidas de la Biblia.

En corto tiempo Saulo, mejor conocido entre los romanos como Pablo, se convirtió en uno de los grandes líderes de la primera Iglesia. En tres viajes misioneros, Pablo llevó la buena nueva de Jesucristo a grandes ciudades del este del Imperio Romano.

Durante sus viajes Pablo escribió cartas a los nuevos cristianos en esos lugares. Algunas de esas cartas se encuentran en el Nuevo Testamento.

Por preocuparse de los miembros de la Iglesia, Pablo sufrió insultos, el odio de sus enemigos, naufragios, y cárcel. Pero nunca renegó de su fe. El dirigió a muchos a creer en Jesús y a hacerse miembros de la Iglesia. Desde el momento de su conversión, la vida de Pablo fue guiada por su devoción a Jesús, quien fue el centro de sus discursos y enseñanza.

Imagina que, igual que Pablo, has vivido una experiencia que te fortalece para predicar sobre Jesucristo. ¿Cuál sería esa experiencia?

_____

_____

## Los cristianos fueron perseguidos por su fe.

Los viajes misioneros de Pablo fueron muy importantes en el desarrollo de la Iglesia. Por su trabajo, la cristiandad se extendió más allá de Judea y a otras personas fuera de la fe judía. Creció hasta incluir romanos y griegos. Así, desde sus inicios, la Iglesia ha incluido personas de diferentes culturas que viven alrededor del mundo.

La Iglesia crecía y se negaba a adorar a los falsos dioses de los romanos. Los oficiales romanos empezaron a creer que los cristianos eran una amenaza a la autoridad y a la seguridad del imperio. El cristianismo no fue aceptado como religión durante los primeros tres siglos y esto era un riesgo para los cristianos que eran perseguidos y algunos encarcelados y forzados a aceptar falsos dioses. Otros eran tratados como marginados. Sin embargo, esto no detuvo a los cristianos de creer en Cristo. Muchos fueron mártires de su fe. **Mártir** es alguien que prefiere morir antes que negar su fe en Jesucristo. La palabra mártir viene del vocablo griego que significa "testigo".

As the number of the disciples increased, the Temple authorities in Jerusalem became uneasy. As Peter and the others continued to preach, fear about their influence and acceptance grew. It was not long before a persecution of Christ's disciples broke out.

 Acts of the Apostles 9:1–8, 17–18

One of the leaders of these persecutions was a young Pharisee and Roman citizen named Saul.

Saul asked the high priest for permission to arrest Christians there and bring them back to Jerusalem for trial. The high priest granted his request. As Saul approached Damascus, however, a blinding light flashed around him. "He fell to the ground and heard a voice saying to him, 'Saul, Saul, why are you persecuting me?' He said, 'Who are you, sir?' The voice replied, 'I am Jesus, whom you are persecuting'" (Acts of the Apostles 9:4–5). With these words Jesus was telling Saul that in persecuting Christians, he was persecuting Jesus because Jesus and his followers were one body, the Church.

When Saul got up from the ground, he could not see. The men he was traveling with brought him to Damascus. Three days later he recovered his sight in the presence of one of Jesus' disciples and Saul was baptized. This event is one of the most well-known examples of conversion in the Bible.

Within a short time Saul, better known by his Roman name, Paul, became one of the great leaders of the early Church. In three missionary journeys, Paul brought the good news of Jesus Christ to the major cities of the eastern Roman empire. During his travels Paul wrote letters to the new Christians in these places. Some of these letters can be found in the New Testament.

In caring for these members of the Church, Paul suffered insults, the hatred of his enemies, shipwreck, and even imprisonment.

Yet he never wavered from his faith. He led many to believe in Jesus and to become members of the Church. From the moment of his conversion, Paul's life was guided by his devotion to Jesus, who was the center of his preaching and teaching.

Imagine that you, like Paul, have an experience that strengthens you to preach about Jesus Christ. What might that experience be?

_____

_____

## Christians were persecuted for their faith.

Paul's missionary trips were very important to the development of the Church. Because of this work, Christianity spread beyond Judea and to people other than only those of the Jewish faith. It grew to include Greeks and Romans. Thus from its beginning, the Church has included people of different cultures who live throughout the world.

As the Church grew, Christians refused to honor and worship the false gods of the Romans. Roman officials began to believe that Christians threatened the authority and security of the empire. Christianity was not an accepted religion during the first three centuries, and this put the Christians at risk. Christians were persecuted, and some were imprisoned and forced to accept false gods. Others were treated as outcasts. However, this did not stop Christians from believing in Christ. Many even became martyrs for their faith. A **martyr** is a person who dies rather than give up his or her belief in Jesus Christ. The word *martyr* actually comes from the Greek word for "witness."

No tenemos un récord de los miles de cristianos que han muerto por su fe. Sin embargo, nos han llegado las historias de algunos mártires.

**San Lorenzo**  Lorenzo vivió en Roma durante el tercer siglo. El era uno de los diáconos de la Iglesia romana. Una leyenda cuenta que cuando el Papa Sixto iba a ser ejecutado, le dijo a Lorenzo que él también moriría. Así que Lorenzo vendió todos los vestidos sagrados y le dio el dinero a los pobres, las viudas y los huérfanos. Cuando se le pidió llevar los valores de la Iglesia al jefe de los soldados romanos, Lorenzo le presentó a los cristianos que eran olvidados y abusados por la sociedad como "el tesoro de la Iglesia". Celebramos la fiesta de San Lorenzo el 10 de agosto.

**Santa Cecilia**  Se cree que Cecilia vivió en Roma durante el tercer siglo. Ella quiso dedicar su vida a Cristo. Pero su padre quería que ella se casara. Se dice que durante la ceremonia de la boda Cecilia cantaba y oraba a Dios en silencio para que la ayudara. Cecilia convenció a su esposo de que un ángel de Dios la protegía, y pronto su esposo y su hermano se hicieron cristianos. Ambos hombres fueron martirizados y también Cecilia fue perseguida y martirizada. Celebramos su fiesta el 22 de noviembre.

**Santa Inés**  Inés vivió durante el siglo tres en Roma. A los trece años dedicó su vida a Cristo y prometió mantener un corazón puro. Ella se negó a adorar a los falsos dioses de su época y fue ridiculizada por su castidad. Ese abuso no debilitó su fe. Ella aguantó el maltrato y eventualmente murió como una mártir porque se negó a dejar su vida cristiana. Celebramos la fiesta de Santa Inés el 21 de enero.

Haz una lista de personas que hoy dan testimonio de su fe.

_____    _____

_____    _____

## El cristianismo fue aceptado como religión.

En el año 380 el cristianismo se convirtió en la religión oficial del Imperio Romano. Los años de persecución terminaron. Sin embargo, no todos los romanos aceptaron el cristianismo y algunos miembros de la misma familia no practicaban la misma fe. La familia de San Martín de Tours es un ejemplo de esto.

Martín es uno de los primeros santos que recordamos como un testigo que vivió su fe cristiana. El nació en una provincia romana en los primeros años del siglo cuarto. Sintió un fuerte llamado para servir a Dios. Como sus padres seguían adorando falsos dioses, Martín tuvo que estudiar el cristianismo en secreto.

A la edad de quince años se le pidió ir al ejército. Como joven soldado mostró gran compasión por los necesitados. Una vez dio la mitad de su capa a un limosnero. Esa noche Jesús se le apareció y pronto Martín fue bautizado.

We do not have a record of all of the thousands of Christians who died for their faith. However, the stories of some martyrs have been passed down to us.

**Saint Lawrence**   Lawrence lived in Rome during the third century. He was one of the deacons of the Roman church. One legend recounts that when Pope Sixtus was led away to be executed, he told Lawrence that he would also die. So Lawrence sold all the sacred vessels and gave the money to the poor, the widows, and the orphans. When ordered to bring all the church's valuables to the chief Roman officer, Lawrence presented Christian people who were neglected and abused by society as "the Church's treasure." We celebrate Saint Lawrence's feast day on August 10.

**Saint Cecilia**   Cecilia is believed to have lived in Rome during the third century. She wanted to dedicate her life to Christ. But her father wanted her to marry. It is said that during the wedding ceremony Cecilia was silently singing to God and praying for his help. She convinced her husband that an angel of God protected her, and soon her husband and his brother became Christians. These two men were martyred, and Cecilia, too, was then persecuted and martyred. We celebrate her feast day November 22.

**Saint Agnes**   Agnes lived during the third century in Rome. At age thirteen, she dedicated her life to Christ and vowed to remain pure of heart. She refused to worship the false gods of her time and was ridiculed for her chaste ways. This abuse did not weaken her faith. She withstood the mistreatment but eventually died as a martyr because she refused to give up her Christian ways. We celebrate Saint Agnes' feast day on January 21.

List some ways people give witness to their faith today.

_____   _____

_____   _____

## Christianity became an accepted religion.

In the year 380 Christianity became the official religion of the Roman Empire. The years of persecution were finally ending. However, not all Romans accepted Christianity, and sometimes even members of the same family did not practice the same faith. The family of Saint Martin of Tours is one example of this.

Martin is one of the first saints that we remember as a witness who was able to live out his Christian faith. He was born in a Roman province in the early years of the fourth century. He felt a strong calling to serve God. Since his parents continued to worship false gods, Martin had to study Christianity secretly.

At age fifteen he was required to join the Roman army. As a young soldier he showed great compassion for those in need. Once he gave half of his cloak to a beggar. That night Jesus appeared to Martin and soon after Martin was baptized.

Pocos años más tarde dejó el ejército y se fue a Tours, Francia. Dedicó su tiempo a predicar contra las falsas creencias. Martín llegó a ser obispo de Tours. El oró, enseñó y predicó donde quiera que iba. Celebramos la fiesta de este obispo y santo el 11 de noviembre.

**Profesando la fe** Eventualmente se hizo necesario resumir la fe en profesiones de fe, o credos para los bautizados. Uno de esos credos originales es el Credo de los Apóstoles, puede encontrarlo en la página 347. Trata sobre la primera Persona de la Santísima Trinidad y el gran trabajo de la creación, la segunda Persona de la Trinidad y la redención de todos nosotros ganada por él, y la tercera Persona de la Santísima Trinidad de donde viene nuestra santidad y la santidad de la Iglesia.

Más tarde fue necesario que la Iglesia se asegurara de que la enseñanza de Jesús y los apóstoles pasara a futuras generaciones. En el año 325 los obispos se reunieron en Nicea para el primer concilio ecuménico. Un *concilio ecuménico* es una reunión del papa y los obispos para tomar decisiones sobre asuntos de fe, vida cristiana y vida de la Iglesia. Otro concilio tuvo lugar en Constantinopla en el año 381. El resultado de estos dos concilios se expresa en el Credo de Nicea. Decimos este credo en la misa.

## RESPONDEMOS

Profesen su fe rezando juntos el Credo de los Apóstoles o el Credo de Nicea.

Escribe una oración de acción de gracias a Dios por el don de la fe.

_____

_____

### Vocabulario

**Pentecostés** (pp 350)
**mártir** (pp 349)

## Como católicos...

En mayo del 2000, el Vaticano recibió a cristianos de diferentes denominaciones para participar en una oración en honor a los mártires cristianos de los siglos XX y XXI. Entre los recordados estaba el padre Cristian de Chergé y los monjes de Nuestra Señora de Atlas en Argelia (católica), Margarita Chou (católica), el pastor Pablo Schneider (luterano), W.G.R. Jotcham (bautista) y su santidad Tichon, Patriarca de la Iglesia Ordotoxa Rusa. Estos hombres y mujeres trabajaron para detener la persecución religiosa y la violencia y dieron sus vidas como un testimonio de su fe en Cristo.

Investiga y descubre algo más sobre mártires de siglos recientes.

A few years later Martin left the army and went to Tours, France. He devoted his time to stopping false beliefs. Martin became the bishop of Tours. He prayed, taught, and preached everywhere. We celebrate the feast of this bishop and saint on November 11.

**Professing the Faith** Eventually it became necessary to summarize the faith into professions of faith, or creeds, for those being baptized. One of the earliest creeds, the Apostles' Creed, is found on page 348. It is about the first Person of the Blessed Trinity and the great work of creation, the second Person of the Blessed Trinity and the redemption all of us have because of him, and the third Person of the Blessed Trinity from whom the Church's and our holiness come.

It later became necessary for the Church to come together to ensure that the teaching of Jesus and the apostles was passed on to future generations. In the year 325 the bishops gathered together in Nicea for the first ecumenical council. An *ecumenical council* is a gathering of the pope and bishops to make decisions on issues of faith, Christian living, and the life of the Church. Another council took place in Constantinople in 381. The result of these two councils is stated in the Nicene Creed. We still say this creed at Mass.

## WE RESPOND

Profess your faith by praying the Apostles' Creed or Nicene Creed together.

 Write a prayer to thank God for the gift of faith.

_____

_____

*The Third Council of Constantinople* (680–681) from a fresco in the Vatican circa 1868.

**Key Words**

Pentecost (p. 352)

martyr (p. 352)

## Capítulo 24

**Subraya la respuesta correcta.**

1. El cristianismo (**fue aceptado/no fue aceptado**) como una religión durante los tres primeros siglos.

2. La Iglesia empezó a la venida de (**el Espíritu Santo/Matías**).

3. (**Los romanos/nazarenos**) fueron seguidores de Jesucristo quienes después fueron llamados cristianos.

4. El Credo de los Apóstoles y el Credo de Nicea son partes de la (**Tradición/Escritura**).

**Contesta con oraciones cortas.**

5. ¿Cómo el Espíritu Santo ayudó a los primeros discípulos de Cristo?

_____

6. ¿Cuál fue la edad de los mártires en la primera Iglesia?

_____

7. ¿Por qué el cuarto siglo fue importante para la Iglesia?

_____

8. ¿Por qué Pablo es considerado el líder más importante de la primera Iglesia?

_____

**Contesta.**

9–10 ¿Cuáles son algunas formas en que los cristianos dan testimonio de Cristo?

## Reflexiona y ora

Ven Espíritu Santo, llena nuestros corazones. Ayúdanos a _____

_____

Santos que han partido, rueguen por nosotros.

## Chapter 24

**Underline the correct answer.**

1. Christianity was **(accepted/not accepted)** as a religion during the first three centuries.

2. The Church began with the coming of **(the Holy Spirit/Matthias)**.

3. **(Romans/Nazarenes)** were followers of Jesus Christ who were later called Christians.

4. The Apostles' Creed and the Nicene Creed are part of **(Tradition/Scripture)**.

**Short answers.**

5. How does the Holy Spirit help Christ's disciples?

   _____

6. What was the age of martyrs in the early Church?

   _____

7. Why was the fourth century important for the Church?

   _____

8. Why is Paul considered to be a great leader of the early Church?

   _____

**Write a paragraph to answer this question.**

9–10. What are some ways Christians have given witness to Christ?

## Reflect & Pray

Come, Holy Spirit, fill our hearts. Help us _____

_____

Holy women and men who have gone before us, pray for us.

## Compartiendo lo aprendido

Habla con tu familia sobre lo siguiente:

- la venida del Espíritu Santo
- la historia de San Pablo
- la persecución de los cristianos
- el Credo de los apóstoles y el Credo de Nicea.

## Recuerda

- La Iglesia empieza con la venida del Espíritu Santo.
- La buena nueva de Cristo se esparce por muchos lugares.
- Los cristianos fueron perseguidos por su fe.
- El cristianismo fue aceptado como religión.

## Familia de Santos

**Santa Catalina Laboure 1806–1876**

Como religiosa de las Hermanas de la Caridad, Santa Catalina Laboure tuvo visiones de la Virgen María. En una de esas visiones María le pidió hacer una medalla honrando a la Inmaculada concepción. Esta medalla es comúnmente conocida como la medalla milagrosa. Celebramos su fiesta el 25 de noviembre.

## NUESTRA VIDA CATOLICA

### Evangelización

Somos llamados a ser testigos de nuestra fe. Damos testimonio cuando hablamos y actuamos basados en la buena nueva. Contamos a otros sobre las cosas maravillosas que Cristo ha hecho. Les mostramos lo que quiere decir ser discípulos. Dar testimonio de nuestra fe es parte importante de la misión de evangelización de la Iglesia. La evangelización tiene lugar en nuestra vida diaria. Evangelizamos a los que aún no han escuchado el mensaje de Jesucristo. También evangelizamos a los que han escuchado el mensaje pero necesitan ánimo para vivir el don de la fe. Eres un evangelizador. Vive el evangelio y la gente a tu alrededor verá tu fe en acción.

**Conexión con el Catecismo**
Para referencia vea los párrafos 732, 768, 2473 y 197.

# We Respond and Share the Faith

## Sharing What I Learned

Discuss the following with your family:

- the coming of the Holy Spirit
- the story of Saint Paul
- the persecution of Christians
- the Apostles' Creed and the Nicene Creed.

## Remember

- With the coming of the Holy Spirit the Church began.
- The good news of Christ spread to many places.
- Christians were persecuted for their faith.
- Christianity became an accepted religion.

## A Family of Saints

**Saint Catherine Laboure 1806–1876**

As a religious in the Daughters of Charity, Saint Catherine Laboure experienced visions of the Virgin Mary. In one of the visions, Mary instructed Catherine to have a medal made honoring the Immaculate Conception. This medal is commonly known as the Miraculous Medal. We celebrate her feast on November 25.

## OUR CATHOLIC LIFE
### Evangelization

We are called to give witness to our faith. We give witness when we speak and act based upon the good news. We tell others about the wonderful things that Christ has done. We show them what it means to be a disciple. Giving witness to our faith is an important part of the Church's mission of evangelization. Evangelization takes place in our everyday lives. We evangelize those who have not yet heard the message of Jesus Christ. We also evangelize those who have heard the message but need encouragement to live out the gift of faith that is theirs. You are an evangelizer! Live out the gospel, and the people around you will see your faith in action.

**Connect to the Catechism**
For adult background and reflection, see paragraphs 732, 768, 2473, and 197.

Visit Sadlier's

**www.CREEMOSweb.com**

# La Biblia y la Iglesia hoy

## NOS CONGREGAMOS

**Líder:** Profetas como Amós, Miqueas, Jeremías, Isaías y Juan el Bautista anunciaron el amor especial de Dios por los pobres y los necesitados. Ellos llamaron al pueblo a vivir con justicia.

**Lector:** Jesús, el Mesías, empezó su ministerio proclamando estas palabras del profeta Isaías en la sinagoga de Nazaret:

(Leer de la Biblia Lucas 4:18–19)

### 🎵 La buena nueva

Está sobre mí el Espíritu del Señor.
Está sobre mí,
porque Él me escogió.
El me envió para anunciar que al afligido aliviará. (X2)
La buena nueva va dar, la buena nueva dar,
La buena nueva, la buena nueva del Señor,
del Señor. (X2)

☀ ¿Cómo tu familia recuerda y comparte los recuerdos?

## CREEMOS

### En el Nuevo Testamento encontramos diferentes formas de escritura.

La Biblia es un libro de fe. En ella se encuentran las formas en que Dios se ha mantenido fiel a su pueblo. Los cristianos ven los eventos y las verdades de fe en el Antiguo Testamento como directrices hacia Jesús y sus enseñanzas encontradas en el Nuevo Testamento.

El Nuevo Testamento es una colección de veintisiete libros. Los escritores de estos libros fueron inspirados por el Espíritu Santo para usar sus habilidades para recoger las verdades de fe que son importantes para vivir como cristianos. Igual que el Antiguo Testamento, el Nuevo Testamento incluye diferentes tipos de escritos.

**Los evangelios** Los evangelios de Mateo, Marcos, Lucas y Juan son en muchas formas escritos históricos. Estos escritos describen la misión y el ministerio de Jesús, su llamado a los discípulos y su amor. Ellos nos ayudan a entender que Jesucristo es el Mesías y el Hijo de Dios. Es por eso que los cristianos consideran los evangelios como los libros más sagrados de la Biblia.

## 25

## WE GATHER

**✝ Leader:** The prophets such as Amos, Micah, Jeremiah, Isaiah, and John the Baptist announced God's special love for those who are poor and in need. They called the people to live justly.

**Reader:** Jesus the Messiah, began his ministry by proclaiming these words of the prophet Isaiah in the synagogue in Nazareth. (Read Luke 4:18–19.)

🎵 **God Has Chosen Me**

God has chosen me,
God has chosen me to bring good
    news to the poor.
God has chosen me,
God has chosen me to bring new
    sight to those searching for light;
God has chosen me, chosen me.

 How does your family record and share memories?

## WE BELIEVE

### The New Testament is made up of different types of writings.

The Bible is a book of faith. It is a record of the ways that God has remained faithful to his people. Christians see the events and truths of faith in the Old Testament as leading us to Jesus and his teachings found in the New Testament.

The New Testament is a collection of twenty-seven books. The writers of these books were inspired by the Holy Spirit to use their own abilities to record the truths of faith that are so important for living as Christians. Like the Old Testament, the New Testament includes different types of writings.

**The Gospels**   The Gospels of Matthew, Mark, Luke, and John are in many ways historical writings. The writers of the gospels describe Jesus' mission and ministry, his call to discipleship, and his love. They help us to understand that Jesus Christ is the Messiah and the Son of God. This is why Christians consider the gospels the most sacred books of the Bible.

**Las cartas a las comunidades cristianas.**
Las cartas, o epístolas, incluyen veintiún escritos de líderes tales como Pablo, Santiago, Pedro Juan y Judas a diferentes comunidades cristianas. Estas cartas tienen una gran variedad de propósitos. Algunas fueron escritas para hablar de problemas específicos en la comunidad, para instruir a la gente en como vivir y alabar y para explicar el papel de los líderes de la comunidad.

**Otros escritos**   Hechos de los apóstoles y el libro de Apocalipsis son otros libros del Nuevo Testamento. Hechos de los apóstoles registra la venida del Espíritu Santo y el ministerio de los apóstoles. Describe el inicio y crecimiento de la Iglesia y los diferentes viajes misioneros de los apóstoles y discípulos. Hechos de los apóstoles es realmente la continuación del Evangelio de Lucas.

El Apocalipsis es el último libro del Nuevo Testamento. De muchas formas es como parte de los libros de Ezequiel, Zacarías y Daniel en el Antiguo Testamento. El Apocalipsis está basado en visiones y sueños y la interpretación de ellos. Como una profecía cristiana, el Apocalipsis trata de la segunda venida de Cristo al final de los tiempos. El libro usa símbolos, poesías e imágenes. No está escrito para contar eventos específicos, sino para predicar el mensaje del reino de Dios.

El Nuevo Testamento, igual que el Antiguo Testamento, nos ayuda a saber que Dios nos ama y que está con nosotros hoy. Dios nos está llamando a responder a su amor y a seguir a su Hijo.

Escribe como la Escritura es parte de tu vida.

_____

_____

## La Biblia es una fuente importante para vivir una vida cristiana y adorar.

La Biblia es una guía importante para vivir como cristiano. En la Biblia aprendemos los Diez Mandamientos, las Bienaventuranzas, el Gran Mandamiento y el nuevo mandamiento de Cristo. Estas leyes y enseñanzas son la base de nuestra moral católica. Ellas nos ayudan en nuestra relación con Dios, con nosotros mismos y con los demás.

Jesús obedeció a Dios, su Padre, y aceptó la ley como su guía. De hecho, el dijo a sus discípulos: "No crean ustedes que yo he venido a poner fin a la ley ni a las enseñanzas de los profetas; no he venido a ponerles fin, sino a darles su verdadero significado" (Mateo 5:17).

Jesús usó las enseñanzas de los escritores del Antiguo Testamento para enseñar a sus discípulos sobre cumplir la ley de Dios. A Jesús le preguntaron cuál era el mayor de los mandamientos de la ley. El combinó dos enseñanza del Antiguo Testamento en uno conocido como el Gran Mandamiento: "Ama al Señor tu Dios con todo tu corazón, con toda tu alma y con toda tu mente". Este es el más importante y el primero de los mandamientos. Y el segundo es parecido a este; dice: "Ama a tu prójimo como a ti mismo". (Mateo 22:37–39).

**Write one way Scripture is a part of your life.**

_____

_____

**The Letters to the Christian Communities**

The letters, or epistles, include twenty-one writings from leaders such as Paul, James, Peter, John, and Jude to different Christian communities. These letters have a variety of purposes. Some are written to discuss specific problems in the community, to instruct the people on how to live and worship, and to explain the role of the leaders of the community.

**Other Writings** The Acts of the Apostles and the Book of Revelation are the other books of the New Testament. The Acts of the Apostles records the coming of the Holy Spirit and the ministry of the apostles. It describes the beginning and growth of the Church and the various missionary trips of the apostles and disciples. The Acts of the Apostles is actually a continuation of the Gospel of Luke.

The Book of Revelation is the final book in the New Testament. In many ways it is like parts of the Old Testament Books of Ezekiel, Zechariah, and Daniel. The Book of Revelation is based on visions and dreams and the interpretation of them. As a Christian prophecy, the Book of Revelation deals with Christ's second coming at the end of time. The book uses symbols, poetry, and images. It is not written to foretell specific events, but to spread the message of God's Kingdom.

The New Testament, like the Old Testament, helps us to know that God loves us and is with us today. God is calling us to respond to his love and to follow his Son.

## The Bible is an important source for Christian living and worship.

The Bible is an important guide for Christian living. From the Bible we learn the Ten Commandments, the Beatitudes, the Great Commandment, and Christ's new commandment. These laws and teachings are the foundation of our moral life as Catholics. They help us to relate to God, ourselves, and one another.

Jesus obeyed God his Father and accepted the law as his guide. In fact, he told his disciples, "Do not think that I have come to abolish the law or the prophets. I have come not to abolish but to fulfill" (Matthew 5:17).

Jesus used the teachings of the Old Testament writers to teach his own disciples about following God's law. Jesus was asked which commandment of God's law was the greatest. He combined two Old Testament teachings into one which is known as the Great Commandment: "You shall love the Lord, your God, with all your heart, with all your soul, and with all your mind. This is the greatest and the first commandment. The second is like it: You shall love your neighbor as yourself" (Matthew 22:37–39).

Jesús cumplió la ley viviéndola totalmente. El nos mostró la forma de amar a Dios y a los demás y nos dio el *nuevo mandamiento*. "Les doy este mandamiento nuevo: Que se amen los unos a los otros. Así como yo los amo a ustedes, así deben amarse ustedes los unos a los otros" (Juan 13:34–35).

**Oración y adoración** la Sagrada Escritura es parte esencial de la liturgia, la adoración pública y oficial de la Iglesia. De hecho, la primera parte de la misa es llamada Liturgia de la Palabra.

Los domingos y algunos días de precepto, la Liturgia de la Palabra incluye tres lecturas y un salmo responsorial. La primera lectura es generalmente del Antiguo Testamento. Escuchamos sobre la acción salvadora de Dios en la vida de su pueblo. Después cantamos o recitamos un salmo responsorial. La segunda lectura es de uno de los libros del Nuevo Testamento pero de los evangelios. Esta lectura nos anima a seguir las enseñanzas de Cristo y a ser fieles discípulos. La tercera lectura es siempre de uno de los evangelios.

Mostramos nuestra reverencia a la buena nueva de Jesucristo poniéndonos de pie para la proclamación del evangelio. El diácono o el sacerdote besa el libro de los evangelios, el cual es honrado en procesión al inicio de la misa. Mientras el diácono o el sacerdote proclaman el evangelio, los acólitos generalmente se paran al lado sosteniendo velas encendidas. Estas son sólo algunas de las formas en que mostramos lo importante que son los evangelios en la vida de los cristianos.

El diácono o sacerdote da una homilía que nos ayuda a reflexionar en las formas en que la palabra de Dios nos llama a vivir como fieles seguidores de Cristo.

Escuchar la palabra de Dios es también parte de otros sacramentos y celebraciones litúrgicas de la Iglesia. Por ejemplo, la Liturgia de las Horas, es una hermosa combinación de oraciones, himnos y de la palabra de Dios.

Podemos usar la Biblia para estudiar y para orar personalmente y para conocer a Dios y a nosotros mismos mejor. Esta reflexión nos ayuda a entender la voluntad de Dios para nosotros.

Habla de algunas de las formas en que puedes aprender más sobre la Escritura. Escribe una forma aquí.

## Como católicos...

Jesús se identificó con aquellos a quienes él servía y dijo una vez a sus discípulos: "Todo lo que hicieron por uno de estos hermanos míos más humildes, por mí mismo lo hicieron" (Mateo 25:40). Las obras de misericordia son obras de amor que nos ayudan a cuidar de las necesidades de los demás.

Las obras corporales de misericordia tienen que ver con las necesidades físicas y materiales de los demás. Las obras espirituales de misericordia tienen que ver con las necesidades de los corazones, las mentes y las almas.

Jesus fulfilled the law by living it completely and totally. He showed us the way to love God and one another and gave us the *new commandment*. "I give you a new commandment: love one another. As I have loved you, so you also should love one another. This is how all will know that you are my disciples, if you have love for one another" (John 13:34–35).

**Prayer and Worship** Sacred Scripture is an essential part of the liturgy, the Church's official public worship. In fact, the first part of the Mass is called the Liturgy of the Word.

On Sundays and certain feast days of the Church, the Liturgy of the Word includes three readings and a psalm response. The first reading is usually from the Old Testament. We hear of God's saving action in the lives of his people. We then sing or recite a responsorial psalm. The second reading is from one of the New Testament books other than the four gospels. This reading encourages us to follow Christ's teachings and to be faithful disciples. The third reading is always from one of the four gospels.

We show our reverence for the good news of Jesus Christ by standing for the proclamation of the gospel. The deacon or priest kisses the Book of the Gospels, which was also honored in procession at the beginning of the Mass. And while the deacon or priest proclaims the gospel, altar servers often stand on either side of him holding candles. These are just some of the ways we show how important the gospels are to our lives as Christians.

The deacon or priest then gives a homily that helps us to reflect on the ways that God's word calls us to live as faithful followers of Christ.

Hearing the word of God is also a part of the other sacraments and liturgical celebrations of the Church. For example, the Liturgy of the Hours is a beautiful combination of praying, singing, and listening to God's word.

We can use the Bible in study and personal prayer to get to know God and ourselves better. This reflection can help us to understand God's will for us.

🏃 Discuss some ways that you can learn more about Scripture.

## As Catholics...

Jesus identified himself with those he served, and he once told his disciples, "Whatever you did for one of these least brothers of mine, you did for me" (Matthew 25:40). The Works of Mercy are acts of love that help us to care for the needs of others.

The Corporal Works of Mercy deal with the physical and material needs of others. The Spiritual Works of Mercy deal with the needs of people's hearts, minds, and souls.

## La Iglesia continúa el ministerio de Jesús con los siete sacramentos.

La Iglesia continúa el ministerio de Jesús de acoger, sanar, perdonar y alimentar a otros por medio de los sacramentos. Un sacramento es un signo efectivo dado por Jesús a nosotros por medio del cual compartimos la vida de Dios. Llamamos gracia a la vida de Dios en nosotros. La vida de gracia es un don de Dios a nosotros. Cristo instituyó los sacramentos para que sus seguidores pudieran experimentar siempre su presencia.

Los sacramentos son parte de la liturgia de la Iglesia y ellos son nuestras celebraciones más importantes. Todo el cuerpo de Cristo celebra cada sacramento. El sacerdote y otros miembros de la Iglesia que participan en los sacramentos representan a toda la Iglesia. Los sacramentos unen a los católicos en todo el mundo con Jesús y unos con otros. Ellos nos unen como el cuerpo de Cristo.

**Sacramentos de iniciación**   Nuestra iniciación en la Iglesia tiene lugar por medio de tres sacramentos.

Bautismo es el sacramento en el que somos librados del pecado, nos hacemos hijos de Dios y somos bienvenidos a la Iglesia.

Confirmación es el sacramento en el que somos sellados con el don del Espíritu Santo.

Eucaristía es el sacramento del Cuerpo y la Sangre de Cristo en el que Jesús está verdaderamente presente bajo las apariencias de pan y vino.

**Sacramentos de sanación**   Hay dos sacramentos de sanación:

Reconciliación llamado también penitencia, es el sacramento por medio del cual nuestra relación con Dios y la Iglesia se restablece cuando nuestros pecados son perdonados.

Unción de los Enfermos es el sacramento en que la gracia y el consuelo de Dios es dado a los gravemente enfermos o a los ancianos que están sufriendo.

**Sacramentos de servicio a la comunidad**
Los miembros de la Iglesia que reciben estos sacramentos son fortalecidos para servir a Dios y a la Iglesia en dos vocaciones especiales.

Orden Sagrado es el sacramento en que hombres son ordenados diáconos, sacerdotes u obispos para servir a la Iglesia.

Matrimonio es el sacramento en el que un hombre y una mujer se comprometen a ser fiel uno al otro para toda la vida.

 Responde esta pregunta.

¿Qué sacramentos has recibido?

_____

_____

## La Iglesia continúa el ministerio de Jesús trabajando por la justicia social.

Por medio de los profetas Dios llamó a su pueblo a trabajar por la justicia social y le dijo que el amor a Dios no podía separarse del amor al prójimo.

Jesucristo, el Hijo de Dios y Mesías, trabajó por la justicia. El trató de asegurarse de que todo el mundo tuviera lo que necesitaba. El habló en contra de los líderes que no se preocupaban de la gente.

## The Church continues Jesus' ministry through the seven sacraments.

The Church continues Jesus' ministry of welcoming, healing, forgiving, and feeding others through the sacraments. A sacrament is an effective sign given to us by Jesus through which we share in God's life. We call the life of God within us grace. The life of grace is God's gift to us. Christ instituted the sacraments so that his followers would always experience his presence.

The sacraments are part of the liturgy of the Church, and they are our most important celebrations. The whole Body of Christ celebrates each sacrament. The priest and other members of the Church who participate in the sacraments represent the whole Church. The sacraments join Catholics all over the world with Jesus and with one another. They unite us as the Body of Christ.

**Sacraments of Christian Initiation**   Our initiation into the Church takes place through three sacraments:

* Baptism is the sacrament in which we are freed from sin, become children of God, and are welcomed into the Church.

* Confirmation is the sacrament in which we are sealed with the Gift of the Holy Spirit.

* The Eucharist is the sacrament of the Body and Blood of Christ in which Jesus is truly present under the appearances of bread and wine.

**Sacraments of Healing**   Two sacraments are known as sacraments of healing:

* Reconciliation, also called Penance, is the sacrament by which our relationship with God and the Church is restored and our sins are forgiven.

* The Anointing of the Sick is the sacrament by which God's grace and comfort are given to those who are suffering because of their old age or serious illnesses.

**Sacraments at the Service of Community**
Church members who receive these sacraments are strengthened to serve God and the Church through one of two particular vocations:

* Holy Orders is the sacrament in which men are ordained to serve the Church as deacons, priests, and bishops.

* Matrimony is the sacrament in which a man and woman become husband and wife and promise to be faithful to each other for the rest of their lives.

🧍 Write your answer to this question: What sacraments have you received?

_____

_____

## The Church continues Jesus' ministry through its work for social justice.

Through the prophets God called his people to work for social justice, and told them that love of God could not be separated from love of neighbor.

Jesus Christ, the Son of God and Messiah, worked for justice. He tried to make sure that people had what they needed. He spoke out against leaders who did not take care of people.

La **doctrina social de la Iglesia** nos llama a trabajar por la justicia y la paz como lo hizo Jesús. La vida de Jesús y su enseñanza son la base de la doctrina social de la Iglesia. La doctrina social de la Iglesia tiene siete temas.

Toda la Iglesia está llamada a vivir la doctrina social de la Iglesia. Juntos podemos trabajar para cambiar las cosas que permiten comportamientos injustos en la sociedad.

## RESPONDEMOS

En grupo seleccionen un tema de la doctrina social de la Iglesia. Dramaticen algunos ejemplos de personas siguiendo la enseñanza y personas que no la siguen.

**Vocabulario**

doctrina social de la Iglesia (pp 349)

## Temas de la doctrina social de la Iglesia

**Vida y dignidad de la persona**    La vida humana es sagrada porque es un don de Dios. Porque todos somos hijos de Dios, compartimos la misma dignidad humana. Nuestra dignidad, valor personal, no viene de nuestra apariencia o de las cosas que logramos hacer. Nuestra dignidad viene de ser creados a imagen y semejanza de Dios. Esta dignidad nos hace iguales. Como cristianos respetamos a todos aun aquellos que no conocemos.

**Llamado a la familia, la comunidad y la participación**    Todos somos entes sociales. Necesitamos estar con otros para crecer. La familia es la comunidad básica en la sociedad. En la familia crecemos y aprendemos los valores. Aprendemos lo que significa ser parte de un grupo. Las familias son grupos de personas que contribuyen a la sociedad en diferentes formas. Como cristianos estamos involucrados en nuestra vida familiar y comunitaria.

**Derechos y deberes de la persona**    Toda persona tiene el derecho fundamental de vivir. Esto incluye las cosas que necesitamos para vivir una vida decente: fe y familia, trabajo y educación, salud y vivienda. Tenemos responsabilidad con los demás en la sociedad. Trabajamos para asegurarnos de que los derechos de todo el mundo sean protegidos.

**Opción por los pobres e indefensos**    Tenemos obligación especial de ayudar a los pobres y los necesitados. Esto incluye aquellos que no pueden protegerse a sí mismos debido a su edad o su salud. En diferentes estados de nuestras vidas todos somos pobres en alguna manera y en necesidad de ayuda.

**Dignidad del trabajo y derechos de los trabajadores**    Nuestro trabajo es un signo de nuestra participación en el trabajo de Dios. La gente tiene el derecho a un trabajo decente, salario justo, condiciones de trabajo seguras y a participar en las decisiones acerca de su trabajo. Hay valor en todo trabajo. Nuestro trabajo en la escuela y la casa es una forma de participar en el trabajo de la creación de Dios. Esta es una forma de usar nuestros talentos y habilidades para dar gracias a Dios por sus dones.

**Solidaridad con la familia humana**    Solidaridad es un sentimiento de unidad. Esta une a los miembros de un grupo. Cada uno de nosotros es miembro de la familia humana, iguales por dignidad humana. La familia humana incluye a gente de todas las razas, culturas y religiones. Cuando una parte de la familia humana sufre, todos sufrimos, no importa si viven lejos o cerca de nosotros.

**Protección de la creación de Dios**    Dios nos creó a todos para ser mayordomos, cuidadores, de la creación. Debemos cuidar y respetar el ambiente y protegerlo para futuras generaciones. Al cuidar de la creación, mostramos respeto al Creador.

**Catholic social teaching** calls us to work for justice and peace as Jesus did. Jesus' life and teaching are the foundation of Catholic social teaching. There are seven themes of Catholic social teaching.

The whole Church is called to live by this social teaching. Together we can work to change the things in society that allow unjust behaviors and conditions to exist.

## WE RESPOND

 In groups select one theme of Catholic social teaching. Dramatize some examples of people following the teaching and of people not following it.

> **Key Word**
>
> **Catholic social teaching**
> (p. 351)

---

### Themes of Catholic Social Teaching

**Life and Dignity of the Human Person**    Human life is sacred because it is a gift from God. Because we are all God's children, we all share the same human dignity. Our dignity—our worth and value—does not come from the way we look or the things we accomplish. Our dignity comes from being made in the image and likeness of God. This dignity makes us equal. As Christians we respect all people, even those we do not know.

**Call to Family, Community, and Participation**    We are all social. We need to be with others to grow. The family is the basic community in society. In the family we grow and learn values. We learn what it means to be part of a group. Families are groups of people that contribute to society in many ways. As Christians we are involved in our family life and community.

**Rights and Responsibilities of the Human Person**    Every person has a fundamental right to life. This includes the things we need to have a decent life: faith and family, work and education, health care and housing. We also have a responsibility to others and to society. We work to make sure the rights of all people are being protected.

**Option for the Poor and Vulnerable**    We have a special obligation to help those who are poor and in need. This includes those who cannot protect themselves because of their age or their health. At different times in our lives we are all poor in some way and in need of assistance.

**Dignity of Work and the Rights of Workers**    Our work is a sign of our participation in God's work. People have the right to decent work, just wages, safe working conditions, and to participate in decisions about their work. There is value in all work. Our work in school and at home is a way to participate in God's work of creation. It is a way to use our talents and abilities to thank God for his gifts.

**Solidarity of the Human Family**    Solidarity is a feeling of unity. It binds members of a group together. Each of us is a member of the one human family, equal from our common human dignity. The human family includes people of all racial, cultural, and religious backgrounds. We all suffer when one part of the human family suffers whether they live near us or far away from us.

**Care for God's Creation**    God created us to be stewards, or caretakers, of his creation. We must care for and respect the environment. We have to protect it for future generations. When we care for creation, we show respect for God the Creator.

## Capítulo 25

# Repaso

**Escribe V si es verdadero y F si es falso. Cambia lo falso en verdadero.**

1. _____ La doctrina social de la Iglesia nos llama a trabajar por la justicia y la paz como lo hizo Jesús.

   _____

2. _____ Los escritores del Nuevo Testamento fueron inspirados y guiados por Pablo a registrar las verdades de fe que Dios quería revelarnos.

   _____

3. _____ Los sacramentos unen a los católicos en todo el mundo con Jesús y unos con otros, y unen a la Iglesia como Cuerpo de Cristo.

   _____

4. _____ La dignidad del trabajo es una fuente importante para que los cristianos vivan y adoren.

   _____

**Contesta.**

5. ¿Qué tipos de libros hay en el Nuevo Testamento?

   _____

6. ¿Cómo podemos vivir el nuevo mandamiento de Jesús?

   _____

7. ¿Qué es un sacramento?

   _____

8. Hay siete temas en la doctrina social de la Iglesia, escribe tres.

   _____

**Contesta.**

9–10. ¿Cómo usa la Iglesia la Escritura?

## Reflexiona y ora

Dios, en tu palabra _____

Por tus sacramentos, Señor, nosotros _____

**Write True or False for the following sentences.**
**Then change the false sentences to make them true.**

1. _____ Catholic social teaching calls us to work for justice and peace as Jesus did.

_____

2. _____ The writers of the New Testament were inspired and guided by Paul to record the truths of faith God wanted revealed to us.

_____

3. _____ The sacraments join Catholics all over the world with Jesus and one another, and unite the Church as the Body of Christ.

_____

4. _____ The dignity of work is an important source for Christian living and worship.

_____

**Short Answers**

5. What kinds of books are in the New Testament?

_____

6. How can we live out Jesus' new commandment?

_____

7. What is a sacrament?

_____

8. There are seven themes of Catholic social teaching. List three.

_____

**Write a paragraph to answer this question.**

9–10. How does the Church use Scripture?

## Reflect & Pray

God, in your word _____

For your sacraments, Lord, we _____

## Compartiendo lo aprendido

Habla con tu familia sobre lo siguiente:

- el Nuevo Testamento
- el nuevo mandamiento de Jesús
- los siete sacramentos
- la doctrina social de la Iglesia.

## Recuerda

- En el Nuevo Testamento encontramos diferentes formas de escritura.
- La Biblia es una fuente importante para vivir una vida cristiana y adorar.
- La Iglesia continúa el ministerio de Jesús con los siete sacramentos.
- La Iglesia continúa el ministerio de Jesús trabajando por la justicia social.

## Familia de Santos

**Santo Tomás de Aquino 1226–1274**

Santo Tomás de Aquino es conocido como uno de los grandes teólogos de la Iglesia. Fue un sacerdote dominico y brillante estudiante. Celebramos su fiesta el 28 de enero.

## NUESTRA VIDA CATOLICA
### Campaña católica para el desarrollo humano

La Campaña católica para el desarrollo humano es un programa nacional de los Obispos católicos de los Estados Unidos. Trabaja para eliminar la pobreza y sus efectos en los Estados Unidos. Da dinero y apoyo a miles de programas locales en todos los Estados Unidos. Ha patrocinado concursos de arte, sobre medios de comunicación, entre jóvenes. Estos concursos despiertan la conciencia de la doctrina social de la Iglesia y se aprenden formas en que las comunidades pueden trabajar para parar las injusticias. Usando artes visuales, literatura o audio visuales, los jóvenes muestran la importancia de vivir el mensaje del evangelio.

Visita Sadlier en
**www.CREEMOSweb.com**

**Conexión con el Catecismo**
Para referencia vea los párrafos 126, 133, 1210 y 2420.

# We Respond and Share the Faith

## Sharing What I Learned

Discuss the following with your family:

- the New Testament
- Jesus' new commandment
- the seven sacraments
- Catholic social teaching.

## Remember

- The New Testament is made up of different types of writings.
- The Bible is an important source for Christian living and worship.
- The Church continues Jesus' ministry through the seven sacraments.
- The Church continues Jesus' ministry through its work for social justice.

## A Family of Saints

**Saint Thomas Aquinas 1226–1274**

Saint Thomas Aquinas is known as one of the greatest theologians of the Church. He was a Dominican priest and a brilliant student. We celebrate his feast day on January 28. How can your family learn more about the Church?

## OUR CATHOLIC LIFE

### Catholic Campaign for Human Development

The Catholic Campaign for Human Development (CCHD) is a national program of the U.S. Catholic bishops. CCHD focuses on the causes of poverty in the United States and works to eliminate poverty and its effects. CCHD provides money and support to thousands of local programs across the U.S. In the past CCHD has sponsored a Multi-Media Youth Arts Contest for youth. The contest is a way to increase awareness of Catholic social teaching and to learn ways communities are working to end injustice. By using visual arts, literature, or audio-visual displays, youth show the importance of living the gospel message.

 **Connect to the Catechism**
For adult background and reflection, see paragraphs 126, 133, 1210, and 2420.

Visit Sadlier's
**www.CREEMOSweb.com**

## NOS CONGREGAMOS

**Líder:** Bendito sea Dios quién nos creó para ser su Iglesia.

Bendito sea el nombre del Señor.

**Todos:** Ahora y siempre.

**Lector:** Lectura del santo Evangelio según Mateo.

**Todos:** Gloria a ti, Señor.

**Lector:** "Y ustedes, ¿quién dicen que soy? "Les preguntó: Simón Pedro le respondió: Tú eres el Mesías, el Hijo del Dios viviente. . . ."
Y yo te digo que tú eres Pedro, y sobre esta piedra voy a construir mi iglesia". (Mateo 16:15–18)

Palabra del Señor.

**Todos:** Gloria a ti, Señor Jesús.

🎵 **Quién dicen que soy yo / Who Do You Say That I Am**

¿Quién dicen que soy yo?
Who do you say that I am?
Dicen algunos que eres Juan Bautista.
Otros han dicho que eres Elías.

Unos han oído
a otra gente que están seguros
que eres un profeta muy antiguo
que ha vuelto a la vida.

☀ ¿En qué crees? ¿Cómo muestras a otros lo que crees?

## CREEMOS

### Vivimos como un pueblo.

Cada vez que nos reunimos en la misa, profesamos nuestra fe y rezamos el Credo de los Apóstoles o el Credo de Nicea. Declaramos nuestra fe en Jesucristo, la Santísima Trinidad y la Iglesia. En el Credo de Nicea decimos: "Creemos en una iglesia santa, católica y apostólica". Una, santa, católica y apostólica son las cuatro características, rasgos o marcas, que identifican la Iglesia. Son llamadas **características de la Iglesia**.

# The Church in the World

## WE GATHER

✝ **Leader:** Blessed be God who made us to be his Church.

Blessed be the name of the Lord.

**All:** Now and for ever.

**Reader:** A reading from the holy Gospel according to Matthew

**All:** Glory to you, Lord.

**Reader:** Jesus said to them, "'But who do you say that I am?' Simon Peter said in reply, 'You are the Messiah, the Son of the living God.' Jesus said to him. . . . 'you are Peter, and upon this rock I will build my church'" (Matthew 16:15–18).

The Gospel of the Lord.

**All:** Praise to you, Lord Jesus Christ.

 **Who Am I?**

Who do you say I am?
Tell me who I am!
You are Jesus! Yes, I am.
Christ the Lord! Yes, I am.
Son of God! Yes, I am.

On your faith I'll build my Church.
We will build your Church!
Will you follow? Yes, we will!
Love each other? Yes, we will!
Share the Good News? Yes, we will!

 What do you believe in? How do you show others what you believe in?

## WE BELIEVE

### We live as one people.

Each time we gather for Mass, we profess our faith by praying the Apostles' Creed or the Nicene Creed. We declare our belief in Jesus Christ, the Blessed Trinity, and the Church. In the Nicene Creed we state, "We believe in one holy catholic and apostolic Church." One, holy, catholic, and apostolic are the four essential features, or identifying marks, of the Church. They are also called the **marks of the Church**.

Los miembros de la Iglesia creen y siguen a un solo Señor, Jesucristo. La Iglesia es una porque sus miembros están unidos en Cristo, quien es: "La cabeza del cuerpo, que es la iglesia" (Colosenses 1:18). San Pablo escribió: "El cuerpo humano, aunque está formado por muchas partes, es un solo cuerpo. Así también Cristo. Y de la misma manera, todos nosotros, judíos o no judíos, esclavos o libres, fuimos "bautizados para formar un solo cuerpo" (1 Corintios 12:12–13).

La Iglesia es una porque

- Jesucristo nos une con su muerte y resurrección

- el Espíritu Santo nos ha unido y nos guía como comunidad

- el papa y los obispos son llamados a dirigirnos y continuar el trabajo de los apóstoles

- los siete sacramentos nos unen y nos ayudan a compartir la gracia de Dios.

Todos los miembros comparten el mismo Bautismo en el nombre del Padre, y del Hijo y del Espíritu Santo. Por nuestro Bautismo común, participamos en el sacramento de la Eucaristía. En la Eucaristía, somos alimentados por la palabra de Dios y recibimos el Cuerpo y la Sangre de Cristo. Nos unimos más a Cristo y a los demás para formar el cuerpo de Cristo, la Iglesia. Mostramos que estamos llenos de la vida de Cristo con la forma en que vivimos.

La Iglesia Católica enseña que es la Iglesia fundada por Cristo mismo. Esta es la Iglesia que es una, santa, católica y apostólica. Los católicos reconocen y respetan a todos los demás cristianos y reconocen la bondad en otras tradiciones cristianas. Estamos especialmente unidos a los miembros de las iglesias ortodoxas. Otros seguidores de Cristo incluyen a los episcopales, los luteranos, los metodistas, los presbiterianos, bautistas y los pentecostales.

Jesús quiere que sus seguidores estén unidos. La Iglesia Católica trabaja con otras comunidades cristianas para unir la Iglesia. Este trabajo de promover la unidad entre los cristianos es llamado **ecumenismo**. La tarea del ecumenismo nos incluye a todos. Somos llamados a conocer y compartir nuestra fe y las enseñanzas de la Iglesia. Somos llamados a crecer como discípulos de Cristo y a rezar para que todos los cristianos sean uno.

¿Cómo puedes mostrar que crees en el ecumenismo? Dibuja un cartel ilustrando algunas maneras de hacer realidad el ecumenismo.

## Como católicos...

El día de Todos los Santos, noviembre 1, recordamos y honramos a todos los fieles cristianos que vivieron vidas santas en la tierra y que ahora viven felizmente con Dios por siempre. No sólo celebramos las vidas de los santos canonizados sino también de los santos que están con Dios. Este es un buen momento para celebrar la vida de nuestros santos patrones, santos por quienes somos nombrados, santos por quienes son nombradas nuestras escuelas y nuestras parroquias y los santos que honran nuestras familias.

El día de los muertos, el 2 de noviembre, recordamos a todos los que han muerto, especialmente a nuestros parientes y los difuntos de nuestra parroquia. Rezamos para que lleguen a conocer el amor y la misericordia de Dios y compartan la vida eterna.

¿Cuáles son algunas de las personas que recuerdas de manera especial esos días?

The members of the Church believe in and follow the one Lord, Jesus Christ. The Church is one because its members are joined to Christ, who "is the head of the body, the church" (Colossians 1:18). Saint Paul wrote, "As a body is one though it has many parts, and all the parts of the body, though many, are one body, so also Christ. For in one Spirit we were all baptized into one body, whether Jews or Greeks, slaves or free persons" (1 Corinthians 12:12–13).

The Church is one because

- Jesus Christ unites us by his death and Resurrection

- the one Holy Spirit draws us together and guides us as a community

- the pope and bishops are called to lead us and continue the work of the apostles

- the seven sacraments unite us and enable us to share in God's grace.

## As Catholics...

On All Saints' Day, November 1, we remember and honor all of Christ's faithful followers who lived holy lives on earth and now live in happiness with God forever. We not only celebrate the lives of canonized saints but also all people who are saints with God. This is a good time to celebrate the lives of our patron saints—the saints whose names we share, the saints for whom our schools and parishes are named, and the saints that our families honor.

On All Souls' Day, November 2, we remember all people who have died, particularly those in our own families and parishes. We pray that they may know God's love and mercy and share in eternal life.

Who are some of the people you remember on these special days?

All members share the same Baptism in the name of the Father, and the Son, and the Holy Spirit. Because of our common Baptism, we participate in the sacrament of the Eucharist. In the Eucharist, we are nourished by the word of God and receive the Body and Blood of Christ. We are joined more closely to Christ and one another to form the Body of Christ, the Church. We show that we are filled with the life of Christ by the way that we live.

The Catholic Church teaches that it is the Church founded by Christ himself. It is the one, holy, catholic, and apostolic Church. However, the Catholic Church respects all other Christians and recognizes the good in other Christian traditions. We have an especially close connection to the members of the Orthodox Churches. Other followers of Christ include: Episcopalians, Lutherans, Methodists, Presbyterians, Baptists, and Pentecostals.

Jesus wanted his followers to be united. The Catholic Church works with other Christian communities to bring about the unity of the Church. This work to promote the unity of all Christians is called **ecumenism**. The task of ecumenism involves all of us. We are called to know and share our faith and the teachings of the Church. We are called to grow as disciples of Christ and to pray that all Christians may be one.

How can you show that you believe in ecumenism? With a partner make a poster illustrating some possible ways to bring about ecumenism.

Ecumenical prayer service, Toronto, Canada

## Vivimos como un pueblo santo.

Aprendemos en el Antiguo Testamento que el único y verdadero Dios es bueno y santo. El comparte su bondad con toda su creación, especialmente con los humanos.

Cristo nos ofreció su bondad y santidad con su vida, muerte, resurrección y ascensión. En la Iglesia, Cristo comparte con nosotros hoy su santidad. **Santidad** es compartir la bondad de Dios y responder a su amor con la forma en que vivimos. Esta santidad viene del don de la vida de Dios que él comparte con nosotros por medio de los sacramentos y de vivir como fieles cristianos cada día. El Espíritu Santo nos ayuda a responder al amor de Dios y a seguir el ejemplo de Cristo.

Los apóstoles enseñaron a los primeros cristianos que por el Bautismo compartían la vida y santidad de Cristo. San Pablo escribió a la nueva comunidad de Corinto: "¿Acaso no saben ustedes que son templo de Dios, y que el Espíritu de Dios vive en ustedes? . . . . el templo de Dios es santo, y ese templo son ustedes mismos" (1 Corintios 3:16–17).

Para Pablo, *santo* era otra forma de decir "pertenecer a Dios". El le dijo a los corintios: "Los que en Cristo Jesús han sido consagrados a Dios y llamados a formar parte de su pueblo, junto con todos los que en todas partes invocan el nombre de nuestro Señor Jesucrito" (1 Corintios 1:2). Pablo, Pedro y otros apóstoles animaron a los discípulos de Cristo a vivir vidas santas. También nosotros compartimos este llamado a la santidad.

Desde los inicios de la Iglesia algunos de los santos de Dios han sido honrados como santos. Los santos han vivido su fe de diferentes maneras. Algunos santos predicaron la buena nueva de Cristo en tiempos en que la Iglesia no era comprendida por la sociedad. Otros pusieron la palabra de Jesús a trabajar en medio de un mundo injusto. Muchos otros dedicaron sus vidas a rezar y a hacer penitencia. Muchos otros fueron mártires.

La Iglesia declara oficialmente santos a los discípulos de Cristo por medio de un proceso llamado canonización. Estas personas fueron amigos y servidores de Dios. Sus vidas son modelos para nosotros y nos enseñan como ser verdaderos discípulos. Porque los santos están cerca de Cristo, ellos rezan por nosotros constantemente. Ellos ayudan a la Iglesia a crecer en santidad.

Todos somos santos de Dios, y su Iglesia es santa. Hay veces en que no vivimos como Dios quiere. Sin embargo, por la gracia del sacramento de la Reconciliación somos librados del pecado y santificados de nuevo. El sacramento de la Eucaristía también nos fortalece para seguir el ejemplo de santidad de Cristo. Orar, respetar a los demás, vivir justamente y trabajar por la justicia y la paz, nos ayuda a responder a la gracia de Dios en nuestras vidas y a ayudar a la Iglesia a crecer en santidad.

En grupo identifique algunas formas en que sus familias pueden mostrar a otros que "pertenecen a Dios".

_____

_____

_____

## We live as a holy people.

We learn from the Old Testament that the one true God is good and holy. He shared his goodness with all of his creation, most especially with humans.

Christ offered his goodness and holiness to us through his life, death, Resurrection, and Ascension. Christ shares his holiness with us today through the Church. **Holiness** is sharing in God's goodness and responding to his love by the way we live. This holiness comes from the gift of God's life that he shares with us through the sacraments and from living as faithful Christians every day. The Holy Spirit helps us to respond to God's love and to follow Christ's example.

The apostles taught the early Christians that by Baptism they shared in the very life and holiness of Christ. Saint Paul wrote to the new community at Corinth, "Do you not know that you are the temple of God, and that the Spirit of God dwells in you? . . . the temple of God, which you are, is holy" (1 Corinthians 3:16, 17).

To Paul, *holy* was another way of saying "belonging to God." He told the Corinthians,

"You who have been sanctified in Christ Jesus, called to be holy, with all those everywhere who call upon the name of our Lord Jesus Christ" (1 Corinthians 1:2). Paul, Peter, and the other apostles encouraged Christ's disciples to live lives of holiness. We, too, share this call to holiness.

From the beginning of the Church, some of God's holy ones have been honored as saints. Saints have stood up for their faith in many ways. Some saints preached the good news of Christ in times when the Church was misunderstood by society. Others put Jesus' words into action in the midst of injustice. Many others dedicated their lives to prayer and penance. And others were martyrs.

The Church officially declares a disciple of Christ a saint by a process called canonization. These women and men are friends and servants of God. Their lives are models for us and teach us about true discipleship. Because the saints are closely united to Christ, they pray for us constantly. They help the Church to grow in holiness.

We are all God's holy ones, and his Church is holy. Yet at times we do not live as God calls us to live. However, through the grace of the sacrament of Reconciliation, we are again freed from sin and made holy. The sacrament of the Eucharist also strengthens us to follow Christ's example of holiness. Praying, respecting all people, living fairly, and working for justice and peace help us to respond to God's grace in our lives and to help the Church to grow in holiness.

In groups identify some ways you and your families can show others that you "belong to God."

_____

_____

_____

**Blessed Pierre Toussaint**

**Saint Elizabeth of Portugal**

**Saint Cecilia**

## Vivimos como un pueblo que acoge.

La palabra *católica* significa "universal". La Iglesia acoge a todo el mundo, a todo el que busque el amor y la misericordia de Dios. Jesús envió a los apóstoles a hacer discípulos en todas las naciones. Algunos de ellos viajaron a otras partes del mundo para predicar el evangelio, bautizar creyentes y establecer comunidades de iglesias locales. Este fue el inicio de la Iglesia universal.

Los católicos pertenecen a una gran variedad de culturas. Nuestras costumbres y expresiones diferentes son un don para la Iglesia. Tenemos muchos idiomas y costumbres, pero estamos unidos por nuestro amor por Cristo y nuestra llamada común a la santidad. Juntos hacemos la Iglesia católica.

Porque la Iglesia es católica todos están invitados a creer en Jesús y a ser bautizados en la fe de la Iglesia. La misión de la Iglesia es compartir la buena nueva de Cristo y difundir el reino de Dios.

Cada uno de nosotros es llamado a participar en la misión de la Iglesia. Estamos llamados a compartir la buena nueva de Cristo y a vivir vidas santas. Podemos hacer eso rezando, haciendo buenas obras y de acuerdo a como vivimos.

Algunos miembros de la Iglesia son misioneros quienes comparten su fe con aquellos a quienes sirven. Ellos también construyen casas, escuelas y hospitales. Algunas veces enseñan a la gente a cultivar la tierra o les ayudan a satisfacer sus necesidades de otras formas. Ese trabajo de servicio pone en acción la buena nueva de Cristo.

Hay muchas otras religiones además del cristianismo. Como católicos respetamos los derechos de otros a practicar y vivir su fe. Como ya sabes el cristianismo tiene raíces en el judaísmo. El pueblo judío es nuestro pueblo antepasado en la fe y muchas de nuestras creencias, prácticas de oración y tradiciones están basadas en el judaísmo. Hoy el pueblo judío en todas partes, continúa viviendo como el pueblo de Dios y cumple con la alianza.

El islamismo es otra religión con la que los cristianos y los judíos comparten la creencia en un sólo y verdadero Dios. Los que practican esta religión son llamados musulmanes. Musulmanes, judíos y cristianos tienen una importante conexión de adorar a Dios y considerar a Abraham un antepasado común. Los musulmanes siguen las enseñanzas del profeta Mahoma, quien vivió en los siglos VI y VII.

Personas de otras religiones y fe incluyen a los budistas, hindúes y miembros de muchas tribus indígenas. La Iglesia respeta los derechos de todo el mundo a practicar su fe y nos unimos a ellos y a los que no profesan ninguna religión para tratar de hacer del mundo un mejor lugar para vivir.

Nombra formas en la que tu parroquia es una comunidad compuesta de diferentes personas.

## Vivimos como pueblo fiel.

La Iglesia es apostólica porque está construida en la fe de los apóstoles. ". . . ahora comparten con el pueblo de Dios los mismos derechos, y son miembros de la familia de Dios. Ustedes son como un edificio levantado sobre los fundamentos que son los apóstoles y los profetas, y Jesucristo mismo es la piedra que corona el edificio". (Efesios 2:19–20).

Jesús escogió a los apóstoles para cuidar y dirigir la comunidad de creyentes. La fe que profesamos y practicamos está basada en la fe que los apóstoles compartieron y difundieron.

## We live as a welcoming people.

The word *catholic* means "universal." The Church welcomes all people everywhere who seek God's love and mercy. Jesus commissioned the apostles and sent them to make disciples of all nations. Some of them traveled to other parts of the world to preach the gospel, baptize believers, and establish local Church communities. This was the beginning of the universal Church.

Catholics belong to a great variety of cultures. Our different customs and expressions of faith are a gift to the Church. We have many languages and customs, but we are united by our love for Christ and our common call to holiness. Together we make the Church catholic.

Because the Church is catholic, all people are invited to believe in Jesus and to be baptized in the faith of the Church. The mission of the Church is to share the good news of Christ and to spread the Kingdom of God.

Each of us is called to take part in the mission of the Church. We are called to share the good news of Christ and to live lives of holiness. We can do this by our prayers, good works, and everyday living.

Some members of the Church are missionaries who share their faith with those they serve. They also may build homes, schools, and hospitals with the people they serve. They may teach people to farm and to provide for their needs in other ways, too. These works of service put the good news of Christ into action.

There are many other religions beside Christianity. As Catholics we respect the rights of others to practice and live their faith. As you have learned, Christianity has its roots in Judaism. The Jewish people are our ancestors in faith, and many of our beliefs, prayer practices, and traditions are based in Judaism. Today Jewish people everywhere continue to live as God's people and follow the covenant.

Islam is another religion with which Christians and Jews share belief in the one true God. People who practice the religion of Islam are called Muslims. Muslims, Jews, and Christians have the important connection of worshiping God and consider Abraham a common ancestor. Muslims follow the teachings of the prophet Muhammad, who lived in the sixth and seventh centuries.

People of other religions and faiths include Buddhists, Hindus, and members of many native tribes. The Church respects the rights of all people to practice their faith, and we join with them and with people of no religious belief in trying to make the world a better place for all people.

Name ways your parish is one community made up of many different people.

## We live as a faithful people.

The Church is apostolic because it is built on the faith of the apostles. ". . . you are fellow citizens with the holy ones and members of the household of God, built upon the foundation of the apostles and prophets, with Christ Jesus himself as the capstone" (Ephesians 2:19–20).

Jesus chose the apostles to care for and lead the community of believers. The faith we profess and practice is based on the faith that the apostles shared and spread.

La vida y el liderazgo de la Iglesia están basados en la de los apóstoles. Cuando los apóstoles establecían comunidades locales de creyentes, ellos nombraban líderes locales para que los representaran en la comunidad. Los apóstoles pasaban a esos líderes lo que Cristo les había dado: el don del Espíritu Santo y la autoridad de continuar la misión de Jesucristo. Esos líderes que continuaron el trabajo misionero de los apóstoles fueron los sucesores de los apóstoles y eventualmente se conocieron como obispos. La Iglesia creció y los obispos nombraron a otros para que continuaran con el ministerio de los apóstoles. De esa forma, el liderazgo de la Iglesia a través de la historia puede llevarse hasta los apóstoles.

Como obispo de Roma, el papa es el sucesor del apóstol Pedro, quien fue el primer líder de la Iglesia de Roma. El papa continúa el ministerio de Pedro y tiene una responsabilidad especial de cuidar de la Iglesia. Los obispos, con el papa a la cabeza, están llamados a dirigir y guiar a toda la Iglesia.

Toda la Iglesia comparte la misión que Cristo dio primero a sus apóstoles. Pero como un cuerpo tiene diferentes funciones, así los miembros de la Iglesia tienen diferentes papeles al compartir esta misión.

Los laicos son miembros bautizados de la Iglesia que comparten la misión de la iglesia de llevar la buena nueva de Cristo al mundo. Los laicos también son llamados fieles cristianos. Ahora eres un laico y cada día creces como discípulo de Jesús. No tienes que esperar a ser adulto para ser un miembro activo de la Iglesia. Como laico eres llamado a compartir la buena nueva en tu casa, tu escuela y tu vecindario. Puedes participar en las celebraciones de tu parroquia y ser un ejemplo de vida cristiana para otros. Los laicos son llamados a participar en la celebración de los sacramentos y apoyar a sus parroquias.

Los laicos son llamados a llevar la buena nueva de Cristo a sus lugares de trabajo y a su comunidad. Mujeres y hombres son llamados a participar en el gobierno de la ciudad, del estado y de la nación. Ellos tienen una responsabilidad de actuar y tomar decisiones basadas en las enseñanzas de Jesús y su fe.

Es una verdadera bendición que todos en la Iglesia puedan trabajar por el reino de Dios. Somos un pueblo que puede mostrar su amor a otros y que vivimos en el mundo como discípulos de Cristo

## RESPONDEMOS

¿Cuáles son algunas formas en que la Iglesia sirve en el mundo?

_____

_____

### Vocabulario

**características de la Iglesia** (pp 349)
**ecumenismo** (pp 349)
**santidad** (pp 350)

The life and leadership of the Church is based on that of the apostles. When the apostles established local communities of believers, they appointed local leaders to represent them in the community. The apostles passed on to these leaders what Christ had given them: the gift of the Holy Spirit and the authority to carry out the mission of Jesus Christ. These leaders who continued the apostles' ministry were the successors of the apostles and eventually became known as bishops. As the Church grew, the bishops commissioned others to continue the ministry of the apostles. In this way, the leadership of the Church throughout history can be traced back to the apostles.

As the bishop of Rome, the pope is the successor of the apostle Peter, who was the first leader of the Church of Rome. The pope continues Peter's ministry and has a special responsibility to care for the Church. The bishops with the pope as their head, are called to lead and guide the whole Church.

The whole Church shares in the mission that Christ first gave to his apostles. But as a body has different parts with different functions, so the members of the Church have different roles in sharing in this mission.

The laity are the baptized members of the Church who share in the Church's mission to bring the good news of Christ to the world. The laity are also known as lay people or the Christian faithful. Right now you are a layperson, and every day you are growing as Jesus' disciple. You do not have to wait to be an adult to be an active member of the Church. As a layperson you are called to share the good news at home, in school, and in your neighborhood. You can take part in your parish celebrations and be an example of Christian living for others. Lay people are called to participate in the celebration of the sacraments and to support their parishes.

Laypeople are called to bring the good news of Christ to their work places and local communities. Women and men in the laity are called to be involved in city, state, and national governments. They have a responsibility to act and make decisions based on the teachings of Jesus and on their faith.

It is truly a blessing that all in the Church can work to bring about God's reign. We are one people who can show by our love of others that we are living as Christ's disciples in the world.

## WE RESPOND

What are a few ways that the Church serves the world?

_____

_____

**Key Words**

marks of the Church (p. 351)

ecumenism (p. 351)

holiness (p. 351)

## Capítulo 26

**Completa lo siguiente:**

1. La Iglesia es una porque _____

_____

2. La Iglesia es santa porque _____

_____

3. La Iglesia es católica porque _____

_____

4. La Iglesia es apostólica porque _____

_____

**Encierra en un círculo la letra que completa la oración.**

5. _____ es compartir la bondad de Dios y responder a su amor con la forma en que vivimos.

   **a.** Ecumenismo   **b.** Católico   **c.** Santidad

6. Los _____ son todos los miembros bautizados de la Iglesia que comparten la misión de la Iglesia de llevar la buena nueva de Cristo a todo el mundo.

   **a.** obispos   **b.** laicos   **c.** discípulos

7. La Iglesia Católica cree que es la Iglesia fundada por _____.

   **a.** Jesucristo   **b.** Pedro   **c.** Pablo

8. El trabajo de promover la unidad entre los cristianos es llamado _____.

   **a.** ecumenismo   **b.** santidad
   **c.** características de la Iglesia

**Contesta.**

**9–10.** ¿Qué pueden hacer los jóvenes para que la Iglesia crezca?

## Reflexiona y ora

Cristo, tú nos llamas a la santidad. Puedo responder a tu llamada

_____

Cristo, tú nos llamas a ser uno. Envía tu Espíritu para que podamos estar unidos.

## Chapter 26

**Complete the following.**

1. The Church is one because _____

_____

2. The Church is holy because _____

_____

3. The Church is catholic because _____

_____

4. The Church is apostolic because _____

_____

**Circle the letter of the correct answer.**

5. _____ is sharing in God's goodness and responding to his love by the way we live.

   **a.** ecumenism  **b.** catholic  **c.** holiness

6. The _____ are all the baptized members of the Church who share in the Church's mission to bring the good news of Christ to the world.

   **a.** bishops  **b.** laity  **c.** disciples

7. The Catholic Church believes it is the Church founded by _____.

   **a.** Jesus Christ  **b.** Peter  **c.** Paul

8. The work to promote unity among all Christians is called _____.

   **a.** holiness  **b.** ecumenism  **c.** marks of the Church

**Write a paragraph to answer this question.**

**9–10.** What can young people do to help the Church to grow?

## Reflect & Pray

Christ, you call us to holiness. I can respond to your call by

_____

Christ, you call us to be one. Send your Spirit to us that we may be united.

# Respondemos y compartimos la fe

## Compartiendo lo aprendido

Habla con tu familia sobre lo siguiente:

- las características de la Iglesia
- ecumenismo
- santidad
- la misión de la Iglesia.

## Recuerda

- Vivimos como un pueblo.
- Vivimos como un pueblo santo.
- Vivimos como un pueblo que acoge.
- Vivimos como pueblo fiel.

## Familia de santos

**San Maximiliano Kolbe 1894–1941**

San Maximiliano Kolbe fue un sacerdote franciscano. Durante la Segunda Guerra Mundial, estuvo en prisión en un campo de concentración nazi. Ahí ofreció su vida en lugar de la de un hombre, padre de familia, que había sido escogido para morir.

## NUESTRA VIDA CATOLICA

Cuenta tu historia aquí.

Pega
tu foto
aquí.

Visita Sadlier en

www.CREEMOSweb.com

**Conexión con el Catecismo**
Para referencia vea los párrafos 820, 826, 835 y 863.

# We Respond and Share the Faith

## Sharing What I Learned

Discuss the following with your family:

- the marks of the Church
- ecumenism
- holiness
- the mission of the Church.

## Remember

- We live as one people.
- We live as a holy people.
- We live as a welcoming people.
- We live as a faithful people.

### A Family of Saints

**Saint Maximilian Kolbe 1894–1941**

Saint Maximilian Kolbe was a Franciscan priest. During World War II, he was imprisoned in a Nazi concentration camp. There he offered his life in place of another man, a husband and father, who had been chosen to die.

## OUR CATHOLIC LIFE

### Student Reflection

Tell your story here.

Place your photo here.

 **Connect to the Catechism**
For adult background and reflection, see paragraphs 820, 826, 835, and 863.

Visit Sadlier's

www.CREEMOSweb.com

**Durante el Tiempo de Pascua celebramos nuestra nueva vida en Cristo y la venida del Espíritu Santo.**

## NOS CONGREGAMOS

✝ *Señor Jesús, que resucitemos contigo a una nueva vida en el Espíritu santo.*

Piensa en una vez cuando tu familia dio la bienvenida a una persona. ¿Cómo celebraste?

## CREEMOS

El Tiempo de Pascua es un tiempo especial para regocijarse en la nueva vida que tenemos en Cristo. Es tiempo para llevar nuevos miembros a la Iglesia, para la celebración de los sacramentos del Bautismo y la Confirmación, los que los llevarán a la mesa de la Eucaristía. Durante el Tiempo de Pascua toda la Iglesia crece al vivir la resurrección de Cristo y a través de todas las celebraciones litúrgicas, reflexiona con gozo en el misterio pascual de Cristo. Damos la bienvenida a nuevos miembros de la Iglesia y rezamos con ellos todas las semanas.

El tiempo de Pascua dura cincuenta días. Durante este tiempo celebramos la Resurrección y ascensión de Jesucristo y la Venida del Espíritu Santo en Pentecostés. Escuchamos historias de Jesús resucitado aparecerse a sus discípulos. Aprendemos sobre el inicio de la Iglesia en Hechos de los Apóstoles.

**Lunes después de Pascua en Nigeria**   El día después del Domingo de Pascua es un día importante para alabar en Nigeria. En muchos pueblos y villas los católicos y otros cristianos se reúnen, durante el día, en un lugar que ellos llaman "Galilea". Ellos creen que, como los apóstoles y los primeros discípulos deben estar en "Galilea" para encontrarse con el Señor resucitado. Cristianos de todas las denominaciones se reúnen a celebrar la resurrección de Cristo cantando, predicando y danzando, compartiendo una comida y participando en todo tipo de deportes y juegos. Esta reunión en "Galilea" es posible porque el Lunes de Pascua es un día de fiesta nacional en Nigeria.

*"El amor de Dios se ha infundido en nuestros corazones por el Espíritu Santo, que habita en nosotros, aleluya".*

Ritos Iniciales, Vigilia de Pentecostés

# Easter

**During the Easter season, we celebrate our new life in Christ and the coming of the Holy Spirit.**

## WE GATHER

✝ *Lord Jesus, may we rise with you to new life in the Holy Spirit!*

Think of a time when a person was welcomed into your family. How did you celebrate?

## WE BELIEVE

The Easter season is a special time to rejoice in the new life we have in Christ. It is a time for bringing new members into the Church—for celebrating the sacraments of Baptism and Confirmation, both of which lead to the table of the Eucharist. And during the Easter season the whole Church grows in their experience of the risen Christ, and through liturgical celebrations, reflects with joy on Christ's Paschal Mystery. We welcome the new members of the Church and pray with them each week.

The Easter season lasts for fifty days. During this time we celebrate the Resurrection and Ascension of Jesus Christ and the coming of the Holy Spirit on Pentecost. We hear stories of the risen Jesus' appearances to his disciples. We learn about the beginning of the Church from the Acts of the Apostles.

**Easter Monday in Nigeria** The day after Easter Sunday is an important day of worship in Nigeria. In many towns and villages Catholics and other Christians gather in a common place which they name "Galilee" for the day. They believe that, like the apostles and first disciples, they are to be in "Galilee" to meet the risen Lord. Christians of all faiths gather together to celebrate Christ's Resurrection with preaching, singing and dancing, sharing a meal, and participating in all types of sports and games. This "Galilee" gathering is possible because Easter Monday is traditionally a public holiday in Nigeria.

The love of God has been poured into our hearts by his Spirit living in us, alleluia.

Introductory Rites, Pentecost Vigil Mass

**Ascensión** Durante el tiempo de Pascua recordamos el último evento de la vida pública de Jesús, su ascensión. Jesús subió o regresó a su Padre en el cielo, cuarenta días después de su resurrección. La Iglesia celebra la fiesta de la Ascensión aproximadamente cuarenta días después de Pascua. En muchas diócesis en los Estados Unidos esta fiesta es un día de precepto. Leemos sobre la ascensión de Jesús en Hechos de los Apóstoles.

Hechos de los apóstoles 1:3–12

Cuarenta días después de la resurrección, Jesús resucitado se reunió con sus apóstoles en las afueras de Jerusalén. El les dijo: "Cuando el Espíritu Santo venga sobre ustedes, recibirán poder y saldrán a dar testimonio de mí, en Jerusalén, en toda la región de Judea y de Samaria, y hasta en las partes más lejanas de la tierra.

Dicho esto, mientras ellos lo estaban mirando, Jesús fue llevado, y una nube lo envolvió y no lo volvieron a ver". (Hechos de los apóstoles 1:8–9).

Los apóstoles regresaron al aposento alto y esperaron orando.

**Pentecostés** Celebramos la fiesta de Pentecostés cincuenta días después de la Pascua. La palabra *pentecostés* viene de una palabra griega *penta* que significa, cincuenta. Pentecostés se celebra el último domingo del tiempo de Pascua. En Pentecostés celebramos la venida del Espíritu Santo a los primeros discípulos. También celebramos el nacimiento de la Iglesia y nos regocijamos porque el Espíritu Santo llena nuestros corazones.

La fiesta judía de Pentecostés se celebraba cincuenta días después de Pascua, como agradecimiento por la cosecha. Los "primeros frutos" del campo y las hortalizas eran bendecidos y compartidos. Se entiende entonces porque Dios Padre y Dios Hijo escogieron compartir "los primeros frutos" de la resurrección de Jesús, el Espíritu Santo, el poder enviado desde lo alto. Este don del Espíritu Santo fue un gran don del amor de Dios. Los apóstoles compartieron en la hermandad con el Espíritu Santo.

¡Qué diferencia hizo el Espíritu Santo en vida de los apóstoles! Durante el sufrimiento y muerte de Jesús, los apóstoles tuvieron miedo. Después de su resurrección, ellos se escondieron. Cuando el Espíritu Santo vino, los apóstoles empezaron a recordar las palabras de Jesús y a actuar de acuerdo a ellas. Empezaron a predicar y a enseñar. Ya no estaban solos. Tampoco nosotros estamos solos porque el Espíritu Santo está siempre con nosotros.

**Ascension** During the season of Easter we recall the last event of Jesus' public life, his Ascension. Jesus ascended or returned to his Father in heaven forty days after he rose from the dead. Thus the Church celebrates the feast of the Ascension forty days after Easter. In many dioceses of the United States this feast is a holy day of obligation. We read about Jesus' Ascension in the Acts of the Apostles.

Acts of the Apostles 1:3–12

Forty days after his Resurrection, the risen Jesus had gathered with his apostles outside of Jerusalem. He told them, "'You will receive power when the holy Spirit comes upon you, and you will be my witnesses in Jerusalem, throughout Judea and Samaria, and to the ends of the earth.' When he had said this, as they were looking on, he was lifted up, and a cloud took him from their sight" (Acts of the Apostles 1:8–9).

The apostles went back to the upper room and waited in prayer.

**Pentecost** Fifty days after Easter we celebrate the feast of Pentecost. The word *Pentecost* comes from the Greek word *penta*, meaning fifty. Pentecost is celebrated on the last Sunday and final day of the Easter season. On Pentecost Sunday we celebrate the coming of the Holy Spirit to the first disciples. We also celebrate the beginning of the Church, and we rejoice because the Holy Spirit fills our hearts today.

The Jewish feast of Pentecost was celebrated fifty days after Passover, as a thanksgiving for the harvest. The "first fruits" of field and orchard were blessed and shared. So it is fitting that on this feast God the Father and God the Son chose to share the "first fruits" of Jesus' Resurrection—the Holy Spirit, the power sent from on high. This Gift of the Holy Spirit was a great gift of God's love. The apostles now shared in the fellowship of the Holy Spirit.

What a difference the Holy Spirit made in the lives of the apostles! During Jesus' trial and death, the apostles were afraid. After his Resurrection, they remained hidden. When the Holy Spirit came, the apostles began to remember the words of Jesus and to act on them. They began preaching and teaching. They were no longer alone. Neither are we alone because the Holy Spirit will be with us always.

Christ the Redeemer,
Rio de Janiero

Los apóstoles y María pasaron el tiempo entre la ascensión y Pentecostés rezando. La Iglesia mantiene esos días entre la Ascensión y Pentecostés esperando y rezando al Espíritu Santo. Durante ese tiempo la liturgia está llena de oraciones rogando por la venida del Espíritu Santo.

## RESPONDEMOS

 Prepárate para la fiesta de la venida del Espíritu Santo. Escribe una oración, un poema, una cita de la Escritura, o una acción "llena del Espíritu" que puedas hacer.

_____

_____

_____

_____

Juntos recen esta oración:

"Padre, deja que tu Espíritu venga sobre nosotros para que con su poder nos llene de sus dones. Para que nuestros corazones te complazcan y estén listos a hacer tu voluntad".

## ✟ Respondemos en oración

**Líder:** Señor, envía tu Espíritu.

**Todos:** Y renovarás la faz de la tierra.

**Lector:** Lectura de la primera carta de San Pablo a los Corintios.

"Una persona puede recibir diferentes dones, pero el que los concede es un mismo Espíritu. Hay diferentes maneras de servir, pero todas por encargo de un mismo Señor.. . .. El cuerpo humano, aunque está formado por muchas partes, es un solo cuerpo. Así también Cristo. Y de la misma manera, todos nosotros, judíos o no judíos, esclavos o libres, fuimos bautizados para formar un solo cuerpo por medio de un solo Espíritu; y a todos se nos dio a beber de ese mismo Espíritu". (1 Corintios 12:4–5, 12–13)

Palabra de Dios.

**Todos:** Te alabamos, Señor.

🎵 **Envía tu Espíritu**

Envía tu Espíritu, envía tu Espíritu, envía tu Espíritu, sea renovada la faz de la tierra. Sea renovada la faz de la tierra.

Spirit of the living God, burn in our hearts, and make us a people of hope and compassion. (Refrain)

Wind of promise, wind of change, friend of the poor, empower your people to make peace and justice. (Refrain)

The apostles and Mary spent the time between the Ascension and Pentecost in prayer. The Church keeps the days between Ascension and Pentecost as days of waiting and prayer for the Holy Spirit. During this time the liturgy is full of prayerful longing for the coming of the Holy Spirit.

## WE RESPOND

Prepare for the feast of the coming of the Holy Spirit. Write a prayer, a poem, a favorite quotation from Scripture, or a "Spirit-filled" action you can do.

_____

_____

_____

Pray this prayer together.

"Father,
let your Spirit come upon us with power
    to fill us with his gifts.
May he make our hearts pleasing to you,
    and ready to do your will".

# ✝ We Respond in Prayer

**Leader:** Lord, send out your Spirit,

**All:** And renew the face of the earth.

**Reader:** A reading from the first Letter of Saint Paul to the Corinthians

"There are different kinds of spiritual gifts but the same Spirit; there are different forms of service but the same Lord. . . . As a body is one though it has many parts, and all the parts of the body, though many, are one body, so also Christ. For in one Spirit we were all baptized into one body, whether Jews or Greeks, slaves or free persons, and we were all given to drink of one Spirit."
(1 Corinthians 12:4–5, 12–13)

The word of the Lord.

**All:** Thanks be to God.

### ♫ Envía tu Espíritu

Envía tu Espíritu, envía tu Espíritu,
envía tu Espíritu,
sea renovada la faz de la tierra.
Sea renovada la faz de la tierra.

Spirit of the living God,
burn in our hearts,
and make us a people of hope and compassion. (Refrain)

Wind of promise, wind of change,
friend of the poor,
empower your people to
make peace and justice.
(Refrain)

# Respondemos y compartimos la fe

## Compartiendo lo aprendido

Habla con tu familia sobre lo siguiente:

- el Tiempo de Pascua
- la ascensión
- Pentecostés.

## Alrededor de la mesa

En familia decidan hacer algunas de las acciones de la lista que se encuentra abajo. Si quiere pueden escoger hacer una actividad para todo el verano.

- Ayudar en una cocina popular o recolectar comida en lata.
- Ayudar como voluntario en la parroquia, el vecindario o limpiar la escuela.
- Planificar una venta de garaje o de limonada y donar las ganancias a tu obra de caridad preferida.
- Donar juguetes en buenas condiciones a un mercado de pulgas o una sociedad de protección a los niños.
- Cortar la grama o hacerle las compras a un anciano o a un vecino que no puede caminar.

## Oración en familia

Recen esta oración durante los días entre la Ascensión y Pentecostés.

**Líder:** Ven, Espíritu Santo, llena los corazones de tus fieles.

**Todos:** Y enciende en ellos el fuego de tu amor.

**Líder:** Envía tu Espíritu y serán creados.

**Todos:** Y renovarás la faz de la tierra.

**Líder:** Señor, que con la luz de tu Espíritu aleccionaste los corazones de tus fieles.
Haz que guiados por este mismo Espíritu saboreemos la dulzura del bien, por Cristo, nuestro Señor.

**Todos:** Amén.

Visita Sadlier en

**www.CREEMOSweb.com**

**Conexión con el Catecismo**
Para reflexión vea el párrafo 690.

# We Respond and Share the Faith

## Sharing What I Learned

Discuss the following with your family:

- the Easter season
- the Ascension
- Pentecost.

## Around the Table

As a family, decide to do some of the spirit-filled actions from the list below. You may want to make your choice a summer-long activity.

- Help out at a soup kitchen or collect canned goods.
- Volunteer for neighborhood, parish, or school clean-up.
- Run a yard sale or lemonade stand and give the proceeds to a favorite cause.
- Donate usable toys, in good condition, to a charity thrift shop or to a children's society.
- Mow lawns or do grocery shopping for elderly or housebound neighbors.

## Family Prayer

Pray this prayer during the days between the Ascension and Pentecost.

**Leader:** Come, Holy Spirit, fill the hearts of your faithful.
**All:** And kindle in them the fire of your love.
**Leader:** Send forth your Spirit and they shall be created.
**All:** And you will renew the face of the earth.
**Leader:** Lord,
by the light of the Holy Spirit
you have taught the hearts
of your faithful.
In the same Spirit
help us to relish what is right
and always rejoice in your
consolation.
We ask this through Christ our Lord.
**All:** Amen.

 **Connect to the Catechism**
For adult background and reflection, see paragraph 690.

Visit Sadlier's
www.CREEMOSweb.com

# Los preceptos de la Iglesia

1. Celebrar la resurrección de Cristo todos los domingos (o sábados en la tarde) y los días de precepto participando en la misa y evitando hacer trabajos innecesarios.

2. Vivir una vida sacramental. Recibir con frecuencia la comunión y el sacramento de la Reconciliación. Debemos comulgar por lo menos una vez al año, entre el primer domingo de Cuaresma y el Domingo de la Santísima Trinidad. Debemos celebrar la Reconciliación una vez al año si hemos cometido un pecado mortal, o pecado grave.

3. Estudiar, toda la vida, las enseñanzas de la fe católica, especialmente durante la preparación de los sacramentos y nuestro continuo crecimiento en la fe.

4. Observar las leyes del matrimonio de la Iglesia y dar instrucción y formación religiosa a los hijos.

5. Contribuir al sostenimiento de la Iglesia: la parroquia a la que se pertenece, los sacerdotes, la Iglesia en general y al papa.

6. Hacer penitencia, incluyendo no comer carne y ayunar durante ciertos días.

7. Unirse al trabajo misionero de la Iglesia.

## Días de precepto

(Celebrados en la Iglesia en los Estados Unidos)

Solemnidad de María, la Madre de Dios (1 de enero)

Ascensión (cuando se celebra en jueves durante el Tiempo de Pascua)

Asunción de María (15 de agosto)

Todos los Santos (1 de noviembre)

Inmaculada Concepción (8 de diciembre)

Navidad (25 de diciembre)

# The Precepts of the Church

1. Celebrate Christ's Resurrection every Sunday (or Saturday evening) and on holy days of obligation by taking part in Mass and avoiding unnecessary work.

2. Lead a sacramental life. Receive Holy Communion frequently and the sacrament of Reconciliation regularly. We must receive Holy Communion at least once a year between the first Sunday of Lent and Trinity Sunday. We must celebrate Reconciliation once a year if we have committed mortal, or serious, sin.

3. Study Catholic teaching throughout life, especially in preparing for the sacraments, and continue to grow in faith.

4. Observe the marriage laws of the Church and give religious instruction and formation to one's children.

5. Contribute to the support of the Church: one's own parish community, priests, the whole Church, and the pope.

6. Do penance, including not eating meat and fasting from food on certain days.

7. Join in the missionary work of the Church.

## Holy Days of Obligation

(as celebrated by the Church in the United States)

Solemnity of Mary, Mother of God (January 1)

Ascension (when celebrated on Thursday during the Easter Season)

Assumption of Mary (August 15)

All Saints Day (November 1)

Immaculate Conception (December 8)

Christmas (December 25)

# Oraciones

## Credo de los Apóstoles

Creo en Dios, Padre todopoderoso,
Creador del cielo y de la tierra.
Creo en Jesucristo, su único Hijo, nuestro Señor,
que fue concebido por obra y gracia del Espíritu Santo,
nació de santa María virgen,
padeció bajo el poder de Poncio Pilato,
fue crucificado, muerto y sepultado,
descendió a los infiernos,
al tercer día resucitó de entre los muertos,
subió a los cielos
y está sentado a la derecha de Dios, Padre todopoderoso.
Desde allí ha de venir a juzgar a vivos y muertos.
Creo en el Espíritu Santo,
la santa Iglesia católica,
la comunión de los santos,
el perdón de los pecados,
la resurrección de la carne
y la vida eterna. Amén.

## Acto de Contrición

Dios mío,
con todo mi corazón me arrepiento
de todo el mal que he hecho y de todo lo bueno
que he dejado de hacer.
Al pecar, te he ofendido a ti,
que eres el supremo bien
y digno de ser amado sobre todas las cosas.
Propongo firmemente, con la ayuda de tu gracia,
hacer penitencia, no volver a pecar y huir de las
ocasiones de pecado.
Señor, por los méritos de la pasión de nuestro Salvador
Jesucristo,
apiádate de mí. Amén.

## El rosario

El rosario está compuesto de grupos de cuentas atadas en un círculo. Empieza con una cruz seguida de una cuenta grande y tres pequeñas. Hay otra cuenta grande, antes de la medalla, que empieza la primera "decena". Cada decena consiste en una cuenta grande y diez pequeñas.

Se empieza el rosario con la Señal de la Cruz. Después se recita el Credo de los Apóstoles, un Padrenuestro, tres Ave Marías y un gloria al Padre.

Para rezar cada decena se dice un Padrenuestro en la cuenta grande y un Avemaría en cada una de las diez cuentas más pequeñas que siguen. Se termina rezando un Gloria al Padre. Se reza una Salve al final del rosario.

Los misterios del rosario son eventos especiales en las vidas de Jesús y María. Al rezar cada decena se piensa en el misterio apropiado, gozoso, doloroso, glorioso o de luz.

Misterios gozosos
1. La anunciación
2. La visitación
3. El nacimiento de Jesús
4. La presentación de Jesús en el Templo
5. El niño Jesús es encontrado en el Templo

Misterios dolorosos
1. La agonía de Jesús en el Jardín
2. Jesús es azotado en una columna
3. Jesús es coronado de espinas
4. Jesús carga con la cruz
5. La crucifixión y muerte de Jesús

Misterios gloriosos
1. La resurrección
2. La ascensión
3. La venida del Espíritu Santo
4. La asunción de María al cielo
5. La coronación de María.

Misterios de Luz
1. El bautismo de Jesús en el Jordán
2. El milagro de las bodas de Caná
3. Jesús anuncia el reino de Dios
4. La transfiguración de Jesús
5. La institución de la Eucaristía

# Prayers

## Apostles' Creed

I believe in God, the Father Almighty,
  creator of heaven and earth.
I believe in Jesus Christ,
    his only Son, our Lord.
  He was conceived by the power
    of the Holy Spirit
    and born of the Virgin Mary.
He suffered under Pontius Pilate,
  was crucified, died, and was buried.
He descended to the dead.
On the third day he rose again.
He ascended into heaven,
  and is seated at the right hand
    of the Father.
He will come again to judge
  the living and the dead.

I believe in the Holy Spirit,
  the holy catholic Church,
  the communion of saints,
  the forgiveness of sins,
  the resurrection of the body,
  and the life everlasting. Amen.

## Act of Contrition

My God,
I am sorry for my sins with all my heart.
In choosing to do wrong
and failing to do good,
I have sinned against you
whom I should love above all things.
I firmly intend, with your help,
to do penance,
to sin no more,
and to avoid whatever leads me to sin.
Our Savior Jesus Christ
suffered and died for us.
In his name, my God, have mercy.

## The Rosary

A rosary has a cross, followed by one large bead and three small ones. Then there is a circle with five "decades." Each decade consists of one large bead followed by ten smaller beads. Begin the rosary with the Sign of the Cross. Recite the Apostles' Creed. Then pray one Our Father, three Hail Marys, and one Glory to the Father. To recite each decade, say one Our Father on the large bead and ten Hail Marys on the ten smaller beads. After each decade, pray the Glory to the Father. As you pray each decade, think of the appropriate joyful, sorrowful, or glorious mystery, or a special event in the life of Jesus and Mary. Pray the Hail, Holy Queen as the last prayer of the rosary.

### The Five Joyful Mysteries
1. The Annunciation
2. The Visitation
3. The Birth of Jesus
4. The Presentation of Jesus in the Temple
5. The Finding of Jesus in the Temple

### The Five Sorrowful Mysteries
1. The Agony in the Garden
2. The Scourging at the Pillar
3. The Crowning with Thorns
4. The Carrying of the Cross
5. The Crucifixion and Death of Jesus

### The Five Glorious Mysteries
1. The Resurrection
2. The Ascension
3. The Holy Spirit Comes Upon the Apostles
4. The Assumption of Mary into Heaven
5. The Coronation of Mary in Heaven.

### The Five Mysteries of Light
1. Jesus' Baptism in the Jordan
2. The Miracle at the Wedding at Cana
3. Jesus Announces the Kingdom of God
4. The Transfiguration
5. The Institution of the Eucharist

# Glosario

**alianza** (pp 24)
acuerdo entre Dios y su pueblo

**alma** (pp 40)
la realidad espiritual invisible que nos hace humanos y que nunca muere

**arca de la alianza** (pp 116)
caja de madera donde se guardaban los Diez Mandamientos

**Biblia** (pp 14)
récord escrito de la revelación de Dios y su relación con su pueblo

**Bienaventuranzas** (pp 272)
enseñanzas de Jesús que describen la forma en que deben vivir sus discípulos

**blasfemia** (pp 204)
pensamiento, palabra que falta al respeto o es irreverente a Dios

**Canaán** (pp 66)
área del oeste de Palestina que incluía la mayor parte de lo que hoy es Israel

**características de la Iglesia** (pp 324)
cuatro rasgos esenciales la Iglesia: una, santa, católica y apostólica

**conciencia** (pp 32)
la habilidad de diferenciar entre lo bueno y lo malo, el bien y el mal

**Diez Mandamientos** (pp 114)
las leyes de la alianza con Dios dadas a Moisés en el Monte Sinaí

**dignidad humana** (pp 32)
el valor que tenemos por haber sido creados a imagen y semejanza de Dios

**doctrina social de la Iglesia** (pp 318)
las enseñanzas de la Iglesia que llaman a todos sus miembros a actuar y trabajar por la justicia y la paz como lo hizo Jesús

**ecumenismo** (pp 326)
trabajo de promover la unidad entre todos los cristianos

**encarnación** (pp 244)
la verdad de que el Hijo de Dios, la Segunda Persona de la Santísima Trinidad, se hizo hombre

**esperanza** (pp 214)
regalo de Dios que nos ayuda a confiar en la promesa de que estará siempre con nosotros y en su amor y cuidado

**evangelio** (pp 54)
la buena nueva sobre el amor de Dios y la obra de Jesucristo

**éxodo** (pp 98)
palabra bíblica que se usa para describir la salida de los israelitas de la esclavitud a la libertad

**faraón** (pp 74)
el rey de Egipto

**fe** (pp 68)
don de Dios que nos permite creer en él y aceptar todo lo que él ha revelado

**idolatría** (pp 184)
adorar criaturas y cosas en vez de a Dios

**inspiración divina** (pp 14)
guía especial que el Espíritu Santo dio a los autores humanos de la Biblia

**lamentación** (pp 210)
dolor expresado en forma de poema

**libre albedrío** (pp 32)
la libertad y habilidad de escoger

**libro del Génesis** (pp 24)
el primer libro de la Biblia

**maná** (pp 112)
pan dulce que Dios ofreció como comida a los israelitas en el desierto

**mártir** (pp 300)
persona que prefiere morir antes que negar su fe en Jesucristo

**mayordomo** (pp 42)
persona a quien se le da la autoridad y responsabilidad de proteger la vida y el crecimiento de lo que está bajo su cuidado

# Glosario

**milagro** (pp 112)
evento extraordinario más allá del poder humano y que sólo Dios puede hacer

**monarquía** (pp 140)
reino o imperio gobernado por una persona, un rey o una reina

**Monte Sinaí** (pp 112)
montaña en la parte sur de la península del Sinaí

**nazareo** (pp 130)
persona consagrada a Dios que promete no tomar vino o bebidas fuertes, no tocar nada muerto ni cortarse el cabello

**patriarca** (pp 66)
padre o fundador de un clan o grupo de parientes

**parábola** (pp 228)
historia corta que tiene un mensaje

**Pascua** (pp 102)
evento en el que Dios pasó sobre Egipto tomando las vidas de los primogénitos egipcios y salvando a los israelitas

**pecado** (pp 46)
pensamiento, palabra, obra u omisión contra la ley de Dios

**pecado original** (pp 46)
el primer pecado que debilitó la naturaleza humana, trajo la ignorancia, el sufrimiento y la muerte al mundo. Todos sufrimos sus efectos

**Pentecostés** (pp 298)
el día en que el Espíritu Santo vino por primera vez a los discípulos

**profeta** (pp 140)
alguien que habla en nombre de Dios, defiende la verdad y trabaja por la justicia

**proverbio** (pp 214)
dicho corto que ofrece un consejo sabio

**providencia** (pp 74)
el plan y protección de Dios para toda la creación

**reino de Dios** (pp 268)
el poder del amor de Dios actuando en el mundo y en nuestras vidas

**resurrección** (pp 288)
el misterio de que Jesús resucitó de la muerte

**revelación divina** (pp 12)
Dios se da a conocer a nosotros

**sabiduría** (pp 156)
conocimiento y habilidad de reconocer y cumplir la voluntad de Dios en nuestras vidas

**salmo** (pp 160)
oración poética diseñada para cantarse o ser acompañada con instrumentos musicales

**santidad** (pp 328)
compartir la bondad de Dios y responder a su amor con la forma en que vivimos. Nuestra santidad viene de la gracia

**Santísima Trinidad** (pp 14)
las tres Personas en un Dios: Dios el Padre, Dios el Hijo y Dios el Espíritu Santo

**superstición** (pp 212)
creencia falsa de que las criaturas y las cosas poseen poderes que en realidad no tienen

**Tora** (pp 218)
nombre hebreo para los primeros cinco libros del Antiguo Testamento

**Tradición** (pp 14)
la revelación de la buena nueva de Jesucristo como la vive la Iglesia

**última cena** (pp 284)
la comida de pascua que Jesús compartió con sus discípulos la noche antes de morir

**vocación** (pp 204)
llamada de Dios para servirlo de manera especial

# Glossary

**ark of the Covenant** (p.117)
a wooden box in which the tablets of the Ten Commandments were kept

**Beatitudes** (p.273)
teachings of Jesus that describe the way to live as his disciples

**Bible** (p.15)
the written record of God's Revelation and his relationship with his people

**blasphemy** (p.205)
a thought, word, or act that refers to God without respect or reverence

**Blessed Trinity** (p.15)
the three Persons in one God: God the Father, God the Son, and God the Holy Spirit

**Book of Genesis** (p.25)
the first book in the Bible

**Canaan** (p.67)
an area in western Palestine that included most of present-day Israel

**Catholic social teaching** (p.319)
the teaching of the Church that calls all members to work for justice and peace as Jesus did

**conscience** (p.33)
the ability to know the difference between good and evil, right and wrong

**covenant** (p.25)
an agreement between God and his people

**divine inspiration** (p.15)
the special guidance that the Holy Spirit gave to the human authors of the Bible

**Divine Revelation** (p.13)
God's making himself known to us

**ecumenism** (p.327)
the work to promote unity among all Christians

**exodus** (p.99)
the biblical word describing the Israelites' departure from slavery to freedom

**faith** (p.69)
a gift from God that enables us to believe in him and accept all that he has revealed

**free will** (p.33)
the freedom and ability to choose

**gospel** (p.55)
the good news about God at work in Jesus Christ

**holiness** (p.329)
sharing in God's goodness and responding to his love by the way we live; our holiness comes through grace

**hope** (p.215)
a gift from God that enables us to trust in God's promise to be with us always; it enables us to be confident in God's love and care for us

**human dignity** (p.33)
the value and worth that comes from being made in God's image and likeness

**idolatry** (p.185)
giving worship to a creature or thing instead of to God

**Incarnation** (p.245)
the truth that the Son of God, the second Person of the Blessed Trinity, became man

**Kingdom of God** (p.269)
the power of God's love coming into the world and into our lives

**lamentation** (p.211)
a sorrow that is expressed in the form of a poem

**Last Supper** (p.285)
the Passover meal that Jesus shared with his disciples on the night before he died

**manna** (p.113)
a sweet bread-like food that God provided for the Israelites in the desert

**marks of the Church** (p.325)
the four essential features of the Church: one, holy, catholic, and apostolic

# Glossary

**martyr** (p. 301)
a person who dies rather than give up his or her belief in Jesus Christ

**miracle** (p. 113)
an extraordinary event that is beyond human power and brought about by God

**monarchy** (p. 141)
a kingdom or empire ruled by one person, either a king or queen

**Mount Sinai** (p. 113)
a mountain peak in the rocky southern part of the Sinai peninsula

**Nazirite** (p. 131)
a person consecrated to God who promised not to drink wine or strong drink, touch anyone or anything that had died, or cut or shave his or her hair

**original sin** (p. 47)
the first sin that weakened human nature and brought ignorance, suffering, and death into the world; we all suffer from its effects

**parable** (p. 229)
a short story that has a message

**Passover** (p. 103)
the event in which God passed over the whole of Egypt, taking the lives of every firstborn Egyptian and sparing the Israelites

**patriarch** (p. 67)
a father, or founder, of a clan, a group of related families

**Pentecost** (p. 299)
the day on which the Holy Spirit came upon the first disciples

**pharaoh** (p. 75)
the king of Egypt

**prophet** (p. 141)
someone who speaks on behalf of God, defends the truth, and works for justice

**proverb** (p. 215)
a brief saying that gives wise advice

**providence** (p. 75)
God's plan for and protection of all creation

**psalm** (p. 161)
a poetic prayer designed to be sung or chanted to some kind of musical accompaniment

**Resurrection** (p. 289)
the mystery of Jesus' being raised from the dead

**sin** (p. 47)
a thought, word, deed, or omission against God's law

**soul** (p. 41)
the invisible spiritual reality that makes each of us human and that will never die

**steward** (p. 43)
a person who is given both the authority over what he or she cares for and the responsibility for seeing that it lives and grows

**superstition** (p. 213)
the false belief that living creatures or things possess powers that in fact they do not have

**Ten Commandments** (p. 115)
the laws of God's covenant given to Moses on Mount Sinai

**Torah** (p. 219)
the Hebrew name for the first five books of the Old Testament

**Tradition** (p. 15)
the Revelation of the good news of Jesus Christ as lived out in the Church, past and present

**vocation** (p. 205)
God's call to serve him in a special way

**wisdom** (p. 157)
the knowledge and ability to recognize and follow God's will in our lives